KU-403-789

Olaf Olafsson

Berührung

OLAF
OLAFSSON

BERÜHRUNG

Roman

Aus dem Isländischen
von Gisa Marehn

BERLIN VERLAG

Mehr über unsere Autorinnen, Autoren und Bücher:
www.berlinverlag.de

Dieses Buch ist Fiktion. Die Figuren und Begebenheiten
darin unterliegen allein ihren Gesetzen. – ÓJÓ

ISBN 978-3-8270-1485-6
Die Originalausgabe erschien 2020 unter dem Titel *Snerting*
bei Veröld, Rejkjavík.

Satz: psb, Berlin
Gesetzt aus der Scala Pro
Druck und Bindung: GGP Media GmbH, Pößneck
Printed in Germany

Ich werde mir Mühe geben, alles ordentlich zu hinterlassen, wenn ich für immer schließe. Ich habe schon begonnen, die Dinge zu ordnen, denn es bringt ja nichts, noch auf irgendetwas zu warten. Nachdem das Personal gestern Abend nach Hause gegangen war, setzte ich mich ins Büro und schrieb eine Aufgabenliste, die ich heute früh nach dem Aufstehen überarbeitet habe. Ich schlief nicht gut, wurde von einem Sturm vor dem Fenster geweckt und von den Böen, die draußen die Eschenzweige in einem Rhythmus gegen das Haus peitschten, der zeitweise wundersam regelmäßig und keineswegs unangenehm klang. Während ich wach lag, nutzte ich die Zeit und ging im Geiste meine Liste durch, schälte mich aber nicht aus dem Bett, um sie zu ergänzen. Und trotzdem hatte ich nicht alles vergessen, als ich sie nach dem Frühstück erneut zur Hand nahm.

Es ist ein sonderbarer Gedanke, dass hier vor nicht einmal drei Wochen achtzig Gäste eine Hochzeit feierten. Der Bräutigam war Isländer und die Braut aus Dänemark, das Menü entsprechend zusammengestellt, Stjerneskud zur Vorspeise und Lammkarree als Hauptgang. Ich habe nicht wenige Hochzeitsfeste ausgerichtet und kann ohne Weiteres behaupten, in dieser Hinsicht ziemlich alles erlebt zu haben. Manchmal meine ich, die Risse schon zu sehen, bevor sich die Ärmsten trauen lassen, manchmal würde ich sie am liebsten warnen. Nicht aber diesen isländischen Jungen und das dänische Mädchen. Selten habe ich zwei so ineinander verliebte Menschen erlebt.

Dies werde ich als meine letzte Erinnerung an diesen Ort bewahren. Zumindest will ich es versuchen. Das Fest und diese leise, genügsame Liebe, die sich im Lächeln und im Auftreten der jungen Leute spiegelte, in ihrer aufmerksamen und sanftmütigen Art, in den Worten, die nicht ausgesprochen werden mussten, in ihrer Hingabe, die den Saal erhellte, sobald sie ihn betraten. Heute Morgen musste ich an die beiden denken. Ich hoffe, sie sind von einer Coronainfektion verschont geblieben und dass es ihnen gut geht, wo auch immer auf der Welt sie sich gerade aufhalten. Die beiden brauchen nichts außer einander.

Wir machten weiter, solange es ging, wahrscheinlich sogar länger, als es sinnvoll war. Die Gäste waren größtenteils schon vor Inkrafttreten des Versammlungsverbots ausgeblieben, ein paar Tische wurden reserviert, vor allem von Touristen. Dann blieben auch die weg, und wir versuchten es mit einem Lieferservice, um uns über Wasser zu halten – gute Küche zum guten Preis, so warben wir auf unserer Homepage. Einige Tage lang lief das, doch dann verloren die Leute das Interesse oder hatten noch mehr Angst, sich anzustecken. Sie kamen nicht mehr, um ihre Speisen abzuholen, und ließen sich auch nichts mehr nach Hause liefern. Mir war es gelungen,

Behälter zu kaufen, Einwegschalen und -boxen, für das, was wir auslieferten, und jetzt kommt mich dieser Optimismus teuer zu stehen, denn nicht mal ein Bruchteil davon wurde genutzt. Auf meiner Liste steht, dass ich die übrigen Behälter den beiden Restaurantinhabern überlassen will, die noch weitermachen. Sie können wahrscheinlich jede noch so kleine Unterstützung gebrauchen. Ich werde diese Gefäße selbst nicht mehr benötigen, denn ich werde mein Restaurant nicht wieder öffnen.

Meine Schritte hallen von den Wänden wider. Im Gastraum bleibe ich stehen, sehe mich um, so wie damals, vor gut zwanzig Jahren, als ich zum ersten Mal hier war, die gespannte Erwartung von damals ist allerdings einem Gefühl der Dankbarkeit gewichen. Ich musste damals nicht lange überlegen, bevor ich mich entschied, die Räume zu mieten, ich fühlte mich von dem Moment an, als ich durch die Tür trat, hier zu Hause. Renovierung und Reparaturen kosteten nicht viel, denn das Steakhaus, das hier vorher gewesen war, hatte nie richtig Fuß gefasst und musste schon nach kurzer Zeit wieder aufgeben. Allerdings hatte ich einen besseren Herd angeschafft, die Wände in wärmeren Farben gestrichen, schöne Bilder aufgehängt und neue Lampen angebracht. Mehr nicht. Und so öffneten wir, schon gut einen Monat nachdem ich bei Frissi den Mietvertrag unterschrieben hatte, für sechs Jahre mit der Option auf Verlängerung. Wir haben ihn inzwischen dreimal verlängert, und ich kann nichts anderes behaupten, als dass Friðþjófur ein fairer und guter Vermieter gewesen ist. So senkte er die Miete nach dem Bankencrash, ohne dass ich darum gebeten hätte. Er rief mich am Montagmorgen an und verkündete mit seiner rauen Stimme: »Muss nicht sein, dass du pleitegehst. Du zahlst einfach die Hälfte, bis es wieder bergauf geht. Wir bekommen dafür bei dir was zu essen, wenn Bogga keine Lust zum Kochen hat.« Frissi steht auf meiner Liste, weil ich ihn so wie die anderen bezahlen möchte, am besten die ganzen vierzehn Monate, die der Mietvertrag noch läuft.

Das ist kein normaler Hall, so wenig normal wie die Stille, die auf der Stadt lastet. Es scheint, als hätte sich der Hall bereits hier niedergelassen und als wüsste er, dass ihn in der näheren Zukunft nichts bedrohen könnte. Auch wenn ich reglos dastehe, habe ich das Gefühl, ihn hören zu können. Dann jedoch nehme ich mich zusammen und räuspere mich etwas lauter als nötig, denn es ist immerhin besser, ein anderes Echo zu hören als jenes, das bloß in meinem Kopf widerhallt.

Gestern Abend erhob sich Bárður mitten beim Essen und erklärte, er wolle etwas sagen. Mir wäre es lieber gewesen, wenn er es auf sich hätte beruhen lassen, aber es war ihm wohl ein Bedürfnis. Als ich ihn vor bald vierzehn Jahren eingestellt hatte, war er gerade mal zwanzig, inzwischen ist er verheiratet und Vater zweier Kinder. Er begann als stellvertretender Küchenchef, zeigte jedoch schnell, was in ihm steckt, und seit fast zehn Jahren hat er die Küche geleitet.

Am Ende seiner Rede überreichte er mir eine handgeschriebene Menükarte: »Das letzte Abendmahl«, sagte er, auch wenn das nicht auf der Karte stand, »das letzte Abendmahl, Kristófer.«

Wir saßen zu acht um den runden Tisch am Fenster, das gesamte Team außer Gunnar und Fjóla, die in

Quarantäne sind. Bárður war vermutlich der Einzige, der noch keinen Schwips hatte. Ich hatte ein paar Flaschen Wein geöffnet, die ich schon lange im Keller hatte, einige über zwei, drei Jahrzehnte. Es konnte nicht schaden, uns etwas aufzumuntern. Bárður ist nicht der Typ für solche Reden wie die von gestern Abend, doch er ist nicht der Einzige, der in diesen Tagen etwas emotionaler ist als sonst. Ich versuchte, einen fröhlicheren Ton anzuschlagen, und kramte alte Anekdoten hervor, und so gelang es uns allen, die Gegenwart zu vergessen, jedenfalls für den Moment, glaube ich.

Heute will ich Löhne auszahlen und Rechnungen begleichen. Morgen werde ich aufräumen. Und im Verlauf der Woche gründlich putzen. Ich habe mir ausgerechnet, dass ich meine Angestellten noch bis zum Herbst weiterbezahlen kann, mindestens bis Ende September, womöglich auch länger. Das wird sich heute zeigen, wenn ich mich der Buchhaltung genauer gewidmet habe, den Rechnungen, die schon eingegangen sind, und jenen, die ich noch anfordern werde. Am liebsten würde ich Bárður und Steinunn bis Jahresende weiterbezahlen, sie sind am längsten dabei und haben es wahrlich verdient.

Ich koche Kaffee, schalte den Computer ein, überfliege meinen Aufgabenzettel. Bevor ich mich diesem widme, werfe ich einen Blick auf die neuesten Onlinenachrichten, die sich fast ausnahmslos um die Ausbreitung der Epidemie drehen, hier und andernorts, und beschließe daher, zur Beruhigung kurz auf Facebook zu gehen. Ich lese ein paar Witze, die sogar lustig sind, beantworte Nachrichten, obwohl keine von ihnen dringlich ist, und entdecke

Reaktionen auf unsere Ankündigung, dass wir schließen, warmherzige Danksagungen. Als ich Facebook beenden und mich meiner Liste zuwenden will, bemerke ich eine Freundschaftsanfrage. Ich erhalte häufig Freundschaftsanfragen von Leuten, die ich nicht kenne oder die nicht einmal existieren, aber wie auch sonst klicke ich sie trotzdem an.

Und da springt mir der Name entgegen, da ist es, als ob sich die Jahrzehnte auflösten und ich wieder bei sanftem Regen vor verschlossener Tür stünde, an jenem Morgen, als ich feststellte, dass sie verschwunden waren.

Ich kann mich nicht entscheiden, ob ich den Teebecher mitnehmen soll. Wenn ich nur mit Handgepäck reise, was meiner Meinung nach am praktischsten wäre, ist es unvernünftig, und außerdem frage ich mich, ob ich überhaupt Gelegenheit haben werde, mir selbst einen Tee zu machen. Allerdings habe ich meine Gewohnheiten, und der Becher ist wie zu einem Teil meiner Hand geworden, ich trinke aus ihm sowohl meinen Kaffee als auch meinen Tee, auch wenn dies genau genommen gegen die Regeln verstößt. Es ist ein japanischer Yunomi-Becher aus Keramik. Kein besonderer, sondern ein henkelloser Teebecher für den täglichen Gebrauch, wahrscheinlich aus dem Dorf Mashiko, das für seine Töpferwaren bekannt ist. Ihn ziert ein kleines Bild von einem Vogel auf einem Zweig, oder vielleicht ist es ein Eichhörnchen, da konnte ich mich nie endgültig entscheiden.

Ich hatte die Freundschaftsanfrage angenommen, sobald die Kräfte in meine Finger zurückgekehrt waren. Und wartete dann vor dem Computer auf Nachricht, saß reglos da und starrte fast eine Stunde auf den Monitor, bevor mir klar wurde, dass die Antwort auch lange auf sich warten lassen könnte und ich mich lieber um das kümmern sollte, was zu tun war. Doch ich konnte mich schlecht konzentrieren, und es fiel mir schwer, die Löhne auszurechnen und die Rechnungen zu bezahlen, ich kämpfte mit dem Onlinebanking, das mir normalerweise leicht von der Hand geht. Irgendwann gab ich auf und machte lieber ein paar Atemübungen, um mich endlich wieder zu beruhigen.

Ich fragte mich, ob es nicht ein Zeichen sei, dass ich den Becher in der Hand gehalten hatte, als ich die Freundschaftsanfrage erhielt. Ein Hinweis auf etwas Bedeutsames, meine ich, etwas, das sich jenseits dessen abspielt, was wir wahrzunehmen vermögen, gar eine Art Fingerzeig einer höheren Macht. Doch als ich mich wieder gefasst hatte, machte ich mir klar, dass kaum etwas Übersinnliches daran war, weil ich ständig Kaffee oder Tee trinke, während ich am Computer sitze. Wieder versuchte ich, tief durchzuatmen.

Doch mir flatterten die Nerven weiterhin, und ich beschloss, an die frische Luft zu gehen. Ich rief die Inhaber der beiden Restaurants an, die dankbar meine überzähligen Menübehälter übernehmen wollten, da so etwas sicher knapp werden würde, wenn die Restaurants weiterhin nach Hause liefern mussten. Ich lud die Kartons mit den Behältern ins Auto und hörte während der Fahrt die Mittagsnachrichten – nur mit halbem Ohr, bis das Thema zu den Linienflügen wechselte.

»Eine Icelandair-Maschine startete heute Morgen vom Flughafen Keflavík nach London«, las die Sprecherin vor. »Alle anderen Starts der Fluggesellschaft wurden gestrichen, einunddreißig Flüge.« Danach wurden die neuen Infektionszahlen genannt, die Anzahl der Patienten auf der Intensivstation und der wachsende Mangel an Coronatests.

Das eine Restaurant liegt in der Hverfisgata. Der Inhaber kam heraus und nahm die Kartons entgegen. Er heißt Viðar, ist in Bárðurs Alter, ein Koch mit großem Talent. Wir achteten auf einen Abstand von zwei Metern zwischen uns. Vor einer Woche hätten wir das kommentiert. Heute erschien es uns einfach als normal.

Viðar meinte, er habe gehört, dass ich endgültig schließen würde.

Ich nickte. »Man soll aufhören, wenn es am schönsten ist«, erwiderte ich und wünschte ihm alles Gute.

Dieses Jahr werde ich fünfundsiebzig. Ich finde, das ist kein Alter, schließlich bin ich gut in Form, bis auf ein bisschen Rheuma im rechten Knie und kleine Herzrhythmusstörungen, die sich zwar manchmal bemerkbar machen, aber den Ärzten nach keine große Gefahr darstellen und mich nicht daran hindern, Berge zu besteigen und zu Hause im Wohnzimmer Liegestütze zu machen. Daher zähle ich mich zu keiner der Risikogruppen, versuche aber trotzdem, mich vorsichtig zu verhalten, denn das Virus scheint zu Leuten meines Alters nicht nett zu sein. Wenn es hart auf hart kommt, ist es vielleicht Glück im Unglück, dass niemand auf mich angewiesen ist.

Ich sollte wohl besser sagen: noch. Noch bin ich gut in Form. Und dabei bleibe ich, denn es ist zwecklos, sich über die ungesicherten Mutmaßungen eines Spezialisten den Kopf zu zerbrechen. Ich bin nicht mal sicher, ob er weiß, wovon er redet.

Das andere Restaurant liegt auf dem Laugavegur,

gleich unterhalb des Brötchen-Bistros, das ich geführt hatte, bevor ich das Torgið eröffnete. Ich stellte die Kartons am Seiteneingang ab, denn der Gastwirt würde erst am Nachmittag hier eintreffen. Ich blickte die Straße hinauf und hinab, bevor ich mich wieder in den Wagen setzte. Sie war menschenleer.

Als ich zurück war, setzte ich mich an den Computer, doch auf dem Bildschirm gab es nichts zu sehen. Auf der Fahrt durch die Stadt hatte ich Facebook auf dem Handy aufgerufen, aber irgendwie vertraue ich meinem Computer mehr. In Japan ging es auf elf Uhr zu. Elf Uhr abends. Ich redete mir ein, dass es wahrscheinlicher sei, erst am nächsten Morgen etwas zu hören.

Ich schloss die Lohnbuchungen ab und bezahlte alle offenen Rechnungen, danach rief ich die Lieferanten an, von denen ich noch Rechnungen erwartete, und bat sie darum, sie rasch zu schicken. Sie boten mir alle eine verlängerte Zahlungsfrist an, es gebe keinen Grund zur Eile, sie wollten uns unterstützen. Ich bedankte mich für ihre Rücksichtnahme, erklärte indes, dass ich die Entscheidung getroffen hätte aufzuhören. Die endgültige Entscheidung.

Da ich noch nicht nach Hause wollte, wärmte ich mir zum Abendessen etwas von den Resten auf. Ich gewöhnte mich langsam an den Hall, und auch wenn ich die Erinnerungen nicht heraufbeschwor, so ließen sie nicht auf sich warten. Die allermeisten waren guter Natur, denn ich denke, hier haben sich alle überwiegend wohlgefühlt, Gäste wie auch Mitarbeiter.

Es war schon fast neun, als ich langsam abschließen und nach Hause gehen wollte. Ich hatte für heute alles erledigt, musste nur noch einmal mit Frissi reden, denn ich konnte schlecht einfach etwas auf sein Konto überweisen, ohne ihm diese Zahlung zu erklären.

Als ich auf Facebook nachsah, erwartete ich keine Neuigkeiten. Ich wollte den Computer herunterfahren und guckte nur aus einem Impuls kurz darauf.

Doch da entdeckte ich ihre Antwort, sie hatte sie vor zwanzig Minuten geschrieben.

Ich bin Miko Nakamura, geb. Takahashi. Sind Sie der Kristófer Hannesson, der 1969 in London gelebt hat?

Blasses Morgenlicht dringt durch die Gardinen. Im Halbschlaf habe ich den Eindruck, fernes Rauschen von Meereswellen zu vernehmen, die heranrollen und sich zurückziehen. Am frühen Morgen kommt es manchmal vor, dass ich Schwierigkeiten habe, mich zurechtzufinden, doch heute nicht, denn ich bin mir dessen voll bewusst, dass das Meer nur in meiner Vorstellung rauscht. Und ich empfinde dies Rauschen als angenehm, es klingt wie ruhige Atemzüge, so deutlich, dass ich mir einbilden könnte, jemand läge hier und schliefe an meiner Seite.

Ich habe beschlossen, den Teebecher mitzunehmen, obwohl es an und für sich eher unvernünftig ist. Mein Koffer ist nicht groß, denn ich habe, als ich heute Nacht die Reise buchte, überprüft, ob er in beiden Flugzeugen ins Handgepäckfach passt. In der Maschine nach Japan hat er ein, zwei Zentimeter mehr Platz als in der von Reykjavík nach London.

Es ging auf zwei Uhr zu, als ich endlich zu Bett ging. Wir hatten uns eine gute halbe Stunde lang geschrieben, bevor sie erklärte, sie müsse sich ausruhen. Da hatte sie mir schon mitgeteilt, dass sie sich mit dem Coronavirus infiziert und im Krankenhaus gelegen hatte. Im nächsten Satz räumte sie ein, dass sie ansonsten nicht nach mir gesucht hätte. Erzählte es mir völlig unverblümt. Wie auch ein paar andere Sachen, an denen ich noch zu knabbern habe.

Ich war kurz davor, sie zu fragen, ob ich sie nicht anrufen könnte, ließ es dann aber. Und bereue es nicht. So wie ich sie kenne, hätte sie Ausflüchte gefunden.

So wie ich sie kenne ... wie seltsam dieser Satz klingt. Und dennoch hatte ich nicht das Gefühl – und noch weniger, nachdem wir die kleinen, vorsichtigen, höflichen Fragen hinter uns gebracht hatten, und ebenso die Antworten, welche genauso wenig von Bedeutung waren –, als wäre beinahe ein halbes Jahrhundert vergangen, seit wir uns das letzte Mal gesehen haben. Sie war es, die diese Art von Small Talk beendete, sie war es, die die Initiative ergriff. Ihr lag daran, mir rasch mitzuteilen, was sie auf dem Herzen hatte.

Als ich sie fragte, wie es ihr gehe, antwortete sie jedoch nicht ganz so freimütig.

Meine Nachbarin geht für mich einkaufen, schrieb sie, *und stellt mir die Einkäufe vor die Tür. Aber ich habe kaum Appetit.*

Inzwischen wusste ich, dass sie allein lebte. Ihre Ehe war kinderlos geblieben. *Ich habe meine Frau Ásta vor sieben Jahren verloren,* erwiderte ich. *Wir hatten auch keine Kinder.*

Sie bat mich nicht zu kommen. Nicht einmal durch die Blume. Und ich erwähnte nicht, dass ich es in Erwägung zog. Ich gelangte auch erst später, nachdem wir unsere Unterhaltung beendet hatten und ich wieder zu Hause war, die Bäume im Garten betrachtete, zu der Überzeugung, dass ich keinen Frieden fände, wenn ich nicht zu ihr führe.

Es stellte sich heraus, dass ich recht hatte, denn sofort, als ich die Buchung des Fluges abgeschlossen hatte, wurde ich ganz ruhig. Auch der Wind draußen, der den Abend über geweht hatte, legte sich kurz darauf, es begann zu schneien. Die ganze Woche lang war es stürmisch gewesen, doch jetzt schwebten Flocken so groß wie auf den hübschesten Weihnachtskarten zur Erde herab und legten sich auf die welke Grasfläche und die nackten Zweige der Bäume, bedeckten sie so sorgfältig, als wären sie weiß angemalt worden. Ich überflog mit den Augen meine Aufgabenliste, hakte die Punkte ab, die ich erledigt hatte, und fügte ein paar neue Aufgaben hinzu, bevor ich mich ins Bett legte.

Miko Nakamura ... geborene Takahashi. Die Frau, von der ich nie jemandem erzählt hatte. Nicht meinen Freunden oder langjährigen Mitarbeitern, weder meinen Eltern noch meinem Bruder. Auch nicht, als ich aus London wieder nach Hause kam und sie nicht verstanden, warum ich so am Boden zerstört war. Ásta selbstverständlich genauso wenig. Ihr am allerwenigsten.

Ich erkenne an der Helligkeit, dass der Schnee in der Nacht nicht getaut ist. Das Licht ist grell, und das bedeutet, es hat aufgeklart und die Sonne kommt heraus. Ich gehe im Geiste die Aufgaben durch, die mich am heutigen Tag erwarten, überlege mir, wie ich sie am besten erledige, frage mich, ob ich nicht irgendetwas vergessen habe.

Bevor ich die Augen gänzlich öffne, absolviere ich meine Übungen, die ich mir in den vergangenen Wochen zur Routine gemacht habe. Zuerst rufe ich mir meine Personalausweisnummer ins Gedächtnis, dann meine Kontonummer, die Geburts- und Sterbedaten meiner Eltern, die Namen sämtlicher Präsidenten der Republik Island, die Gerichte, die bei uns in den letzten Monaten auf der Speisekarte standen, und schließlich alles, was ich auf meiner Aufgabenliste notiert habe, bevor ich schlafen ging.

Als ich mit meiner Leistung einigermaßen zufrieden bin, erhebe ich mich und ziehe die Gardinen auf. Die Sonne scheint auf den Schnee. In der Fichte singt eine Drossel aus voller Kehle. Ich spüre die Erwartung in der Brust, glühende Erwartung, die mich unversehens trifft und daran erinnert, dass ich vor nicht allzu langer Zeit noch ein junger Mann war.

Ich hätte eventuell morgen früh schon abreisen können, doch ich fürchte, etwas Wichtiges dann nicht mehr zu schaffen, denn ich bin nicht besonders schnell. Das ist auch gar nichts Neues, ich habe schon immer Muße und Ruhe gebraucht, um meine Angelegenheiten ordentlich zu erledigen, und gelernt, Hetze weitestgehend zu vermeiden. Zudem habe ich zu der Einsicht gefunden, dass ich nicht weiß, ob ich zurückkomme, und deshalb muss ich noch mehr bedenken als sonst. Ich sage das nicht, um mich in irgendeiner Art bedauernswert darzustellen, ganz und gar nicht, und selbstverständlich wird meiner Rückkehr wahrscheinlich nichts entgegenstehen. Dennoch kann man sich in der heutigen Zeit nie sicher sein, und ich will die Dinge nicht in einem Zustand hinterlassen, für den ich mich schämen müsste.

Selbstredend habe ich Hallmundur nichts von alldem gesagt, als ich ihn gerade anrief. Mundi ist mein älterer Bruder und wohnt in einer betreuten Wohnung für Senioren im Hlíðar-Viertel. Vor gut einer Woche habe ich bei ihm vorbeigeschaut, jetzt aber sind Besuche im Haus nicht mehr gestattet.

Ich musste die Stimme heben, damit er mich verstand.

»Hast du dein Hörgerät nicht drin?«

»Was?«

»Dein Hörgerät, Mundi. Hast du es denn nicht eingesetzt?«

Er ist ein eitler Schnösel, sogar wenn er allein ist.

»Ich will nicht wie ein verdammter Tattergreis aussehen.«

»Du bist dreiundachtzig Jahre alt, Mundi.«

Ich sagte ihm, dass ich einen Flug nach Japan gebucht hätte.

»Na endlich. Du hast immer davon geredet.«

Ich korrigierte ihn und erklärte, es sei lange her, seit ich das letzte Mal eine Reise nach Japan erwähnt hätte.

»Wie lange wirst du weg sein?«

Ich antwortete, dass es noch nicht feststehe.

Ich habe einen Rückflug für in drei Wochen gebucht, aber das könnte sich ändern.

»Meinst du, deine Leute können mir Essen vorbeibringen, solange du weg bist?«

Mundi ist schon immer wählerisch gewesen, was sein Essen angeht, und er klagt gern über die Verpflegung in seinem Seniorenheim, obwohl ich nichts Schlimmes daran feststellen kann, denn es handelt sich um ganz normale Hausmannskost. Es hat allerdings keinen Sinn, mit ihm zu diskutieren, und ich habe nachgegeben und ihm regelmäßig Essen geschickt, seit er dort eingezogen ist, manchmal drei-, viermal die Woche. Nun stand mir bevor, ihm mitteilen zu müssen, dass es mit den Lieferungen ein für alle Mal vorbei sei.

»Ich habe zugemacht, Mundi, für immer.«

»Was?«

»Es rechnet sich nicht mehr, das Restaurant weiter zu betreiben. Außerdem ist es jetzt auch mal gut.«

»Du hättest den Fisch sehen sollen, den dieser Blödmann gestern aufgetischt hat«, erwiderte er. »Der wär über Bord geworfen worden, wenn er sich erlaubt hätte, den auf meinem Schiff zu servieren.«

Hallmundur war mehr als drei Jahrzehnte Kapitän auf einem Frachter und behandelt die Menschen in seinem Umfeld so, als wären sie Teil seiner Besatzung.

»Wie willst du dir eigentlich die Zeit vertreiben, wenn du den Laden zumachst?«

Darüber hatte ich mir noch keine Gedanken gemacht, oder vielmehr hatte ich sie bisher von mir geschoben.

»Zuerst mal werde ich diese Reise antreten«, antwortete ich.

»Wenn du glaubst, es sei ein Vergnügen, nichts zu tun zu haben, dann irrst du dich. Wenn du glaubst, man könnte unendlich lange Radio hören oder Patiencen legen, dann überleg es dir gut. Geirmundur in der Etage unter mir ist neulich an Langeweile gestorben. Wortwörtlich, Kristófer. Fiel einfach tot um.«

Ich ließ mich nicht von meinem Bruder verunsichern, auch wenn er daherredete, als trüge ich die Verantwortung für den Tod seines Nachbarn. So ist er nun mal, mein Bruder Mundi, so war er schon immer. Dennoch wollte ich ihm zum Abschied noch etwas Essenzielles sagen, etwas, an das er sich erinnern kann, denn ich bezweifle, dass ich ihn aus Asien anrufen werde.

»Wir haben beide ein gutes Leben gehabt«, begann

ich, ohne genau zu wissen, wie ich den Satz fortsetzen wollte.

Allerdings nahm er mir ohnehin die Mühe ab.

»Heute gibt es Fischfrikadellen«, erzählte er. »Und was glaubst du wohl, was sie da reintun?«

Er verabschiedete sich ziemlich gereizt, aber ich versuchte, es an mir abperlen zu lassen. Früher fiel es mir schwer, mich von ihm nicht aus dem Gleichgewicht bringen zu lassen, aber inzwischen sieht die Sache zum Glück anders aus. Schön, dass ich mich in all den Jahren wenigstens in mancher Hinsicht weiterentwickelt habe.

Allein zu sterben. Das ist es, was Miko am meisten fürchtet. Nicht den Tod an sich, sondern niemanden an ihrer Seite zu haben.

Es gibt dafür sogar einen Begriff, schrieb sie. *Kodokushi.* Und dahinter setzte sie einen Smiley – ganz genau so, wie ich es von dem Mädchen erwartet hätte, das ich vor einem halben Jahrhundert gekannt habe.

Die Beerdigung habe ich nicht auf meine Aufgabenliste gesetzt. Ich brachte es einfach nicht über mich. Tatsächlich war ich schon kurz davor gewesen, besann mich aber eines Besseren, ehe mein Stift das Papier berührte. *Löhne auszahlen, mit Gerður sprechen, Herd reinigen, zum Recyclinghof fahren, Jói Steinsson zu Grabe ...* Nein, das wäre unpassend gewesen. Trotzdem befürchtete ich, dass ich es vergessen könnte, und überlegte, die Notiz zu seiner Beerdigung auf einen separaten Zettel zu schreiben, aber da hatte ich im Grunde schon beschlossen, dass ich von allein daran denken müsste. Also ließ ich es sein.

Die Beerdigung ist um zwei. Ich habe vorgestern mit Aldís, seiner Witwe, telefoniert und ihr mein Beileid bekundet. Sie war noch nicht auf den Plan getreten, als Jói und ich in London studierten, und ich kenne sie nicht gut, denn ich hatte nach unserer Rückkehr nach Island nicht mehr viel Kontakt mit Jói. Ich war vor ihm wieder zu Hause, schließlich gab es für mich nichts mehr in London zu tun, nachdem ich es aufgegeben hatte, Miko und Takahashi-san zu suchen. Als Jói sein Studium abgeschlossen hatte, nahm er in Island eine Stelle im nationalen Amt für Statistik an, und kurz darauf heiratete er.

Jói und ich kamen ganz gut miteinander klar, wenn wir uns gelegentlich zufällig trafen. Dann holten wir Erinnerungen an unsere Jahre in London hervor, vor allem Jói, denn er schien sie zu vermissen.

»Das waren gute Zeiten, Kristófer«, sagte er jedes Mal, und ich sah keinen Grund, ihm nicht zuzustimmen.

Er wird von der Fríkirkja aus beerdigt, der Freikirche in Reykjavík. Das ist nicht weit für mich, und ich werde zu Fuß hingehen. Während ich den Anzug anziehe, überlege ich, ob ich nicht versuchen sollte, ihn auch noch in den Koffer zu kriegen. Ich stelle mir sogar vor, bei welcher Gelegenheit ich ihn benötigen würde, setze diesen Überlegungen dann jedoch ein Ende und beschließe, den Anzug hierzulassen. Der Koffer ist nicht groß. Ich muss meine Kleidung mit Verstand auswählen und ihn sorgfältig packen.

Ich treffe frühzeitig ein, denn die Kirchen des Landes sind nicht vom Versammlungsverbot ausgenommen. Aldís erinnerte mich daran, als ich sie anrief.

»Man kann davon ausgehen, dass nicht alle Platz finden, die gern möchten«, erklärte sie.

Eine Kirchenmitarbeiterin führt mich zu einem Sitzplatz.

Nur in jeder zweiten Bank sind Plätze ausgewiesen, und zwischen den Trauergästen wird ein Abstand von zwei Metern gewahrt. Während sie nach und nach eintreffen, spielt der Organist Bach und Schubert, aber auch die Beatles – *Michelle, ma belle* ... Unwillkürlich muss ich an den Abend denken, als Jói und ich uns in Piccadilly volllaufen ließen und er mich den ganzen Weg bis zum Trafalgar Square huckepack schleppte, mit Pausen selbstverständlich. Unterwegs sang er einen Beatles-Hit nach dem anderen, darunter *Michelle*, und er weigerte sich strikt, vor Ende des Weges aufzugeben.

Ich erinnere mich, wie er sagte: »Ich stehe zu meinem Wort«, als wir auf der Whitcomb Street waren – vielleicht mehr zu sich selbst als zu mir, denn zweifellos benötigte er den Ansporn. Der Ritt, besonders das letzte Stück, zog sich in die Länge, und ich zuckte mehrmals zusammen, wenn ich dachte, *jetzt stolpert er*. Der Alkohol wiederum dämpfte meine Besorgnis, und als ich die Statue von George IV. und seinem Pferd erahnen konnte, atmete ich auf und sang mit Jói zusammen von *Michelle*, oder vielleicht vom *Norwegian Wood*, ich weiß nicht mehr, welchen Song von beiden.

Ihn hat der Krebs dahingerafft, nicht die Pandemie. Er hatte wohl einige Jahre lang gegen ihn gekämpft. Der Pfarrer verwendet dieses Wort, kämpfen. Er spricht auch von stoischer Ruhe, Pflichtbewusstsein und Rechtschaffenheit, während er an Jói erinnert, sowie von seiner Familie, von Aldís, der Tochter und dem Sohn, den fünf Enkelkindern. Dem Reihenhaus in Fossvogur, in das man gern zu Besuch kam, von Jóis Tätigkeit als Vertrauensmann im Tourismusverband, seinem Vorsitz im Rotary Club, seiner Verlässlichkeit. Der Pfarrer spricht mehrfach von ausgesöhnt sein, das ist der eigentliche Schwerpunkt in der Traueransprache, und ich überlege, ob Jói sich damals, als wir in London studierten, sein Leben so vorgestellt hatte. Dort war er nämlich ein wilder Hund und hatte große Ziele. Er spielte Gitarre und hielt in den Seminaren der radikalen Professoren die Theorien des Wirtschaftswissenschaftlers Ludwig von Mises hoch, bei den Anhängern der unregulierten Marktwirtschaft hingegen die von Keynes. Zum Beispiel bei dem Professor aus Schweden, der stets seine Nerven strapazierte. Er zögerte nicht, sich mit ihm anzulegen, obwohl es noch nicht üblich war, dass Studierende den Mund aufmachten. Doch Jói war ein exzellenter Student und kam mit Dingen durch, die sich andere nicht erlauben durften. Als er die Stelle beim Amt für Statistik bekam, meinte er, dass er nicht lange dortbleiben werde, nur so lange, bis er Fuß gefasst habe, das Amt sei ein halbes Altersheim, und eine grundsätzliche Bedingung sei es, dass die Angestellten ihr Gehirn nicht zu stark beanspruchten.

Fünfundvierzig Jahre, sagt der Pfarrer, habe er zufrieden und fleißig seinen Teil zu unserer Gesellschaft beigetragen.

Wie er sich wohl das Leben ausgemalt hatte, als wir jung waren, frage ich mich abermals. Und wie hatte ich mir mein Leben ausgemalt? Nicht so, wie es sich entwickelt hat, so viel ist klar. Trotzdem bin ich zufrieden, zum größten Teil, zum weitaus größten Teil. Und dankbar für so vieles, wie ich zuvor schon sagte. Habe ich irgendeinen Grund anzunehmen, dass Jói es nicht auch gewesen ist?

Ich komme zu keinem Ergebnis, rufe mir aber in Erinnerung, dass ich Gerður kontaktieren muss, lieber früher als später, womöglich gleich nach der Beerdigung. Ich habe es mir auf meiner Liste notiert, und es besteht keine Gefahr, dass ich das vergessen könnte, doch irgendetwas in den Worten des Pfarrers bringt mich dazu, an sie und den kleinen Villi zu denken. Vielleicht das mit der Aussöhnung. Auf dem Weg nach draußen erklingen zwei andächtige Musikstücke. Ich kenne die Sargträger nicht, vermute aber, es sind teils Freunde und teils Familienmitglieder.

Es hat wieder aufgeklart, als ich ins Freie trete. Der Empfang wurde auf die Zeit nach der Pandemie verschoben, also kann ich nach Hause gehen, ohne Aldís oder ihre Angehörigen zu kränken.

Als ich auf dem Skothúsvegur ankomme, halte ich an und betrachte das Licht, das sich durch die Wolken bahnt und auf den Stadtteich fällt. Er ist noch zugefroren, und wenn die Sonne auf die Oberfläche scheint, wirkt es, als ob der Tjörnin-See sich ein wenig erheben würde. »*Michelle, ma belle, sont les mots qui vont très bien ensemble, très bien ensemble ...*« – »Ich gebe nicht auf, Krissi, ich gebe nie auf!« Der Trafalgar Square kommt in Sicht. Leichter Nieselregen.

Ich muss lächeln, mache kehrt und setze meinen Weg fort, den Hügel hinauf.

Gerður ist Ástas Tochter aus erster Ehe. Gerður und ihr Ehemann Axel wohnen in Hafnarfjörður, sie haben einen Sohn, Villi beziehungsweise mit vollem Namen Vilhjálmur Friðrik. Gerður war sechs, als Ásta und ich zusammenzogen, und sie gewöhnte sich recht schnell an mich. Wir kamen meistens gut miteinander aus, schließlich war es Ástas Aufgabe, mit ihr zu schimpfen, wenn es nötig war. Oder zumindest behauptete Ásta das, und ich glaube es auch langsam, obwohl ich auch nicht wüsste, mich direkt davor gedrückt zu haben.

Gerður sagte recht bald Papa zu mir. Ich hatte sie nicht darum gebeten, gestehe jedoch, dass es mich gefreut hat. Ich erinnere mich sogar noch daran, wann sie es zum ersten Mal tat, also bin ich vielleicht doch noch gar nicht so weich in der Birne. Es war im Frühling, an einem Sonnabend, ich war draußen in der Garage, um Harken, Schaufeln und andere Geräte zu holen, denn Ásta und ich wollten im Garten arbeiten. Ich dachte, Friðrik, Gerðurs Vater, sei gekommen, als ich sie durch die Haustür »Papa!« rufen hörte. Nicht ein Mal, nein, zwei Mal hintereinander. Ich erinnere mich daran, wie überrascht ich war, denn ich hatte nichts davon gewusst, dass Friðrik kommen wollte, daher begab ich mich zur Einfahrt, um nach ihm Ausschau zu halten. Er war nicht zu sehen, und als ich zur Haustür blickte und bemerkte, dass sie mich ansah, verstand ich, was die Uhr geschlagen hatte. Mein Herz tat einen Satz.

»Papa, könntest du das Fahrrad für mich aufpumpen?«

Manchmal habe ich überlegt, ob sie den Entschluss, mich *Papa* zu nennen, schon gefasst hatte, bevor sie zur Tür kam, oder ob es einfach unwillkürlich geschehen war. Selbstverständlich spielt es keine Rolle, doch so manches Mal habe ich in meinen Erinnerungen geforscht und versucht, mir vorzustellen, wie sie dort in der Türöffnung stand und mich ansah. Ich werde es nie genau wissen, tendiere aber dazu, dass es unwillkürlich geschehen war, denn sie sah ungeduldig aus, so als ob sie sich darüber wunderte, wie lange ich brauchte, um ihr zu antworten.

Sie nannte Friðrik ebenfalls *Papa*. Es störte mich kein bisschen, und ihn ebenso wenig, soviel ich weiß. Friðrik hätte sich mehr um sie kümmern sollen, doch es fiel ihm schwer, nachdem er wieder geheiratet hatte und er und Guðlaug Kinder bekamen. Ásta mochte seine neue Frau nicht, Guðlaug war definitiv ziemlich rechthaberisch und vielleicht auch etwas egoistisch, wie es eben in solchen Konstellationen manchmal vorkommt. Ásta unternahm einige Versuche, mit Friðrik zu reden, jedoch ohne Erfolg, sie hatten ja auch nicht mehr die beste Beziehung zueinander. Friðrik und ich hingegen kamen gut miteinander aus, und daher bat Ásta schließlich mich darum, mit ihm zu reden.

Er antwortete aufrichtig, erklärte, zwischen zwei Stühlen zu sitzen, und fragte mich, ob ich ihn unterstützen könnte. »Es wird besser werden«, meinte er, »aber bis dahin wäre ich dir dankbar, wenn du dich vielleicht an meiner Stelle um Gerður kümmern würdest, noch mehr als bisher, und Ásta beruhigen, wenn sie einen Aufstand machen will.«

Ich nahm mich seines Anliegens gern an, warum auch nicht. Um ehrlich zu sein, womöglich kam es mir gerade recht, weniger Konkurrenz zu haben. Ich will damit nicht sagen, dass ich das Gefühl gehabt hätte, wir wetteiferten beide um Gerðurs Aufmerksamkeit, im Nachhinein allerdings kam ich nicht umhin, mich zu fragen, ob meine Reaktion auf seine Bitte ausschließlich von Hilfsbereitschaft und Fürsorge getrieben war. Das war jedoch viel später, nach Ástas Tod, und es bringt ja nichts, darüber jetzt noch einmal lang und breit zu spekulieren.

Meine Erfahrung erwies sich vorletztes Jahr als nützlich, als Gunnar und sein Partner in ein Dilemma gerieten. Zu Gunnar sollte ich außerdem erzählen, dass er fast ein Jahrzehnt bei mir gearbeitet hat, seit 2016 Chefkellner war und in seinem Metier überaus gut ist, ja einer der besten in seinem Fach. Er ist schwul, und korrekterweise müsste ich sagen *sein Mann*, und nicht *sein Partner*, denn im vergangenen Jahr haben sie geheiratet. Jedenfalls, mir war aufgefallen, dass Gunnar anders war, wortkarg und nachdenklich, also fragte ich ihn, was ihn bedrücke. Zuerst spielte er es herunter, dann jedoch vertraute er mir an, dass er und sein Mann (ich glaube, er heißt Svanur, auch wenn ich es nicht beschwören kann) Kinder haben wollten und eine Leihmutter gefunden hatten, von der sie beide begeistert waren. Zwei Kinder wollten sie, um genau zu sein, und sie hatten beschlossen, dass Gunnar der biologische Vater des ersten Babys und sein Mann der des zweiten Babys sein sollte. Mir erschien das ziemlich durchorganisiert, ich verkniff es mir aber, auch nur einen gutmütigen Scherz darüber zu machen. Sie hätten sich eigentlich freuen sollen, dass sie die Leihmutter gefunden hatten, doch stattdessen war zwischen ihnen ein Zwist aufgekommen, für den Gunnar keine Lösung fand. Sein Mann – ich verstehe nicht, warum mir sein Name nicht mehr einfällt – hatte vorgeschlagen, dass die Kinder ihn *Papa* nennen sollten, Gunnar hingegen bloß *Gunnar.* Sein Mann hatte das einfach so rundheraus gesagt, als wäre nichts selbstverständlicher, als spräche er nur davon, was sie kochen wollten oder wohin sie in den Sommerurlaub fahren sollten, und als rechnete er mit keinerlei Einwänden. Wie die meisten guten Servicekräfte ist Gunnar patent und anpassungsfähig und lässt sich durch nichts so leicht aus dem Gleichgewicht bringen. Aber das hatte ihn sehr verletzt. Er sagte es seinem Mann und fragte, ob sie es nicht andersherum handhaben wollten, die Kinder sollten ihn, Gunnar, *Papa* nennen, seinen Mann jedoch beim Vornamen, von dem ich mir fast sicher bin, dass er Svanur lautet.

Sie gerieten in Streit, und beide ließen sie Bemerkungen fallen, die ihnen hinterher leidtaten. Es folgten schwierige Tage. Doch nach und nach verflog ihre Wut, sie baten einander um Verzeihung und meinten, sie müssten diesen Disput mit Verstand klären. Trotz der guten Vorsätze war es ihnen nicht gelungen. Sie hätten verschiedene Möglichkeiten durchgespielt, erzählte

Gunnar, zum Beispiel dass das erste Kind zu ihm *Papa* sagen sollte und zu seinem Mann *Svanur*, während das zweite Kind zu Svanur *Papa* sagen, Gunnar jedoch mit Vornamen anreden sollte. Dann aber sahen sie ein, dass sie die Kinder nicht so verwirren durften. Also hatten sie beschlossen, das Kinderkriegen erst einmal zu verschieben, sie wollten der Leihmutter Bescheid sagen, obwohl sie wussten, dass sie damit Gefahr liefen, sie an andere zu verlieren.

Ich war froh, dass ich ihnen helfen konnte. »Das lässt sich leicht lösen«, erklärte ich, die Kinder könnten zu ihnen beiden *Papa* sagen, und ich berichtete ihm von meiner Erfahrung, die ich als positiv erlebt hatte. Gunnar überhäufte mich sogleich mit Fragen, und ich konnte ihm jede einzelne beantworten, ich konnte ihm Beispiele aus meinem Leben aufzählen, unterbreitete die Idee, dass die Kinder sie etwa *Papa Gunnar* und *Papa Svanur* nennen könnten, falls nötig, und es sei vorgekommen, dass Gerður es manchmal so gehandhabt habe, um Missverständnisse zu vermeiden.

Sie beherzigten meinen Rat, und Svanur rief sogar an, um sich bei mir zu bedanken. Er nutzte die Gelegenheit, um sich alles noch einmal von mir erklären zu lassen, obwohl er zugleich betonte, dass Gunnar ihm genau erzählt habe, was wir besprochen hätten.

Jetzt haben sie ein Mädchen, es heißt Birta, und soweit ich weiß, waren sie zuletzt dabei, über weitere Kinder nachzudenken. Das war aber vor der Pandemie, daher würde es mich nicht wundern, wenn sie ihre Pläne noch einmal geändert hätten. Sie waren eine gute Woche lang in Quarantäne, denn eine Kollegin von Svanur war positiv auf das Virus getestet worden, aber niemand von ihnen war erkrankt. Ich werde Gunnar heute anrufen, um zu erfahren, wie es ihnen geht, denn seit vorgestern habe ich nichts von ihm gehört, außerdem will ich ihm sagen, dass ich ihm den Lohn überwiesen habe.

Birta ist gerade ein Jahr alt geworden, daher gibt es noch keine Erfahrungen mit meinen Empfehlungen. Später habe ich mich gefragt, ob ich möglicherweise den Mund zu voll genommen und sie nicht ausreichend vorbereitet hatte, denn es kann auch immer etwas schiefgehen. Doch letzten Endes denke ich, dass es unnötig ist, sich Sorgen zu machen. Sie sind sich einig, und außerdem haben sie den Vorteil, dass sich Birta von Anfang an an die Dinge gewöhnen kann.

Ich muss unbedingt Gerður anrufen. Aus irgendeinem Grund habe ich das vor mir hergeschoben. Doch jetzt werde ich es tun, sobald ich den Anzug ausgezogen und in den Schrank gehängt habe. Ich nehme ihn nicht mit nach Japan.

Es überraschte mich, als Gerður beschloss, einen Nachruf auf ihre Mutter zu schreiben. Vielleicht bin ich altmodisch, aber früher war es nicht üblich, dass Kinder eine Denkschrift für ihre Eltern verfassten. Man trauerte für sich im Stillen, nicht in der Öffentlichkeit oder in der Lokalzeitung. Doch wie gesagt, ich bin bestimmt nur etwas aus der Zeit gefallen.

Der Inhalt ihres Artikels hat mich mindestens so sehr überrascht, denn ich hatte das Gefühl, Gerður schreibe über eine mir unbekannte Frau. Beziehungsweise das Gefühl, um es geradeheraus zu sagen, sie habe beschlossen, ihrer poetischen Ader freien Lauf zu lassen, von der ich gar nichts geahnt hatte.

Mama hat immer davon geträumt, in Hveragerði zu leben, schrieb sie beispielsweise. In Hveragerði! Was für ein unglaublicher Unsinn! Ásta hat nie etwas in dieser Richtung erwähnt, mit keinem einzigen Wort. Sie interessierte sich kein bisschen für diesen kleinen Ort östlich von Reykjavík, nicht einmal damals, als die Leute anfingen, am Wochenende dorthin zu pilgern, um sich ein Softeis und Gurken zu kaufen und den Affen in einem der mit Geothermie betriebenen Treibhäuser anzusehen. Ásta wollte nicht einmal aus unserem Reihenhaus im östlichen Stadtteil ausziehen, nachdem wir nur noch zu zweit waren, obwohl es das einzig Sinnvolle gewesen wäre, denn wir beide allein brauchten keine zweihundertfünfzig Quadratmeter. Und es waren kostspielige Reparaturen fällig, die hätte ich mir gerne erspart. Doch Ásta hielt an ihren Gewohnheiten fest, und ich fügte mich ihren Bedürfnissen und legte das Thema vorübergehend auf Eis. Gerade als ich es wieder aufgreifen wollte, wurde sie krank. Daraufhin kam es mir verständlicherweise nicht mehr in den Sinn, einen Umzug anzusprechen.

Es wäre am vernünftigsten gewesen, wenn ich über Gerðurs Nachruf hinweggesehen und mich auch nicht davon hätte irritieren lassen, dass ich nichts von dem Artikel wusste, bis ich ihn am Tag der Beerdigung morgens in der Zeitung las. Das wäre bei Weitem das Vernünftigste gewesen, aber ich konnte mich einfach nicht zurückhalten. Da ich offenbar nicht den Mund halten konnte, wäre es am klügsten gewesen, mit Gerður von Angesicht zu Angesicht zu reden, statt sie anzurufen, doch manchmal kann man nicht geradeaus denken. Ich war fassungslos. Ja geradezu geschockt.

»Hveragerði?«, fragte ich. »Deine Mutter hat Hveragerði nie mit einem einzigen Wort erwähnt. Zu keiner Zeit.«

»Vielleicht nicht dir gegenüber. Vielleicht hast du auch bloß nicht zugehört.«

»Willst du mir damit sagen, dass sie dir erzählt hat, sie möchte nach Hveragerði ziehen?«

»Ich finde es merkwürdig, dass es dieser Punkt in

meinem Artikel ist, der dir am meisten aufgefallen ist«, erwiderte sie daraufhin.

Ich antwortete nicht sofort, denn es gab ja noch anderes in ihrem Text, das mir ebenso seltsam vorkam, dabei aber – so viel war klar – einer längeren Debatte bedurfte.

»Es gab da so einiges, das mir aufgefallen ist«, sagte ich schließlich, »Missverständnisse, die ich hätte aus dem Weg räumen können, wenn du mir den Text vorher gezeigt hättest. Hveragerði ist nur ein Beispiel. Es tut mir leid, dass du es vorziehst, deiner Mutter auf diese Weise zu gedenken.«

Die Versuchung, ihr sonderbares Verhalten auf den Trauerprozess zu schieben, hätte nahegelegen, obwohl ich mir nie merken kann, in welcher Reihenfolge die verschiedenen Stadien theoretisch durchlaufen werden. Hier jedoch war etwas viel Tiefgreifenderes im Gange, etwas, dessen Ursprung weit in der Vergangenheit lag, das mir jedoch offensichtlich entgangen war. Gewiss, Ásta hatte irgendwann einmal gesagt, man könnte die Nachgiebigkeit, welche ich Gerður ihrer Meinung nach entgegenbrachte, auch als Desinteresse auffassen, doch ich nahm das nicht ernst, denn Ásta ließ solche Bemerkungen fallen, wenn sie nicht gut drauf war.

Ich wollte immer noch einmal in Ruhe mit Gerður über den Zeitungsartikel sprechen, doch es kam nie dazu. Mein Zorn verblasste, wenn ich es überhaupt Zorn nennen sollte, denn ich war vielmehr bestürzt und verletzt. Im Grunde zaudere ich, das Wort *verletzt* zu benutzen, denn es ist mir ein wenig peinlich, dass ich mich durch sie so sehr aus dem Gleichgewicht bringen ließ, dass ich Ástas und mein Leben auf einmal in einem völlig anderen

Licht sah als zuvor. In einem bizarren Licht. Verzerrt und befremdlich, wage ich zu sagen.

Zum Glück währte dieser Zustand nicht lange. Ich legte die Zeitung weg und sah erst nach einigen Tagen nochmals hinein, bis dahin las ich nicht einmal die anderen Nachrufe, die einen völlig anderen Ton anschlugen als Gerður Text und die Ásta so darstellten, wie es ihr gerecht wurde, genau wie unsere Beziehung. Außerdem wurde mir zusehends bewusst, dass das, was mich störte, der allgemeinen Leserschaft vermutlich entging, weil das genau die Absicht dahinter war. Denn eines muss man Gerður lassen, sie kann gut schreiben, und sie kann die Dinge gut durch die Blume sagen.

Wir saßen in der Kirche nebeneinander. Villi war damals noch nicht geboren, aber Gerður und Axel waren schon einige Monate zuvor zusammengezogen, und Axel saß mit bei uns. Nach der Zeremonie nahm ich sie in die Arme, und unsere Umarmung war lang und innig. Deshalb traf es mich völlig unerwartet, als sie später beanstandete, dass ich nicht geweint hätte.

Wieder einmal habe ich es vermieden, Gerður anzurufen, oder vielmehr, ich habe es vertagt. Ich versuche nicht, drum herumzukommen, mit ihr zu sprechen, bevor ich abreise, und ich habe keinesfalls vor, es so lange vor mir herzuschieben, bis es zu spät ist. Es stand schlicht einiges auf meiner Liste, was dringlicher war. So habe ich beispielsweise Frissi wegen der Miete kontaktiert und ihn über die aktuelle Lage informiert. Wie zu erwarten war, wollte er mir die Schließung zuerst ausreden, lehnte dann weitere Zahlungen für das Restaurant ab. Am Ende einigten wir uns darauf, dass ich für weitere sechs anstatt für die vierzehn Monate bezahle, die der Vertrag noch läuft. Ich erwiderte, dass ich somit meinen Mitarbeitern mehr zukommen lassen könnte, und bedankte mich bei ihm.

»Wo soll ich denn jetzt essen, wenn Bogga keine Lust hat, für uns zu kochen?«, fragte er.

Tatsächlich haben die beiden unsere Vereinbarung selten genutzt, und wenn sie einmal bei mir einkehrten, ließ Frissi nie etwas anderes zu, als für die Bewirtung zu zahlen. Es gelang uns, ihnen die ein oder andere Vorspeise zuzuschieben, ein Glas Wein oder einen Extranachtisch, das war alles.

»Bogga sorgt bestens für dich«, erwiderte ich. »Du wirst nicht verhungern.«

»Sie schleppt mich zweimal am Tag mit zum Spazierengehen«, erzählte er. »Wie einen Hund. Das sind mir vielleicht miserable Zustände.«

Ich erzählte ihm, dass ich ins Ausland reisen würde.

»Wie bitte?«, fragte er.

»Bevor ich abreise, bringe ich alles in Ordnung, damit du die Räumlichkeiten gleich ab morgen zeigen kannst«, sagte ich. »Wenn es dir recht ist, ließe ich gern die Inneneinrichtung drin, bis ich zurückkomme.«

Er versuchte abermals, mich umzustimmen, gab es dann jedoch auf und kam erneut auf die Situation zu sprechen und wiederholte, dass Bogga ihn mit ihren endlosen Spaziergängen noch umbringen werde.

Ich habe meinen Koffer fertig gepackt. Habe den Teebecher in Polsterfolie und in ein Geschirrtuch gewickelt, obwohl das sicherlich unnötig ist. Ich nehme reichlich Strümpfe, Unterwäsche, Hemden und T-Shirts mit, denn ich weiß nicht, wann ich einen Waschsalon aufsuchen kann. Zudem reise ich mit zwei Paar Hosen und zwei Pullovern, nicht zu dicken, denn für die nächsten Tage sind sechzehn, siebzehn Grad vorhergesagt. Und Niederschläge. Deshalb ziehe ich die blaue Windjacke an, die ist leicht und bequem.

Ich leere ein Fläschchen Vanillearoma und fülle es mit Rasierwasser.

Es sind ganz vorschriftsmäßig dreißig Milliliter, und das müsste reichen, bis ich mir in Japan eine neue Flasche kaufen kann. Ich nehme zwei Bücher mit, *Japanisch für Anfänger* sowie *Traditional Japanese Poetry – An Anthology*, welches ich vor vielen Jahren bei Eymundsson in der Austurstræti erwarb, nachdem das Buch mit den klassischen Haikus, ein Geschenk von Takahashi-san, plötzlich aus unserem Haus verschwunden war. Es sind beides Taschenbücher, daher nehmen sie nicht viel Platz ein.

Zum Abendessen wärme ich mir wieder Reste auf. Nachdem ich abgewaschen habe, rufe ich endlich Gerður an.

Sie geht nicht dran, und ich spreche nicht aufs Band; wozu, sie kann ja sehen, dass ich angerufen habe. Eigentlich bin ich erleichtert, ich gebe es zu, und sage mir, es wäre gut möglich, dass sie erst morgen zurückruft. Gerður ist Sozialarbeiterin und arbeitet mit Senioren. Sie hat viel zu tun, seit das Virus zugeschlagen hat, und meint, sie befinde sich an vorderster Front. Ich bezweifle das selbstverständlich nicht, obwohl es Gerður schon immer gefiel, sich hervorzutun und im Rampenlicht zu stehen. Doch sie ist fleißig und kümmert sich engagiert um ihre Schützlinge, mir ist also klar, dass sie viel zu tun hat.

Als sie vor zwei oder drei Jahren wieder regelmäßigen Kontakt zu mir aufnahm, schien sie den Entschluss gefasst zu haben, dass es am besten sei, sich mir gegenüber genauso zu verhalten wie gegenüber den Menschen, die sie bei ihrer Arbeit betreut. Unsere Gespräche sind daher von ihren Fragen geprägt und von meinen Antworten, die oft neue Fragen aufwerfen oder dieselben noch einmal in neuem Gewand. Zum Beispiel:

»Bewegst du dich genug?«

»Ja, ich denke schon.«

»Wie oft die Woche?«

»Wie oft?«

»Ja, wie oft gehst du nach draußen, spazieren beispielsweise?«

»Also, ich habe keine Statistik erstellt.«

»Zweimal, meinst du, oder wie ...?«

Und so weiter, ja, wir können ein ganzes Gespräch damit füllen, dass sie nichts anderes tut, als Fragen zu stellen, und ich antworte – zumeist nur mit schwacher Kraft, denn ich rutsche jedes Mal unwillkürlich in eine Abwehrhaltung, obwohl es völlig unnötig wäre. Sie scheint in ihrer Ausbildung ebenfalls gelernt zu haben, die Fragen so zu formulieren, dass ich nicht den Eindruck gewinne, sie würde mich kritisieren, und deswegen fragt sie mich häufig, was denn meine Meinung sei. So etwa:

»Meinst du, du bekommst genug Bewegung?« Oder: »Wenn du mehr Zeit hättest, denkst du, du würdest häufiger spazieren gehen?«

Manchmal möchte ich erwidern, dass ich für sie hoffe, dass ihre Patienten sie nicht genauso durchschauen, doch ich halte mich zurück.

Ich hatte überlegt, mit dem Auto zum Flughafen zu fahren und es auf einem Langzeitparkplatz abzustellen. Doch vorhin beim Essen und während ich an Gerður dachte, kam ich davon ab. Zuerst einmal weiß ich nicht, wie lange ich weg sein werde, und zweitens möchte ich nicht, dass sie nach Keflavík fahren muss, um das Auto abzuholen, falls mir etwas zustoßen sollte. Ich sehe sie schon vor mir, wie sie sich über all den Aufwand beklagt, der dadurch entstünde, ich höre ihre Stimme klar und deutlich und habe allein bei dem bloßen Gedanken regelrecht ein schlechtes Gewissen. Deshalb beschließe ich, den Wagen zu Hause stehen zu lassen und stattdessen um sechs Uhr den Bus am Busbahnhof zu nehmen.

Das Foto auf der Pralinenschachtel zeigt einen Berg, den ich merkwürdigerweise nicht einordnen kann. Oben an den Hängen liegt noch Schnee, darüber schweben zwei Schönwetterwolken, von denen man meinen könnte, sie seien schon immer dort gewesen. Kleine Bäusche, so weiß wie der Schnee und doch leicht durchbrochen hier und da, so als ob sie sich gerade erst formten oder bald auflösten. Am Fuße des Berges schlängelt sich ein Gebirgsbach durch eine steinige, unebene Graslandschaft, gemächlich, wie mir scheint. Die Sonne steht hoch am Himmel. Es ist Sommer.

Nirgendwo auf der Schachtel steht, wo das Foto aufgenommen wurde, und ich bin etwas unentschlossen, denn es wird gewiss peinlich werden, wenn ich ihr nichts über den Berg erzählen kann, falls sie danach fragt. Es stehen noch zwei andere Pralinenpackungen zur Auswahl, die eine mit einem Foto des Gullfoss, die andere mit einem Geysir, doch die mit dem Wasserfall ist zu groß, und die andere sieht eher kümmerlich aus. Und obwohl ich wahrlich nichts gegen diese Perlen der Natur habe, neige ich doch eher zu dem unbekannten Berg.

Ich bin hier allein im Duty-free-Laden, denn der Flughafen ist fast menschenleer. Im Bus waren wir nur zu dritt, und als ich mich zum Check-in-Schalter begab, empfand ich den Krach der Rollen meines kleinen Koffers, der noch fast neu ist und den ich hinter mir herziehe, als nahezu ohrenbetäubend. Hier auf der oberen Ebene ist es sogar noch leerer, und plötzlich fühle ich mich irgendwie einsam.

So schrecke ich auf, als mein Handy klingelt, und die Kassiererin offenbar ebenfalls, obwohl ich in mehr als zwei Metern Entfernung von ihr stehe. Ich gerate ein wenig aus der Fassung und brauche eine ganze Weile, bis ich das Handy in meiner Jackentasche finde, doch endlich krame ich es hervor und bitte Gerður, kurz zu warten, während ich die Pralinen bezahle und ein Stück vom Verkaufstresen weggehe.

»Wo bist du überhaupt?«

Ich erzähle es ihr.

»Was?«, ruft sie.

»Ich habe dich gestern angerufen, um dir zu sagen, dass ich ins Ausland fliege.«

»Was soll das heißen?«

»Ich bin auf dem Weg nach Japan.«

Im Telefon wird es still, und die Stille fließt ineinander mit dem Schweigen rings um mich.

»Nach Japan?«, fragt Gerður schließlich.

»Ja«, antworte ich. »Aber zuerst geht es nach London ...«

Als ich noch jünger war, habe ich immer *London* gesagt, aber in den letzten Jahren entschied ich mich zumeist für die isländische Bezeichnung, *Lundúnir.*

Ich weiß selbst nicht genau, warum, es ergab sich im Grunde wie von selbst, seitdem ich ein paar alte Notizbücher studiert habe und mehr über unsere Sprache nachdenke.

»Kristófer ... Papa, stimmt etwas nicht?«

»Doch«, erwidere ich.

»Darf ich fragen, was du in Japan willst? Jetzt, mitten in der Pandemie?«

»Ich will meine Freunde dort besuchen«, sage ich.

»Freunde?«

Sie fällt aus allen Wolken, das ist mir schon klar, und trotzdem finde ich es übertrieben, dass sie in ihrem überraschten Ton fortfährt, als würde sie jedes Wort, das ich sage, gleichermaßen in Erstaunen versetzen.

»Ich habe das Torgið zugemacht«, sage ich und warte nicht auf eine Rückfrage, sondern füge gleich hinzu: »Endgültig.«

Ich sage es nicht, um sie zu verärgern, das ist es nicht, was ich im Sinn habe, sondern ich möchte alle Karten auf den Tisch legen, damit sie mir nicht vorwerfen kann, ihr etwas verheimlicht zu haben.

»Papa«, erwidert sie, »Papa ... sollten wir nicht ... Hast du schon eingecheckt?«

»Ja, ich war gerade hier oben im Duty-free, als du angerufen hast. Und jetzt muss ich mich langsam zum Gate begeben. Mein Flug geht gleich.«

»Papa, hältst du das wirklich für eine gute Idee? ... Villi hat nach dir gefragt ... Er wollte wissen, ob du einen Teddybären gekauft hast ...«

Ich hake nach, weil ich ihr nicht folgen kann, und sie erklärt, dass die Leute jetzt Plüschtiere in ihre Fenster setzten, damit die Kinder etwas zu gucken hätten, wenn sie mit ihren Eltern nach draußen gingen.

»Villi möchte bei dir in den Fenstern nach einem Teddy Ausschau halten ...«

»Zu dumm, dass ich davon nichts gewusst habe«, sage ich. »Jetzt ist es zu spät.«

Ich mache ihr keine Vorwürfe, doch sie geht in die Defensive.

»Woher sollten wir denn wissen, dass du ins Ausland abhauen willst ...«

»Mein Flug geht gleich«, wiederhole ich. »Ich melde mich, wenn ich angekommen bin.«

»Können wir darüber reden?«

»Mach dir keine Gedanken«, sage ich.

»Also, um ehrlich zu sein, ich verstehe dich nicht«, erklärt sie und vergisst dabei, ihre Überlegungen in Form einer Frage zu formulieren.

Allerdings wäre das auch gar nicht so leicht.

Ich verabschiede mich von ihr, bitte sie, Villi zu grüßen, vergesse jedoch, Axel zu erwähnen, wiederhole, dass ich mich vielleicht schon aus London wieder melden werde. Lege auf und stecke das Handy wieder in die Tasche.

Ich setzte die Brille auf, als ich von Bord gehe, und rufe Facebook im Handy auf. Seit gestern Morgen habe ich nichts von Miko gehört und fange an, mir Sorgen zu machen. Hoffentlich unnötigerweise, ich sage mir, dass sie eine ganze Weile zum Antworten brauchte, nachdem sie mich zum ersten Mal kontaktiert hatte. In der Tat erscheint es mir unglaublich, dass das erst vor drei Tagen war.

Die Maschine war halb leer. Auf dem Flug habe ich die Zeitungen gelesen und danach das Notizbuch herausgeangelt, um meine Erinnerungen weiter aufzufrischen. Ich hatte eines von ihnen zusammen mit der Gedichtsammlung und dem Lehrbuch eingepackt, dasjenige, das ich in der Schreibtischschublade im Torgið aufbewahrt hatte. Die anderen drei liegen zu Hause. Dieses ist mir das liebste, nicht nur, weil es von allen das handlichste ist, sondern weil es mehr Haikus als die anderen enthält, sowohl solche, die ich zusammengefügt hatte, als auch einige, die Takahashi-san verfasst und die ich mir notiert hatte. Seine sind selbstverständlich besser als meine. Nichtsdestoweniger muss ich sagen, dass ich in der Zeit, in der wir um die Wette dichteten, deutliche Fortschritte machte, denn ich erinnere mich, dass er einmal so etwas gesagt hat.

Nun bin ich kein Literaturwissenschaftler und begebe mich hiermit vielleicht auf dünnes Eis, und dennoch möchte ich mir erlauben, einige Worte zu dieser japanischen Gedichtform zu sagen, immerhin habe ich mir darüber unzählige Gedanken gemacht und versucht dahinterzukommen, was ein gutes Haiku auszeichnet. Der Vers umfasst lediglich drei Zeilen – fünf Silben in der ersten Zeile, sieben in der zweiten und wiederum fünf in der dritten –, und der Zauber besteht darin, einen Gedanken oder ein Gefühl mit wenigen Worten zu vermitteln, und zwar auf eindrückliche Weise, um es mit Takahashi-sans Worten zu sagen. Er musste nicht hinzufügen, dass dies leichter gesagt als getan ist. Ich erinnere mich sogar daran, dass er am ersten Abend, als wir über die Magie des Haikus sprachen und ich fragte, worin sich diese Magie manifestiere, lachend so in etwa sagte, dass man nur die rechten Worte finden und diese dann in der richtigen Reihenfolge aneinanderreihen müsse. Er machte oft Witzchen, um tiefgründigeren Gesprächen auszuweichen, keine Frage, woher Miko ihren Sinn für Humor hatte.

Tatsächlich kommt niemand, der ein Haiku schreiben will, ohne Einfallsreichtum und Interesse an der Sprache aus, auch ein Anfänger nicht. Wer fortgeschritten ist, hat gelernt, Worte und Form miteinander zu verknüpfen, sodass die Schlichtheit und Geradheit des Haikus in die Gedanken der Lesenden vordringen und sie zum Innehalten bewegen, und sei es nur für einen Augenblick. Und wenige Genies verstehen es, in diesen drei Zeilen das alltägliche Leben mit dem Lauf der Natur zu einem einheitlichen Bild zu verschmelzen, das sie dann wieder auflösen, beinahe lautlos, sodass die Lesenden nicht umhinkönnen, bewundernd nach Luft zu schnappen.

Vor ein paar Jahren begann ich, die Haikus, die Takahashi-san und ich erschaffen hatten, ins Isländische zu übertragen, die gehaltvollsten jedenfalls, und sie in dieses noch halb leere Notizbuch zu schreiben. Takahashi-san sprach recht gutes Englisch, wies jedoch immer wieder darauf hin, dass seine Haikus auf Japanisch besser seien. Sicherlich musste Miko ihm manchmal helfen, besonders mit der Grammatik, und bestimmt war es keine Übertreibung, wenn er behauptete, er benötige mehr Zeit, um auf Englisch zu dichten als auf Japanisch, doch davon war in seinen Gedichten selbst, die ausnahmslos alle eine gewisse Überraschung in sich bargen – wenn auch selbstverständlich äußerst dezent –, kein bisschen zu spüren.

Zeitiger Abend.
Unter blinkenden Sternen
leuchten Laternen.

Dieses war das erste Haiku von ihm, das ich übersetzt habe. Ich weiß noch, dass er es im Juli verfasst hat. Ich erinnere mich auch, dass Miko die Tür öffnete, als ich es gerade aus dem Krug nahm. Es war, als brächte sie den Lichtschimmer herein, über den er geschrieben hatte.

Jedenfalls hat sie bisher nicht auf meine letzte Nachricht geantwortet, doch vielleicht ist das gar nicht verwunderlich, denn sie enthielt praktisch nichts, was direkt einer Antwort bedurfte. Ich hatte darin hauptsächlich

Überlegungen und Gedanken geäußert, hatte darüber nachgedacht, wie sonderbar das Leben und wie relativ die Zeit sein kann und dergleichen mehr. Sie hatte mir ihre Adresse genannt, das war vorgestern gewesen.

»Aber schicke mir nichts«, sagte sie. »Das ist absolut nicht nötig.«

Sie weiß nicht, dass ich auf dem Weg zu ihr bin. Ich habe es ihr immer noch nicht gesagt, und ich habe nicht vor, es zu tun, bis ich nicht ein ganzes Stück weiter vorangekommen bin. Denn es kann stets etwas schiefgehen, und ich möchte sie nicht unnötig beunruhigen.

Vielleicht teile ich es ihr mit, sobald ich bei der japanischen Fluggesellschaft eingecheckt habe. Der Schalter ist im Gebäude nebenan, und dorthin ist es nicht weit. Der Flug geht allerdings erst heute Abend um sieben, gleichwohl werde ich mich geradewegs hinbegeben, schließlich habe ich nichts anderes vor.

Mein Flug wurde auf morgen verschoben. Am Check-in-Schalter stehen zwei Mitarbeitende in der Uniform der Fluggesellschaft und erklären uns, die wir uns versammelt haben, dass am heutigen Tag wegen der aktuellen Lage keine Flüge starten. Wir seien alle auf morgen umgebucht worden. Auf unsere Nachfrage hin wiederholen sie, dass wir uns nicht zu sorgen bräuchten, es seien reichlich Plätze frei.

In Wahrheit wäre es korrekter zu sagen, dass unser Flug heute gecancelt wurde, nicht verschoben, doch ich halte mich zurück mit solchen Haarspaltereien, schließlich sind die beiden freundlich und sehr bemüht, uns zu helfen. Sie bieten uns sogar einen Rabatt für die Übernachtung hier im Flughafenhotel an, was ein paar Mitpassagiere offenbar in Anspruch nehmen wollen. Ich hingegen fand es noch nie angenehm, in Flughafenhotels zu übernachten, und meide sie, seit ich mir einmal eine Magenverstimmung zugezogen hatte und beinahe zwei Tage lang hier in Heathrow festsaß. Obwohl das ewig her ist, sitzt die Erinnerung noch immer tief – das miserable Zimmer, das unangenehm schmeckende Leitungswasser, der Blick auf Parkplätze und Lagerhallen, diese sonderbare Leere, die sich meiner bemächtigte, mich durchdrang und mir jegliche Energie raubte, mehr sogar als die Infektion selbst, die mir hinterher noch lange in den Knochen steckte.

Ehe ich mich's versehe, befinde ich mich also im Expresszug nach London. Ich achte brav darauf, zu den anderen Fahrgästen großen Abstand zu wahren, was sehr einfach ist, denn der Wagen ist nur halb voll. Auch wenn ich hier einmal gelebt habe und eine Zeit lang sogar dachte, in dieser Stadt zu bleiben, fühle ich mich jetzt wie jeder andere Tourist, wie ein Besucher, der zuvor keinerlei Spuren hinterließ.

Ich ging nach London, um Wirtschaftswissenschaften zu studieren. An der Universität waren wir die beiden einzigen Isländer, Jói Steinsson und ich, wir begegneten uns gleich am ersten Tag, obwohl wir bis dahin nicht voneinander wussten. Rasch freundeten wir uns an, wir lernten gemeinsam und trafen uns regelmäßig außerhalb der Universität, nicht zuletzt am Wochenende, wenn wir die Bücher weglegen konnten und uns ein Bier genehmigten. Im ersten Jahr war mein Interesse am Fach groß, die Seminare waren erstklassig und die Infrastruktur ebenfalls, die Bibliothek etwa hätte nicht besser ausgestattet sein können. An der Universität ging es damals noch friedlich zu, die Studentenproteste begannen erst im darauffolgenden Jahr, und erst im dritten Jahr kam es zu den Unruhen. Da hatte sich alles geändert, und ich mich auch.

Irgendwann in ihren Jahren an der Oberschule fand Gerður einen Umschlag mit Fotos aus dieser Zeit. Ein paar zeigten mich an verschiedenen Orten in London, auf einem oder zweien war Jói Steinsson zu sehen. Eben ein Stapel Fotos, den jemand wahllos, ohne besondere Absicht in einen Umschlag gesteckt hatte. Die Bilder sollten keine Geschichte erzählen und auch nichts bezeugen.

Gerður interessierte sich vor allem dafür, wie anders ich ausgesehen hatte. Jene Aufnahmen, die mir gefielen, würdigte sie kaum, beispielsweise die von der Themse kurz nach Tagesanbruch oder vom Hyde Park später am Nachmittag, als die Schatten der Bäume völlige Unabhängigkeit zu erlangen schienen und sich von den Bäumen lösten. Es war das Licht, das sein Spiel mit der Wahrnehmung trieb, wie ich ihr erklärte. Doch sie ließ sich davon nicht beeindrucken, suchte sich aus dem Stapel ein paar Bilder von mir aus und steckte die übrigen wieder in den Umschlag.

Ich hatte mir gleich nach meiner Ankunft in der Stadt eine Canon gekauft und benutzte die Kamera vor allem in den ersten Monaten viel. Die Aufnahme von mir am Eingang des Old Building hatte Jói in unserer ersten Woche an der London School of Economics gemacht, und Gerður verglich sie mit einem Bild, das jemand von mir in meinem letzten Monat dort aufgenommen hatte – kurz bevor ich mit dem Studium aufgehört hatte, genau genommen. Auf dem ersten Bild habe ich einen Kurzhaarschnitt und bin ordentlich rasiert, ich trage eine graue Hose, ein Hemd mit Krawatte und ein Tweedjackett, das ich, wie ich mich erinnere, in der Oxford Street erwarb. Auf dem zweiten habe ich lange Haare, einen Vollbart und trage eine Nickelbrille, die Krawatte ist längst verschwunden, und das Jackett sieht etwas schäbig aus. Ich erinnere mich nicht, wer das Bild gemacht hat, zumindest glaube ich, dass es nicht Jói war.

Gerður bat mich um eine Erklärung, und ich gab mir Mühe, ihr zu erzählen, was in diesen Jahren in der Welt los war, vom Vietnamkrieg und dessen Folgen, von den Studentenaufständen in Frankreich im Frühjahr 1968 und von unseren Aktionen in London ein knappes Jahr danach.

»Du warst mit dabei?«, fragte sie immer wieder, als ich ihr unsere Proteste schilderte, unsere Konflikte mit der Hochschulleitung, unsere Versuche, einige der Unigebäude zu besetzen, die Reaktionen der Gegenseite, die sowohl die Eingänge als auch das Innere der Gebäude selbst verbarrikadierte.

»Wir durchbrachen die Absperrungen aber«, erzählte ich. »Daraufhin wurde die Uni für einen Monat geschlossen. Als sie den Betrieb wieder aufnahm, hatte ich jedes Interesse am Studium verloren.«

Gerður blickte abwechselnd auf mich und auf das Foto von mir mit Bart und Nickelbrille, als könnte sie unmöglich begreifen, dass ich ein und derselbe Mensch war.

»Du bist nicht wiederzuerkennen«, sagte sie.

Außerdem ließ ich durchblicken, dass ich einen Artikel geschrieben hatte, der einige Aufmerksamkeit erregt hatte und zu so etwas wie einem Manifest in unserer Gruppe der Aufständischen geworden war: *Den Sozialismus neu erfinden.* Ich erwähnte hingegen nicht, dass Jói Steinsson meinen Artikel *Kristófer neu erfinden* genannt und unter unseren gemeinsamen Bekannten darüber gelästert hatte.

Gerður bewunderte mich und meinen damaligen Einsatz ein wenig, bildete ich mir ein, und ich streite nicht ab, dass mich das freute. Ich weiß nicht mehr, wie es dazu gekommen war, aber sie hatte sich in der Zeit davor ihrem Vater mehr zugewandt als früher, ihrem biologischen Vater, meine ich, und das hatte mich stärker getroffen, als ich gedacht hätte.

»Und wer ist das?«, fragte sie und zog ein Foto von Jói und mir hervor, das kurz vor Weihnachten 68 entstanden war, gut einen Monat vor dem Aufstand. Ich nannte ihr den Namen meines Kommilitonen.

»Er hat sich äußerlich nicht verändert«, stellte sie fest. »Er hat genau so etwas an wie du auf dem ersten Foto.«

»Jói zieht auch heute noch genau solche Sachen an, wie ich sie auf dem ersten Bild trage«, antwortete ich, wenn ich mich recht erinnere.

Vielleicht wollte ich noch etwas hinzufügen, ließ es dann aber bleiben. Gerður wollte ohnehin nicht mehr über Jói Steinsson wissen, sondern es war meine Vergangenheit, die ihre Neugier geweckt hatte.

»Was hast du eigentlich gemacht, als du aufgehört hast zu studieren?«

Während ihre Frage in meinem Kopf widerhallt, fährt mein Zug in den Bahnhof Paddington ein. Ich hatte vorgehabt, mir unterwegs übers Handy ein Hotelzimmer zu suchen, doch daraus ist nichts geworden. Ich habe allerdings reichlich Zeit, denn es gibt nichts, was mich erwartet, nur ein ereignisloser Nachmittag.

Inzwischen bin ich in einem behaglichen Zimmer eines kleinen Hotels in der Monmouth Street untergekommen. Das Fenster geht auf die gepflasterte Straße, und ich muss den Kopf nur ein wenig hinausstrecken, um die ganze Häuserzeile auf der gegenüberliegenden Seite zu sehen. Es sind niedrige Gebäude, zwei oder drei Stockwerke hoch, mit Geschäften und Restaurants im Erdgeschoss, mit Cafés, einem Zeitungskiosk und einem Schuhmacher. In den oberen Etagen befinden sich Wohnungen oder Büros. Nur wenige Leute sind unterwegs. Es geht auf halb vier zu.

Ich hatte, wie zu erwarten, viele Hotels zur Auswahl gehabt, und der Rabatt, den ich hier erhielt, ist kein Einzelfall. Es lag nicht unbedingt nahe, dass ich in diesem Viertel gelandet bin, denn ich brauchte für den Fußmarsch hierher fast eine Stunde. Wahrscheinlich war ich mit den Gedanken aber noch bei den alten Zeiten, als ich hier gelebt hatte, oder hatte zumindest ein paar Erinnerungsschnipsel von damals im Kopf, denn als ich vorher mit dem Telefon vor dem Bahnhofsgebäude auf der Bank gesessen hatte, hatte ich kaum anderswo nach einer Unterkunft gesucht.

Ich bereue es nicht. Das Hotel ist erstklassig, und auch wenn das Zimmer zur Hälfte unter der Dachschräge liegt, ist es doch geräumig und gemütlich. Auf einem kleinen Tisch in der Ecke steht eine Vase mit Blumen, auf einem der Nachtschränke eine Obstschale, und auf den Bücherborden stehen Fotografien aus alten Zeiten, als sich hier das French Hospital befand, neben gebundenen Büchern, die ich mir noch nicht genauer angesehen habe.

Ich hatte mir eigentlich nicht vorgenommen, zum Campus der LSE zu gehen, obwohl es dorthin nicht weit ist. So wie ich den Mann, der mich an der Rezeption begrüßte, verstand, soll der Lehrbetrieb dort eingestellt werden, womöglich schon morgen. Er meinte außerdem, es gebe Gerüchte, dass in Kürze eine Ausgangssperre über London verhängt werden würde, und das wolle er mir nicht verschweigen, auch wenn er betonte, noch sei nichts offiziell.

»Dann müssen wir nämlich das Hotel schließen«, erklärte er mir.

Auf dem Weg hierher war ich zu der Einsicht gekommen, es sei nun der richtige Moment, gewissen Dingen ins Auge zu sehen, über die ich in den vergangenen Jahren nicht groß nachgedacht habe, ja es womöglich vermieden habe, mich ihnen zuzuwenden. Weniger, weil sie mir peinlich sein müssten, sondern einfach, weil es zeitraubend und müßig ist, sich mit der Vergangenheit zu beschäftigen. Jetzt aber bin ich auf einmal mein eigener Herr und habe nichts Besseres vor, jedenfalls nicht am heutigen Tag. Mir gehen auch die Worte meines Doktors durch den Kopf, neben den Übungen, die er mir mit auf den Weg gab, dass es vielen in einer Situation wie der meinen gutgetan habe, sich mit unbewältigten Dingen aus der Vergangenheit auseinanderzusetzen, viele würden das als befreiend empfinden. Ich sagte ihm, dass ich keinerlei solche Bürden mit mir herumtrüge und mir nicht bewusst sei, dass ich irgendwelche offenen Rechnungen zu begleichen hätte, in dieser Hinsicht hätte ich vielleicht Glück gehabt. Daraufhin ruderte er sofort zurück und sprach stattdessen davon, offene Fragen zu klären, oder so ähnlich.

Die Erinnerung an mein Gespräch mit Gerður über die Fotos war es, die das Grübeln über die Vergangenheit angestoßen hatte. Aber ich hatte schon bei Jóis Beerdigung an meine Studienzeit denken müssen, denn der Pfarrer erwähnte mit einigen Worten Jóis Jahre an der LSE, er sprach sogar von Volumen- und Preisindizes, von Ertragswertverfahren, volkswirtschaftlichen Gesamtrechnungen und dergleichen. Selbstredend fühlte sich der Pfarrer dazu verpflichtet, Jóis Ausbildung und seine Arbeit anzusprechen, wandelte dabei jedoch auf schmalem Grat, denn es war offensichtlich, dass er die Begriffe nicht verstand. Er verhaspelte sich mehr als einmal und hätte besser daran getan, im Allgemeinen zu bleiben. Jedenfalls schien er heilfroh, als er wieder von Aussöhnung und Lebensglück sprechen durfte.

Wie auch immer, ich war also von meiner Bank vor Paddington Station aufgestanden und hatte beschlossen, zu Fuß zum Hotel zu gehen. Dabei schweiften meine Gedanken wieder zu meiner Studienzeit hier in der Stadt und damit auch zu meinem Gespräch mit Gerður. Als wir am Wohnzimmertisch saßen, die alten Fotos vor uns, erzählte ich ihr, dass ich das Interesse an der Wirtschaftswissenschaft verloren und begonnen hatte, an ihrem Nutzen für eine Welt zu zweifeln, die meiner Meinung nach ein völliges Umdenken erforderte, wenn nicht gar eine Neuordnung. Ich erinnere mich, dass ich ihr so etwas in der Art erklärte, vielleicht nicht wortwörtlich, aber ich stellte meinen Studienabbruch in direkten Zusammenhang mit den weltweiten Entwicklungen zur damaligen Zeit. Gerður war wissbegierig, wie ich schon feststellte, sie sog jedes Wort in sich auf und schien eine neue Seite an mir zu entdecken – oder sogar eine neue und interessantere Person. Nach dieser Unterhaltung informierte sie sich über diese Epoche, grub obendrein meine alten Beatles-Schallplatten aus und spielte sie im Wohnzimmer, wo ich noch einen Plattenspieler stehen hatte. Ihre Haltung wandelte sich, es schien, dass sie nun mehr von mir hielt.

Wie so oft im Leben war die Wahrheit allerdings etwas komplizierter als das, was ich Gerður glauben lassen wollte. Damit sei nicht gesagt, dass ich sie getäuscht habe, doch sicherlich hätte ich deutlicher werden können.

Tatsächlich war ich auf dem Gymnasium ein guter Schüler gewesen, meine Noten bezeugten dies. Ich las viel, außer den Schulbüchern auch jede Menge Literatur und Sachbücher, und ich genoss den Ruf, gewissermaßen ein wandelndes Lexikon zu sein. Darauf bildete ich mir nicht wenig ein, denn für meine Kenntnisse der unwahrscheinlichsten Dinge wurde mir Respekt entgegengebracht, und Freunde wie Schulkameraden suchten häufig meinen Rat, wenn sie mit ihrem Latein am Ende waren.

»Krissi weiß es bestimmt«, hieß es dann. Und das war mir gar nicht so unangenehm.

Mein Interesse an Wirtschaftswissenschaften wurde durch Zufall geweckt, als ein junger Mann, frisch aus dem Studium in Deutschland, für ein paar Wochen meinen Geschichtslehrer vertrat. Er glühte vor Begeisterung, wie es junge Leute tun, die von Neuem zu berichten wissen, und ich ließ mich von ihm anstecken. Ich entdeckte die Schönheit an einem Thema, das die wenigsten spannend finden, wie manche Ökonomen das menschliche Verhalten mit beachtlicher Genauigkeit, mit Modellen und Zahlen und Gleichungen so definieren, dass man Ursache und Wirkung begreifen kann.

Im Sommer fuhr ich zur See, verdiente mir Geld, nahm ein Studiendarlehen auf. Als ich dann an der LSE aufgenommen wurde, war ich im siebten Himmel.

Es lief gut für mich an der Hochschule. Das sollte ich wohl erwähnen. Gewiss, ich musste ordentlich büffeln, wie die meisten anderen auch. Außer Jói Steinsson. Der brillierte in allen Fächern, und das offensichtlich, ohne sich dabei anzustrengen.

Zuerst dachte ich, das sei nur Schaumschlägerei. Ich hatte ihn im Verdacht zu pauken, wenn wir anderen es nicht sahen, zum Beispiel nachts, während jeder normale Mensch schlief. Dieser Verdacht jedoch löste sich in Luft auf, als wir uns näher kennenlernten und ich mit eigenen Augen sah, wie sein Gehirn funktionierte.

Zu Anfang war ich der Meinung, dass sich seine Überlegenheit auf alles Mathematische beschränkte, denn er löste jedwede Aufgabe, die uns präsentiert wurde, in Blitzgeschwindigkeit. Wenn ich für eine Lösung vielleicht eine Stunde benötigte, schüttelte er sie binnen zehn Minuten aus dem Ärmel. Wenn ich etwa feststeckte, dann wunderte er sich jedes Mal und konnte sich nicht zurückhalten, mir die Lösung zu zeigen, die doch offensichtlich sei, wie er meinte. Als ich ihn bat, das zu lassen, war er erstaunt, und er verstand überhaupt nicht, wenn ich etwas grantig reagierte.

Nach und nach kam ich allerdings dahinter, dass es Jói genauso leichtfiel, Aufsätze zu schreiben, wie Mathematikaufgaben zu lösen. Das wurde zu Beginn des zweiten Studienjahres augenfällig, als wir unsere Seminararbeit in Makroökonomie abgeben mussten. Ich kann mich an das Wetter an dem Freitag erinnern, als ich mich daransetzte, ich erinnere mich an das Wochenende, an dem ich mich in der Bibliothek abplagte, ich erinnere mich sogar an den Tisch, an dem ich saß, jemand hatte *Küss mich, Sally!* auf die Tischplatte gekritzelt. Ich hatte begonnen, die Treffen mit Jói jenseits der Uni zu reduzieren, ich mied ihn nicht direkt, unternahm inzwischen jedoch mehr mit Leuten, die er nicht kannte, sodass ich weniger von ihm mitbekam. Aber da wir gemeinsam Makro belegt hatten, lag es trotzdem nahe, uns an dem Freitag, als wir die Aufgabe der Seminararbeit ausgehändigt bekamen, beim Mittagessen zu beraten.

Jói arbeitete sonst zu Hause, in seinem Zimmer im Studentenwohnheim. Deswegen überraschte es mich, als er spät am Samstag in der Bibliothek auftauchte und mich fragte, ob ich nicht mit ihm am Abend in den Pub gehen wolle; dort würde irgendeine Band auftreten, für die er sich interessierte. Ich wäre nie auf die Idee gekommen, dass er seinen Essay schon fertig hatte, also sagte ich unmissverständlich, dass wir doch keine Zeit zum Herumgammeln hätten.

»Was? Bist du noch gar nicht fertig?«, erwiderte er daraufhin.

Natürlich mache ich nicht Jói Steinsson dafür verantwortlich, dass ich das Interesse am Studium verloren hatte. Er konnte ja nichts dafür, dass er begabter war als ich. Vielleicht hätte er ein wenig taktvoller sein können, aber trotzdem werfe ich ihm nichts vor.

Selbstverständlich habe ich Gerður gegenüber Jói nicht erwähnt. Im Grunde habe ich ihn niemandem gegenüber erwähnt. Das heißt, seinen Anteil daran, dass ich meine eigenen Fähigkeiten neu bewertet hatte. Nicht einmal mir selbst gegenüber, um ehrlich zu sein.

Als Gerður und ich uns die Fotos ansahen und über meine letzten Wochen an der Uni sprachen, den Vietnamkrieg und die Veränderungen, die er ausgelöst hatte, nutzte ich die Gelegenheit, um ihr einzuschärfen, wie wichtig es sei, seinen Platz im Leben zu finden. Ich hätte es nie bedauert, die Volkswirtschaft an den Nagel gehängt zu haben, versicherte ich ihr, es sei eine gute Entscheidung gewesen. Ich schlug einen väterlicheren Ton an als gewöhnlich, und ich hatte den Eindruck, dass sie mir zuhörte. Ich glaube, es gelang mir sogar, mich selbst davon zu überzeugen, dass damals höhere Ideale meinen Weg bestimmt hätten, denn ich weiß noch, dass ich, als wir uns endlich vom Wohnzimmertisch erhoben, das Gefühl hatte, ein gutes Gespräch geführt zu haben.

Es sind Bruchstücke von Bildern, die ich nur mit Schwierigkeiten zuordnen kann. Und darauf folgen Satzfetzen, die scheinbar völlig aus dem Zusammenhang gerissen sind.«

»Passiert das im Halbschlaf?«

»Ja, meistens.«

»Meistens?«

»Ja, eigentlich nur.«

»Frühmorgens?«

»Ja. Tagsüber schlafe ich nicht.«

»Nein, natürlich nicht. Sie haben aber den Eindruck, es passiert beim Aufwachen?«

»Meistens.«

»Und sonst nicht ...?«

»Manchmal brauche ich lange, um wach zu werden, scheint mir. Länger als früher.«

»Und dann finden Sie sich nicht richtig zurecht?«

»Ja, da sind diese Bruchstücke von Bildern und diese Satzfetzen ...«

Der Doktor hat eine angenehme Art und spricht die ganze Zeit in derselben Tonlage und mit sanfter Stimme.

Er meint es zweifelsohne gut, es ist aber trotzdem ein wenig so, wie mit Gerður zu reden, denn er fragt wieder und wieder dasselbe, entsprechend nuanciert, versteht sich. Das wurde mir klar, als ich ihn das zweite Mal aufsuchte und er den Test mit mir durchging. Da bemerkte ich, worin er und Gerður sich ähneln, aber auch, was sie voneinander unterscheidet. Gerður stellt ihre Fragen so, als wollte sie mich dazu bringen, etwas preiszugeben, der Arzt hingegen testet einfach nur mein Gedächtnis, er untersucht, ob er Widersprüche in meiner Schilderung feststellt, das glaube ich wenigstens. Als ich das erkannte, überlegte ich, ob ich ihm nicht mitteilen sollte, dass ich sein Verfahren durchschaut hätte, und fand, er müsste mir das nachgerade positiv anrechnen.

»Sie stellen mir dieselben Fragen, formulieren sie aber jedes Mal neu, damit es nicht offensichtlich ist«, sagte ich.

An seiner Reaktion sah ich sofort, dass ich einen Fehler begangen hatte.

Er war ein bisschen verblüfft, obwohl er sich bemühte, es sich nicht anmerken zu lassen, doch er fing sich rasch wieder und fragte, ob mich das irritiere.

So sagte er das, wortwörtlich – ob mich das irritiere. Nicht, ob es mich störe oder mir unangenehm sei oder ob ich etwas dagegen hätte.

Dass mir sofort wieder einfiel, dass genau dieses Wort in einer Broschüre verwendet wird, die mir meine Hausärztin gegeben hatte, bevor sie mich an diesen Spezialisten überwies, sagt vielleicht schon etwas darüber aus, wie ungesichert seine Diagnose noch ist und dass es zu bezweifeln bleibt, ob sie standhalten wird. Dort heißt es nämlich, Personen mit dieser Erkrankung ließen sich hin und wieder schon durch kleine Dinge irritieren. Es fiel mir wieder ein, weil mir das Verb *irritieren* noch nie gefallen hat. Mir kam es vor, als testete mich der Arzt schon wieder, als überprüfte er, ob ich Symptome zeigte, die seine Verdachtsdiagnose stützten, wenn man es denn Diagnose nennen soll, denn bis dahin hatte er noch nichts bestätigen wollen.

»Nein«, erwiderte ich, »überhaupt nicht. Ich habe es nur angesprochen, weil ich dachte, dass Sie testen, ob ich es wohl merke.«

Ich weiß nicht, warum ich jetzt daran denken muss.

Da ich in der Nacht lange wach gelegen hatte und zudem früh aufgestanden war, um zum Flughafen zu fahren, habe ich mir nun erlaubt, mich für ein Weilchen hinzulegen, um mich auszuruhen. Ansonsten schlafe ich nie am Tag, ich habe den Doktor nicht angelogen. Ich kann auch nicht behaupten, dass ich eingeschlafen sei, sondern ich habe nur gedöst, ein Auge halb offen, war mir meiner selbst die ganze Zeit ziemlich bewusst und musste keine Bildfragmente zusammensetzen, als ich beide Augen aufschlug.

Ich habe das Fenster zur Straße hinaus geöffnet. Es weht eine recht warme Brise, zwölf Grad, der Himmel grau, wie so oft in London. Ich spüre, dass ich ein wenig erschöpft bin, und habe es deshalb nicht eilig, wieder aufzustehen, außerdem denke ich noch immer an den Arzt und unser Gespräch.

Er erkundigte sich nach meinen häuslichen Verhältnissen. Als ich ihm erzählte, dass ich allein lebte, fragte er nach meinen nächsten Angehörigen. Klar erwähnte ich

Gerður's Namen, und daraufhin bat er mich um ihre Telefonnummer, meinte, dies sei die übliche Praxis.

»Zur Sicherheit«, erklärte er. »Falls etwas passiert.«

Gerður habe ich jedoch nichts von meinen kürzlichen Besuchen bei den Ärzten gesagt, weder von der Hausärztin noch von dem Spezialisten, das will ich erst tun, wenn es erforderlich ist. Darüber informierte ich ihn und erklärte, dass ich nicht fände, es sei schon an der Zeit. Es war offensichtlich, dass er diese Informationen gern von mir erhalten hätte, denn er füllte auf seinem Schreibtisch ein Formular aus, auf dem zweifelsohne ein Feld für Gerðurs Telefonnummer und E-Mail-Adresse vorgesehen war, und sogar für weitere Angehörige, falls erforderlich. Er zögerte, rückte die Brille mit einer Hand zurecht und hob mit der anderen seinen Stift ein wenig von dem Formular, empfand es offensichtlich als unliebsam, dieses Feld leer zu lassen, denn es widerstrebte seinem Wesen.

Außerdem hatte ich ihn kurz zuvor korrigiert, als er »tun« gesagt hatte. In dem Zusammenhang: »Tun Sie immer wissen, wo Sie sich befinden, wenn Sie morgens aufwachen?«

Meine Antwort lautete Ja, doch dann wies ich ihn darauf hin, dass das aus dem Englischen komme, »Do you know?«, das Hilfsverb *tun* habe bei uns hier eigentlich nichts zu suchen. Er guckte etwas verlegen, und ich fügte schnell hinzu: »Ich weiß, dass Sie in den Staaten studiert haben. Ich habe selbst eine Zeit lang in London gelebt, daher kenne ich das. Sie schleicht sich überall ein, die englische Sprache.«

Er erwiderte nichts, nickte aber und lächelte matt.

Jetzt überlege ich, ob er aus meinem Hinweis etwa geschlussfolgert hat, dass ich ihm etwas beweisen wollte. Oder mich verteidigen, vielleicht. Ob ich ihm, mit anderen Worten, versucht habe zu zeigen, dass mir nichts fehle, dass mein Kopf völlig in Ordnung sei, dass ich ihn sogar berichtigen könne, wenn mir der Sinn danach stehe. Ich hoffe sehr, dass er es nicht so verstanden hat, denn ich meinte es nur gut. Aber ich muss darüber nachdenken, während ich beobachte, wie die Brise die Gardinen bewegt, denn danach wurde er ziemlich ernst.

Womöglich entschied ich deshalb, mich etwas beschwingter zu geben, bevor ich mich verabschiedete. Passend zu seiner Frage, ob ich immer wisse, wo ich mich befände, wenn ich aufwachte, die ich mit Ja beantwortet und zum Anlass genommen hatte, ihn zu korrigieren, passend zu dieser Frage erzählte ich ihm nun einen Traum, den ich eine Weile zuvor geträumt und ein paar Tage lang mit mir herumgetragen hatte.

Ich befand mich auf einer Versammlung. Es waren nur Herren anwesend, alle trugen dieselbe Kleidung. Einen dunklen Anzug und ein weißes Hemd mit Krawatte. Mich selbst sah ich nicht, außer wenn ich an mir hinabblickte. Dabei fiel mir auf, dass ich Socken in einer grellen Farbe anhatte. Im Übrigen ging ich jedoch davon aus, dass ich genauso gekleidet war wie die anderen. Auch wenn ich es nicht wusste. Doch so fühlte ich mich zumindest. Als ob ich mich nicht von den anderen unterschiede.

Wie auch immer, ich kam rasch dahinter, dass ein Großteil der Gäste verstorben war, etwa die Hälfte der Anwesenden. Das stellte sich heraus, als wir an drei langen Tischen Platz nahmen, weil dabei beschlossen wurde, dass die Verschiedenen an der Nordseite sitzen sollten, wir anderen indes an der Südseite. So wurde es formuliert, ich erinnere mich gut daran. An der Nordseite und an der Südseite. Doch dann wurde die Idee plötzlich wieder aufgegeben, alle erhoben sich, und die Verstorbenen konnten sich nun hinsetzen, wo sie wollten. Was mir am verwunderlichsten erschien, erzählte ich dem Doktor – und das war sicherlich der Grund dafür, warum ich den albernen Traum nicht wieder vergessen hatte –, war, dass es nach diesen Rochaden in keinerlei Weise mehr möglich gewesen war, zwischen den Lebenden und den Toten zu unterscheiden. In keinerlei Weise.

Ich musste darüber lachen, und ich dachte, er werde es ebenfalls tun, immerhin diente diese Geschichte keinem anderen Zweck, als uns aufzuheitern.

Vielleicht lächelte er ein wenig, das ist gut möglich, dann jedoch lehnte er sich auf dem Stuhl zurück und fragte: »Waren Sie auf der Nordseite oder auf der Südseite?«

Und da dämmerte es mir, dass ich es nicht wusste und dass ich mich, wie sehr ich mich auch bemühte, nicht daran erinnern konnte.

Ich bin nicht weit gelaufen, gerade mal bis auf die andere Straßenseite. Ich hätte einen Imbiss im Hotel zu mir nehmen können, doch je länger ich in meinem Zimmer am Fenster gestanden und hinausgesehen hatte, desto mehr war in mir die Überzeugung gereift, dass es sich lohnen könnte, in dem kleinen Caféhaus gegenüber einzukehren. Zu diesem Ergebnis war ich nicht überstürzt gekommen, denn ich hatte eine ganze Weile am Fenster verharrt und die Passanten beobachtet, bis ich mich endlich auf den Weg machte. Auch die Sonne hatte sich nun Bahn durch die Wolken gebrochen und beschien die Häuser gegenüber, und obendrein machte sie das Caféhaus noch einnehmender. Die Tür stand offen, und ich hatte von meinem Fenster aus gesehen, dass die Sonnenstrahlen bis ins Innere vordrangen, wenn auch nicht sehr kräftig. Tatsächlich hätte es nicht einmal des Sonnenscheins bedurft, denn mir war aufgefallen, dass die Gäste, die hineingingen, gut gelaunt wieder herauskamen, nicht zuletzt ein junges Paar, die beiden umarmten sich auf dem Gehsteig lang und innig, bevor sie jeweils ihres Weges und auseinandergingen. Es war kein leichtes Unterfangen, sich mit einem Pappbecher in der Hand zu umarmen, und so lachten sie darüber, wie unbeholfen sie waren, während sie darauf achtgaben, ihren Kaffee nicht zu verschütten.

Es ist siebzehn Uhr. Die Sonne bescheint die Häuser noch immer, doch nur die oberen Etagen, derweil sie hier unten auf der Straße einen kühlen Schatten hinterlässt. Auf dem Gehweg vor dem Hotel breitet ein Kellner Tischdecken über einige Tische, die dort stehen, und stellt auf jeden eine Blume in einer kleinen Vase. Ich sehe auf den ersten Blick, dass er, obwohl kaum älter als dreißig, kein Anfänger ist. Seine Bewegungen beweisen es, seine ruhige Präzision, seine Sicherheit, und so bekomme ich den Eindruck, dass er die Aufgabe mit geschlossenen Augen bewältigen könnte. Ich war immer der Meinung, dass die Begabung zum Service angeboren ist und nur zum Teil gelernt werden kann, dass es sich damit etwa so verhält wie mit dem Samenkorn auf fruchtbarem Boden. Deshalb hatte ich es mir angewöhnt, Servicekräfte, die sich bei mir bewarben, darum zu bitten, sich dann vorzustellen, wenn keine Gäste im Restaurant waren, idealerweise zwischen der Mittags- und der Abendschicht, und sie lediglich zu bitten, einen Tisch einzudecken und abzuräumen, manchmal für eine Person, manchmal für mehrere, für zwei oder acht, es machte so gut wie keinen Unterschied. Hin und wieder bat ich die Interessenten, davon auszugehen, dass Gäste am Tisch säßen, und entsprechend aufzutreten. Das hat bestimmt einiges Stirnrunzeln erregt, denn die Leute in der Gastronomiebranche tratschen genauso gern wie überall sonst.

Aber über das junge Paar möchte ich noch einige

Worte mehr verlieren, damit hier kein Missverständnis entsteht. Als ich die beiden aus dem Café kommen sah und sie sich umarmten, mit ihren Pappbechern, sah ich nicht unmittelbar Miko und mich vor meinem geistigen Auge. Gleichwohl sind wir mehr als einmal diese Straße entlanggegangen, und wer weiß, vielleicht sind wir auch auf dem Gehweg stehen geblieben und haben uns umarmt, wenn niemand hingesehen hat. Es war hier in der Straße jedoch kein Café, und das Hotel gab es auch noch nicht – ich kann mich nicht entsinnen, was damals in dem Gebäude war. Ich dachte also an nichts Besonderes, als ich vorhin am Fenster stand und auf die Straße hinabblickte, ich hing keinen Erinnerungen nach, sah nicht in die Zukunft. Es handelte sich nämlich um einen dieser kostbaren Momente, wenn der Geist leer und in der Lage ist, das zu genießen, was die Augen zu sehen bekommen, ohne es zu interpretieren oder mit überflüssigen Überlegungen zu zerstören. Wenn die Augen einen Sonnenstrahl an einer Hauswand einfangen und ihn direkt in die Seele lenken. Ich fühlte mich wohl. Ich wollte dieses Glück nicht kaputt machen. Das war der Grund, warum ich so lange am Fenster stand und hinaussah.

Und jetzt denke ich an sie. Um die Wahrheit zu sagen, bin ich unentschlossen, ob ich auf Facebook gehen soll, denn falls sie mir eine Nachricht geschickt hat, befürchte ich, sie nicht lesen zu können, ohne dass sie es sieht. Mir kommt der Gedanke, Gerður zu kontaktieren, um herauszufinden, ob dem wirklich so ist. Ich habe ihr ja versprochen, sie über meine Reise auf dem Laufenden zu halten, und so fällt mir ein, dass ich sie gleichzeitig danach fragen könnte, ohne dass es weiter auffällt. Trotzdem ist es keine gute Idee, denn Gerður würde erfahren wollen, warum ich das wissen will und um wen es geht. Noch dazu ist es viel zu früh, mich jetzt schon bei ihr zu melden, ich will lieber damit warten, bis ich in Japan bin oder wenigstens im Flugzeug sitze.

Selbstredend brenne ich darauf nachzusehen, ob Miko mir geschrieben hat. Es juckt mich in den Fingern, das Handy aus der Tasche zu ziehen und auf Facebook zu gehen, in der Hoffnung, dass mein Herz einen Satz machen wird. Doch die Furcht hält mich zurück, die Furcht, die mich nach der Hälfte des Fluges packte und die ich anscheinend noch nicht wieder abgeschüttelt habe.

Mit einem Mal fing ich nämlich an, darüber zu grübeln, was ich unternehmen sollte, falls sie mir mitteilte, sie wolle nicht, dass ich zu ihr käme. Ich muss noch mal dazusagen, ich habe mit keinem Wort erwähnt, dass ich das vorhabe, habe es mit keiner Silbe angedeutet, weder aus Versehen noch mit Absicht. Ich weiß es, weil ich mir unseren gesamten Schriftwechsel auf Facebook noch einmal durchgelesen habe, bevor ich gestern Abend schlafen ging, eben um nachzusehen, dass ich nicht versehentlich etwas ausgeplaudert hatte. Schließlich habe ich allen Grund, auf der Hut zu sein. Meine Befürchtung ist nicht aus der Luft gegriffen, denn Miko konnte oftmals meine Gedanken lesen und zögerte nicht, mir mitzuteilen, was ich dachte, wenn sie dafür einen Anlass sah.

Ich weiß noch gut, wie es zum ersten Mal geschah. Ich hatte erst kurz zuvor im Nippon angefangen, es war vielleicht mein zweiter oder dritter Tag.

»Warum nimmst du dir nicht noch etwas?«

»Was meinst du?«

»Du möchtest eine zweite Portion. Warum bedienst du dich nicht einfach?«

Es wurde bald elf Uhr, die letzten Gäste waren gegangen, wir stillten unseren Hunger nach einem betriebsamen Abend, Sobanudeln mit Frühlingszwiebeln und Schweinefleisch. Es stimmte, ich hatte gerade überlegt, ob ich mir einen Nachschlag nehmen sollte, aber ich war satt und wollte bald zu Bett gehen. Außerdem wollte ich nicht gierig erscheinen.

»Ich bin satt.«

»Und trotzdem möchtest du ...«

»Ich gehe gleich nach Hause und ins Bett. Es würde mir nicht guttun.«

»Bist du schon so alt, dass du das nicht einfach so verkraftest?«

»Miko«, sagte Takahashi-san, »hör auf damit.«

Sie blickte mich weiter an, mit ihrem halben Lächeln, und ich spürte, wie ich rot wurde.

Nein, es ist nicht seltsam, dass ich lieber auf der sicheren Seite sein will. Und trotzdem ist nicht abzusehen, dass ich mich noch viel länger beherrschen kann, auf Facebook nachzusehen, ob sie mir nicht eine neue Nachricht geschickt hat. Weil sie immer noch keinerlei Erklärung für ihr plötzliches Verschwinden gegeben hat, mir nicht gesagt hat, was sie in den vergangenen fünfzig Jahren getrieben hat, mir nichts anderes verraten hat, als dass sie oft drauf und dran gewesen sei zu versuchen, mich aufzuspüren, es jedoch nie in die Tat umgesetzt habe. Weil sie noch nicht erklärt hat, was sie davon abhielt.

Der Kaffee ist gut. Etwas stark, doch eher süßlich als bitter, genau wie die junge Barista es versprochen hat. Sie erwähnte auch, dass er im Abgang nach Kirschen schmecke, und wenn ich es mir recht überlege, stimmt auch das.

Ich bereue es also nicht, für den Kaffee auf die andere Straßenseite gegangen zu sein. Ich überlege sogar, ob ich noch eine Tasse bestelle, weil ich mich nicht recht entscheiden kann, was mein nächstes Ziel sein soll. Womöglich ist es am besten, den Zufall bestimmen zu lassen, einfach loszumarschieren und zu sehen, wohin mich die Schritte lenken, vielleicht einfach den Sonnenstrahlen dorthin zu folgen, die gerade noch den kleinen Platz am Ende der Straße bescheinen.

Jói Steinsson war es, der die Verantwortung dafür trug, dass ich mich bei Takahashi-san im Nippon beworben hatte. Wir hatten uns in einem Pub unweit der Hochschule getroffen, spät an einem Freitag, wenn ich mich nicht irre. Das war ungefähr eine Woche, nachdem ich Jói und meinen anderen Freunden – gleichzeitig mit der dazugehörigen Verurteilung der westlichen Gesellschaften und einem ausführlichen Kommentar zum Versagen des Kapitalismus – eröffnet hatte, dass ich mein Studium an den Nagel hängen wollte. Einigen der anderen erschien das als ein mutiger Schritt, schließlich hatten sie selbst schon öfter davon gesprochen, doch jetzt mussten sie zugeben, die meisten im Stillen, dass es ihnen an meiner Kühnheit mangelte. Nicht so Jói Steinsson. Er grinste bloß und sagte, in einer Woche hätte ich mir diese Flausen wieder aus dem Kopf geschlagen, oder so in etwa. Dann lenkte er das Gespräch auf ein anderes Thema, als hielte er es für überflüssig, die Sache weiter zu diskutieren.

Manchmal habe ich darüber nachgedacht, ob ich es mir nicht anders überlegt hätte, wenn Jói mich nicht in diese Lage gebracht hätte. Wenn er mich damals im Pub nicht vor den anderen gedemütigt hätte. Denn Jóis Worte trugen stets einen Stachel in sich, selbst wenn er vorgab, bloß zu scherzen, eine gewisse Überheblichkeit, die ich nicht ertragen konnte.

Damit will ich nicht sagen, dass ich ihm die Schuld an meiner Entscheidung gebe, das Studium abzubrechen und mich als *Küchensklave* zu bewerben, wie er es nannte. Das wäre genauso unfair, wie ihm vorzuwerfen, dass er im Studium um Längen besser war. Aber alles an ihm provozierte mich, auch wenn ich mich manchmal frage, ob er sich dessen überhaupt bewusst war.

Sei's drum, wir waren also im Viertel unterwegs, Jói, ich und zwei andere Freunde, in einer Nebenstraße zwischen der LSE und Covent Garden, als er ein Jobangebot im Fenster eines Restaurants erblickte. Über meine Entscheidung hatten wir gar nicht mehr geredet, irgendwann vorher hatte einer der Jungs mich nur gefragt, was ich nun machen wolle, wo ich das Studium geschmissen hätte, und ich hatte erklärt, dass sich das schon früh genug herausstellen werde, oder so ähnlich. Das war alles.

Doch irgendwie war die Sache bei Jói hängen geblieben, denn er sagte wie aus dem Nichts, so als hätte er unterwegs die ganze Zeit auf die Gelegenheit gewartet: »Ach, sieh mal, Kristófer, hier kannst du vielleicht einen Job kriegen.«

Den höhnischen Ton, der deutlich in seinem Satz mitschwang, muss ich wohl nicht erwähnen, denn unsere Freunde lachten auf, während sie mit Jói die Straße weiter entlangschlenderten. Ich blieb abrupt stehen, trat für den Bruchteil einer Sekunde von einem Bein aufs andere, doch dann öffnete ich die Tür und betrat das Restaurant.

Ich möchte die Gelegenheit nutzen zu erwähnen, dass es zur Eingangstür zwei Stufen hinabging und in die obere Hälfte der Tür eine Scheibe eingelassen war, durch die man von der Straße hineinsehen konnte. Links von der Tür gab es ein großes Fenster, durch das es im Inneren des Restaurants etwas weniger düster war. Das elektrische Licht war an jenem Nachmittag ausgeschaltet, als ich hereinkam, und das Dämmerlicht verschmolz mit der tiefen Stille, die mich in den Räumen empfing. Es war niemand zu sehen, und wahrscheinlich wäre ich schleunigst wieder gegangen, wenn mir nicht aufgefallen wäre, dass meine Freunde kehrtgemacht hatten und jetzt draußen auf mich warteten.

Erst als ich mich leise räusperte, kam Takahashi-san aus der Küche. Ich vermutete gleich, dass ich ihn geweckt hatte, und das ist sogar wahrscheinlich, denn wie ich später erfuhr, legte er sich regelmäßig hin, nachdem die Mittagsgäste gegangen waren.

Er verbeugte sich leicht und sagte mit starkem Akzent: »Wir öffnen wieder um sechs.«

Ich erklärte ihm mein Anliegen.

Er musterte mich und war schon kurz davor, mich wegzuschicken, wie er später erzählte, zögerte jedoch aus irgendeinem Grund.

»Können Sie morgen früh um zehn kommen?«, fragte er. »Dann können wir miteinander reden.«

Ich sagte zu, obwohl ich keineswegs am nächsten Tag wiederkommen, sondern einfach nur meinen Begleitern erzählen wollte, dass ich eine Absage erhalten hätte. Das hätte genügt, um Jói das Maul zu stopfen und ihm zu verstehen zu geben, dass mich sein Hohn nicht traf, dass mich seine Meinung nicht interessierte, dass mir jedwedes Tätigkeitsfeld lieber war als seine geliebte Volkswirtschaft.

Ich hatte mir sogar die Worte schon zurechtgelegt, als ich die Tür öffnete, doch da stand sie plötzlich vor mir.

Die Worte verschwanden augenblicklich aus meinem Kopf, und an deren Stelle kam etwas anderes, eine Art lautloser Knall, denn ich zuckte zusammen, obwohl niemand von uns beiden etwas sagte, und ich war nicht einmal so geistesgegenwärtig, sie um Entschuldigung zu bitten oder ihr die Tür aufzuhalten.

Sie sah mich an, als hätte sie etwas Komisches entdeckt, lächelte dann und huschte nach innen.

Für den Rest des Tages dachte ich an sie, und auch, als ich nachts im Bett lag und als ich am folgenden Morgen bei sanftem Regen erwachte. Ich erinnerte mich an ihr Lächeln und die Bewegung ihrer Hand, wie sie sich die Haare aus der Stirn strich und darauf wartete, dass ich die Tür freigäbe, an den elektrischen Schlag, den ich spürte, als sie sich an mir vorbeischob. Wir hatten beide kein Wort gesagt. Sie hatte mir in die Augen gesehen.

Ich begriff, dass ich die Kontrolle über mich verloren hatte. Es ängstigte mich, ich konnte jedoch an nichts anderes mehr denken. In dieser Stadt leben Millionen Menschen, sagte ich mir, Millionen Männer und Frauen. Aber schon einen Moment später flüsterte mir eine andere Stimme zu: Am Himmel stehen ebenso Millionen von Sternen, aber Leben gibt es nur auf einem einzigen Planeten.

Morgens beim Aufwachen dachte ich jedoch nicht weiter über das Weltall nach, sondern mir wurde klar, dass es völlig ungewiss war, ob ich dieses Mädchen je wiedersehen würde. Warum auch immer ich gedacht hatte, dass sie in dem Restaurant arbeitete oder dort Stammgast war, jetzt wurde mir klar, dass es keinen Grund für diese Annahme gab. Eine unerklärliche Verzweiflung packte mich, als ich das begriff, und als ich mich auf den Weg zu meinem Vorstellungsgespräch im Nippon machte, war ich fast schon in Panik.

Ich möchte erwähnen, dass ich keine Ahnung hatte, was auf mich zukam. Ich hatte noch nie in der Gastronomie gejobbt und wusste daher nichts über die Arbeit in einem Restaurant. Japanische Restaurants waren außerdem damals in London noch rar gesät, ich kannte nur eines, das kurze Zeit zuvor in Mayfair aufgemacht hatte und zur gehobenen Klasse gehörte. Indische und chinesische Restaurants hingegen waren beliebt, vor allem bei jungen Leuten, die Lust hatten, so wie auch in anderen Bereichen Neues auf kulinarischem Gebiet auszuprobieren. Nicht zuletzt hatten sie auch die Nase von der britischen Küche voll. In einigen dieser Lokale hatte ich selbst gegessen, denn das Essen dort war meistens bezahlbar.

Es wird niemanden wundern, dass mich meine Schritte nunmehr in die Richtung jener Straße lenken, wo sich das Nippon früher befunden hatte. Das wäre eigentlich sogar vorhersehbar zu nennen, aber ich war nie mehr dort gewesen, seit ich im Frühjahr 1970 die Stadt verlassen hatte. Bei meinen häufigen späteren Londonbesuchen sah ich keinen Anlass, dort vorbeizuschauen, nicht einmal, als Ásta zum ersten Mal mitkam und mich bat, ihr ein paar meiner alten Pfade zu zeigen. Doch ich umging es, was nicht einmal schwer war, denn ich hatte nie viel über meine Monate im Nippon geredet. Ich erinnere mich trotzdem, dass Ásta mich nach »diesem japanischen Lokal«, fragte, in dem ich gearbeitet hätte, doch als ich antwortete, dass es vor langer Zeit zugemacht habe, ließ sie es dabei bewenden.

Die Sonnenstrahlen ziehen sich nach und nach zurück und sind jetzt nur noch in den Straßen zu sehen, die direkt nach Westen führen. Die Schatten werden länger und bläulicher, und mit sich bringen sie, wie mir scheint, Stille und Frieden. Ich bin einen kleinen Umweg gegangen, bleibe jedoch stehen, als ich mich den Seven Dials nähere, blicke um mich, so als könnte ich mir jeden Moment selbst begegnen, dem jungen Mann auf dem Weg zum Vorstellungsgespräch im Nippon. Ich vergesse für ein Weilchen Zeit und Ort, und als ich endlich wieder zu mir komme, nehme ich mich zusammen und gehe direkt in Richtung Short's Gardens.

Ich habe einen Anruf von meiner Arztpraxis erhalten, in dem sie mich informierten, meine Hirnuntersuchung sei verschoben worden. »Alles, was nicht akut notwendig ist, muss warten«, erklärte die Dame am Telefon. »Wegen des Virus«, fügte sie hinzu, als ich nicht sofort antwortete, obwohl das auf der Hand lag. Ich zögerte nur, weil ich der Meinung war, dass mir das vorher schon einmal gesagt worden war, und hätte die Dame beinahe danach gefragt, besann mich zum Glück jedoch eines Besseren. Es ist nicht nötig, dem Arzt noch mehr Anlass zu Spekulationen über meinen Kopf zu geben.

Ich hatte gerade Short's Gardens erreicht, als sie anrief. Ich war noch ziemlich durcheinander, fühlte mich immer noch ein wenig so, als könnte ich mir jeden Moment selbst als jungem Mann in die Arme laufen, schüttelte das Gefühl jedoch rasch ab, als sie zu reden begann. Ich war stehen geblieben, während wir miteinander sprachen, denn ich finde es unangenehm, beim Gehen zu reden, aber jetzt bin ich wieder unterwegs und keine fünf Minuten mehr von meinem alten Arbeitsplatz entfernt.

Auf dem Weg zu meinem Vorstellungsgespräch hatte

es geregnet. Es war kein starker Regen, sondern dieser typische Londonsprühnebel, dicht und relativ warm. Ich war früh dran und fand eine geschützte Stelle ein Stück die Straße hinab. Während ich wartete, dass es zehn Uhr wurde, beobachtete ich einen Lieferwagen, der heranfuhr, und zwei Männer, die Kisten in den Laden auf der anderen Straßenseite schleppten – Konservendosen, wie mir schien, Äpfel und Apfelsinen. Dann fuhren sie wieder davon, und ich schaute einfach in die Pfützen auf der Straße.

Zugegeben, mir war vollkommen bewusst, wie absurd mein Unterfangen war. Ich hatte nicht die geringste Ahnung von der Tätigkeit, um die ich mich angeblich bewerben wollte, ich hatte noch nie in einem Restaurant gearbeitet, hegte diesen Wunsch erst seit dem gestrigen Tag, aber aus den ganz falschen Gründen.

Ja, es war mir völlig klar. Ich habe es mir sogar vorgeworfen, als ich dastand und die Minuten zählte. Ich schalt mich selbst. Versuchte, mich zur Vernunft zu bringen. War schon so weit, umzukehren und wieder nach Hause zu gehen. Doch ich sah sie vor mir, ihr halbes Lächeln, ihre Finger, die das Haar aus der Stirn strichen.

Sie war nirgends zu sehen, als ich die Tür öffnete. Aus der Küche wehte ein Duft heran, und ich vernahm die Klänge eines Schlagers, gemischt mit dem Klappern von Töpfen und Pfannen. Der Text war wohl japanisch. Dieses Mal musste ich mich nicht räuspern, denn es verstrichen nur ein paar Sekunden, bis Takahashi-san aus der Küche kam. Er verneigte sich. Unwillkürlich verneigte ich mich ebenfalls. Er lächelte.

Er war vielleicht Mitte fünfzig, mittelgroß, von feingliedriger und zugleich kräftiger Statur, das Haar grau meliert. Wir standen uns für einige Augenblicke gegenüber, zu meiner Linken, neben dem Fenster zur Straße hinaus, lag die Bar, die Küche war geradeaus, der Gastraum rechts von mir. Dorthin führte er mich, wir nahmen an einem der zwölf Tische Platz, ich mit dem Rücken zur Tür.

Mir fiel auf, wie gerade er sich hielt, als er begann, mich auszufragen. Anfangs hatte ich Schwierigkeiten, ihn zu verstehen, und ich errötete, als ich nachfragen musste, aber dann stellten sich meine Ohren auf ihn ein.

Er fragte, in welchen Restaurants ich bisher gearbeitet hätte.

»In keinem«, antwortete ich.

Er fragte mich, welche Tätigkeit ich dann ausübte.

Ich erzählte es ihm.

»Sie brechen das Studium ab? An dieser Hochschule? Dieser renommierten Hochschule?«

Ich nickte.

»Warum?«

Ich versuchte, es zu erklären, sah ihm jedoch an, dass er entweder nicht verstand, was ich sagte, oder es absurd fand.

Er zog die Augenbrauen zusammen, verzog sogar leicht das Gesicht, betrachtete mich schließlich schweigend, als ich mit meiner Erklärung geendet hatte.

»Was können Sie kochen?«

Ich wollte antworten: »nichts«, erkannte dann jedoch, dass ich womöglich die Erfahrung als Schiffskoch auf dem Seiner Sveinn á Hofi anführen könnte, auch wenn sie nicht umfangreich war.

»Ich kann Schellfisch und Kartoffeln kochen«, antwortete ich und berichtete ihm von dem Schiff und seinem Heimathafen Patreksfjörður.

Er richtete sich noch mehr auf. »Sie sind zur See gefahren?«

»Ja«, antwortete ich, »vier Sommer lang.«

Er fragte mich, was wir auf der Sveinn á Hofi gefangen hätten.

»Plattfisch«, sagte ich, »vor allem Scholle, aber auch den ein oder anderen kleineren Heilbutt. Vereinzelt Seeteufel, aber der war nicht sehr begehrt.«

»Warten Sie«, bat er, »ich bin gleich wieder da.« Er sprang auf, verschwand in die Küche und kam schnurstracks wieder mit einem Atlas in den Händen.

»Wo ist das, auf der Karte?«

»Hier, das ist Patreksfjörður.«

»Wie lange blieben Sie draußen?«

»Über Nacht, ein bisschen länger, wenn wir in den Arnarfjörður fuhren«, antwortete ich und zeigte ihm den benachbarten Fjord.

»Guter Fisch?«

»Sehr guter.«

Er betrachtete weiter die Landkarte, so als suchte er nach etwas.

»Ich habe auch Lammkeule zubereitet«, fügte ich hinzu, denn jetzt verspürte ich Auftrieb. »Im Ofen.«

Sein Interesse galt jedoch weiterhin dem Fisch, und er befragte mich weiter nach meiner Zeit auf See.

Ich erzählte ihm, dass ich auch auf einem Handleinenschiff unterwegs gewesen war, von Reykjavík aus, auf einem alten Kutter, dass wir meistens südlich von Reykjanes gefischt hatten, aber auch unweit von Pétursey, bei Reynisdjúp.

»Und was?«, fragte er. »Was haben Sie dort gefangen?«

»Seelachs«, antwortete ich.

»Großen?«

»Ja, bis zu sieben, acht Kilo.«

Es gab keinen Zweifel, er schien von meiner Erfahrung schwer beeindruckt zu sein.

Zur Sicherheit beschloss ich hinzuzufügen, dass ich außerdem auf einem Trawler gefahren war, von den Vestmannaeyjar aus, im Sommer 65.

»War das ein großes Schiff?«

»Fünfzig Tonnen«, antwortete ich. »Wir fuhren am Abend hinaus und gingen nach drei Tagen morgens wieder an Land. Schlaf bekamen wir nicht viel.«

Er fragte mich, was wir mit dem Trawler gefischt hätten.

»Überwiegend Schellfisch«, sagte ich. »Der hat den Heringsrogen auf dem Meeresgrund weggefuttert. Manchmal hatten wir aber auch Kabeljau und Plattfisch.«

Ich zeigte ihm auf der Karte, wo die Inselgruppe lag, sowie Selvogsbanki, Reykjavík und Pétursey.

»Kristófer-san«, sagte er daraufhin, »dürfte ich einmal Ihre Hände sehen?«

Ich streckte die Arme aus, öffnete die Handflächen, zeigte ihm ebenfalls beide Handrücken.

Er brummte leise etwas vor sich hin, während er meine Hände begutachtete, dann nickte er so, als fände er sich selbst bestätigt. Er verlautbarte nichts darüber, was das sein mochte.

»Ich bin aus einer Hafenstadt«, sagte er schließlich. »Könnten Sie morgen anfangen?«

Tonkatsu, Torikatsu, Soba, Tempura, Donburi. Donnerstags Yakitori. Okonomiyaki am Wochenende. Nanban Soba, Sansai Soba, Tsukimi Soba, bei dem das Eigelb wie ein Vollmond auf den Nudeln schwimmt. Daher kommt der Name.

Ich notierte mir das, wie ich alles andere notierte. In ein kleines Notizbuch, das ich mir nach meinem ersten Tag im Nippon gekauft hatte, an dem ich nur lose Zettel hatte nutzen können, um aufzuschreiben, was mir Takahashi-san erklärte. Er war ein geduldiger Lehrmeister, und Goto-san, der Souschef, genauso, auch wenn er nur wenig Englisch sprach. Saba, Makrele. Buta, Schwein. Unagi, Aal. Tsukimi, Mondschau.

Man braucht nicht zu glauben, dass ich mir anfangs große Sorgen wegen des Kochens machen musste. Ich spülte das Geschirr und half dabei, die Tische abzuräumen, wenn die Kellnerin Unterstützung benötigte. Sie hieß Hitomi und ging wahrscheinlich auf die vierzig zu, sie war zierlich und flink in ihren Bewegungen. Sie redete manchmal einfach japanisch mit den Gästen, auch wenn diese kein Wort verstanden und sie ausgezeichnet

Englisch sprach. Irgendwann kam ich dahinter, dass es zumeist gutmütige Scherze waren, »Wollen Sie denn nicht aufessen?« und noch mehr in diesem Stil. Man sah es ihr an, dass sie scherzte, und die Gäste nahmen es stets gut auf.

Mehr Personen arbeiteten unter der Woche nicht in dem Restaurant, denn es war klein und die Speisekarte schlicht. Takahashi-san begrüßte abwechselnd mit Hitomi die Gäste und pendelte zwischen Küche und Gastraum, wenn man es so nennen kann, denn er verweilte nicht selten bei den Gästen, um mit ihnen zu plaudern, vor allem mit seinen Landsleuten. Die meisten von ihnen waren Herren, die in London bei japanischen Firmen arbeiteten – Handelsunternehmen, Banken, Versicherungs- und Schifffahrtsgesellschaften, Autoherstellern – und die mit ihren Familien teils in den Vororten lebten, oft in Hampstead oder Purley, in Harrow on the Hill und in East Croydon. Sie kamen in der Woche, sowohl mittags als auch am Abend; am Wochenende eher nicht, da blieben sie zu Hause und spielten Golf. Anfangs wirkten sie auf mich wie eine relativ homogene Gruppe, Bürohengste eben, doch als ich sie besser kennenlernte, stellten sie sich als genauso unterschiedlich heraus wie alle anderen Menschen.

In seinen Anfängen hatte Takahashi-san vor allem Fish & Chips verkauft; japanisches Essen war damals in London noch nicht gefragt. Über die Jahre setzte er weitere Fischgerichte auf die Speisekarte, aber erst seit der Gemeinde der japanischen Businessleute in London gab es das Nippon.

Die Küche war klein und die Bewegungsfreiheit entsprechend begrenzt. Ich fühlte mich in dieser Enge aber sofort wohl und ließ mich von den Verhältnissen nicht irritieren, nicht von der brodelnden Hitze, wenn auf allen Platten gekocht wurde, nicht von dem heißen Wasser, das mir aus dem Wasserhahn entgegenschoss, weder von dem zu kleinen Spülbecken noch vom Platzmangel in den Regalen, wo die Teller gestapelt wurden, nicht von der niedrigen Decke auf meiner Seite der Küche oder der Rohrleitung, die dort aus der Wand führte und an der ich mir in den ersten Tagen ständig den Kopf stieß. Nein, nichts von alldem machte mir etwas aus, ich hatte auf See unter schwierigeren Bedingungen gearbeitet. Nichts, außer dass das Mädchen nicht auftauchte. Von ihr hatte ich, seit ich ihr in der Tür begegnet war und daraufhin beschlossen hatte, mein Leben auf den Kopf zu stellen, weder etwas gesehen noch gehört.

Das war an einem Montag gewesen. Zwei Tage später begann ich, dort zu arbeiten. Sie kam nicht an jenem Mittwoch, nicht am Donnerstag, nicht am Freitag, als ich zur Arbeit erschien. Ich wollte unbedingt mehr über sie herausfinden, wollte Takahashi-san oder Hitomi fragen, wer sie war, aber wie sollte ich das tun, ohne mich zu verraten?

Vor der Küchentür hing ein Vorhang, er war meistens jedoch halb geöffnet, sodass ich nach vorn spähen und unauffällig mitverfolgen konnte, wenn Gäste eintrafen. Vom Spülbecken aus ging das nur, wenn ich ein, zwei Schritte zum Herd machte. Aber ich verließ in regelmäßigen Abständen die Küche, um nachzusehen, ob sie vielleicht an einem der Tische saß, hereingeschneit war, allein oder zusammen mit anderen, ohne dass ich sie bemerkt hätte. Doch sie war nicht zu sehen, außer vor meinem geistigen Auge, wo sich ihr Bild eingebrannt hatte und so deutlich blieb, dass ich das Gefühl hatte, sie in einem Buch oder einer Zeitschrift anzusehen.

Als Takahashi-san mich eingestellt hatte, sagte er, dass ich pro Woche zwei Tage frei bekäme, fragte mich dann jedoch, ob ich in dieser Woche durcharbeiten könne. Tagsüber hatte ich zwischen dem Mittagessen und der Abendschicht frei, von etwas drei Uhr bis sechs, da konnte ich tun, was ich wollte. Goto-san und Hitomi verdrückten sich, Takahashi-san legte sich auf eine Bank in der Vorratskammer, ich hingegen wusste nicht, was ich mit mir anfangen sollte, denn sie war genau in dieser Zeit gekommen, und ich wollte nicht riskieren, sie zu verpassen.

Am ersten Tag setzte ich mich mit einem Buch an einen Tisch im Gastraum, doch als Takahashi-san mich dazu ermunterte, mir die Beine zu vertreten, stromerte ich am nächsten Tag durchs Viertel, ging in einen Plattenladen und einen Haushaltswarenladen, obwohl ich dort nichts Bestimmtes suchte. Ich behielt das Nippon im Auge, schlenderte ein paarmal vorbei und linste hinein, doch es war niemand zu sehen. Am Freitag setzte ich mich in ein Café an der Ecke, von wo aus ich die Straße überblicken konnte.

Allerdings war ich eindeutig ein miserabler Spion, denn als ich ungefähr um halb sechs wiederkam, war das Mädchen da und hatte bereits begonnen, die Tische im Gastraum einzudecken. Sie drehte sich um, als ich die Tür öffnete, und lächelte verhalten, während sie mich hereinkommen sah. Ich blieb in der Mitte des Raumes stehen, wie erstarrt, und hatte nicht einmal genug Geistesgegenwart, mir den Mantel auszuziehen. So betrachteten wir einander, bis es mir gelang, Hallo zu sagen, nach einer halben Ewigkeit, wie mir schien.

»Du bist also der Gaijin, von dem Papa erzählt hat«, erwiderte sie. »Hallo.«

Es war ein Fehler. Selbstverständlich vorhersehbar, aus gutem Grund bin ich seit nahezu einem halben Jahrhundert nicht hierhergekommen. Ich weise darauf hin, dass das meine Erinnerungen in der Folge aber nicht beeinträchtigt, denn ich erinnere mich an jeden Winkel und jede Ecke des Nippons, auch an die Fassade. Es ist auch nur die Fassade, auf die ich jetzt blicke, und die ist nicht wiederzuerkennen.

Joe's Tattoo Parlour steht über der Eingangstür. Das große Fenster auf ihrer linken Seite befindet sich noch an Ort und Stelle, aber statt der alten Tür ist da jetzt eine schwarz gestrichene Stahltür. Der Rest der Fassade ist grau und abstoßend, so als wäre den Inhabern des Tattoostudios daran gelegen, die Kundschaft abzuschrecken.

Als ich im Nippon begann, war die Tür gelb und die Fassade hellgrau. Aber Miko fand die Farben hässlich, und sie überredete Takahashi-san, ihr zu erlauben, die Eingangstür dunkelblau und die Fassade hellblau zu streichen. Ich bot ihr an zu helfen, und wir begannen an einem Sonnabendmorgen im Mai um halb acht. Mit dem ersten Anstrich waren wir vor dem Mittagessen fertig, und den zweiten erledigten wir am Morgen darauf.

Das Nippon ist jetzt also ein Tattoostudio. Ich habe an und für sich nichts gegen Tätowierungen, obwohl ich sie nicht als Verschönerung empfinde, vor allem bei Frauen nicht. Gerður ist da anderer Meinung, schließlich hat sich der Gedanke in ihr festgesetzt, dass ich Axel wegen seiner Tätowierungen, mit denen er sich so demonstrativ geschmückt hat, nicht ausstehen könne. Erst einmal stimmt es nicht, dass ich Axel nicht leiden kann, das ist ein Missverständnis. Ich hielt ihn für einen ziemlichen Holzkopf, als sich die beiden näherkamen. Ich hätte es besser gefunden, wenn er sich Ásta und mir vorgestellt hätte, nachdem er bei Gerður übernachtet hatte, statt durch das Fenster ihres Zimmers das Weite zu suchen. Aber ich habe ihm das nicht übel genommen und ihn genauso wenig anhand seiner Tattoos beurteilt, obwohl ich einmal den Fehler gemacht habe, ihn darauf anzusprechen.

Ich muss dazusagen, dass Axels Tattoos mit den Jahren offenbar immer mehr wurden, auch wenn ich das nicht so genau mitverfolge. Es war jedenfalls die Verzierung auf seinem linken Arm, nach der ich ihn zu fragen wagte. Sie besteht aus zwei Teilen, zum einen vom Handgelenk hoch bis zum Ellenbogen und zum anderen weiter vom Oberarm bis zur Schulter. Es handelt sich um japanische Schriftzeichen, mit blauer Tinte auf dem Unterarm und schwarzer auf dem Oberarm. Es war das erste Mal, dass Gerður ihn zum Essen mit nach Hause brachte, ein Samstagabend, wie es die jungen Leute gewünscht hatten, sodass ich Bárður bitten musste, im Restaurant für mich einzuspringen. Für ihn und mich war es unpraktisch, Ásta indes wollte Gerður den Gefallen tun, also beschloss ich, keine Einwände zu erheben. Axel hatte das Tattoo nicht verhüllt, er trug ein T-Shirt, obwohl es nicht gerade warm war, und schien es geradezu auf einen Kommentar oder eine Diskussion angelegt zu haben. Das erwähnte ich im Nachhinein Gerður gegenüber, als sie sich aufregte.

»Es wäre unhöflich gewesen, ihn nicht danach zu fragen«, sagte ich.

Ich hatte mich erkundigt, warum er diesen Schriftzug gewählt habe – oder vielmehr diese beiden Schriftzüge.

»Ich fand sie cool«, antwortete er. »Samurais und so hab ich schon immer gemocht.«

»Und das sind Tugenden, die du besonders schätzt?«, fragte ich.

»Was?«, fragte er.

»Mut und Ausdauer«, erwiderte ich.

»Ja, genau«, antwortete er.

Hinterher fand Gerður, ich hätte natürlich genau gewusst, dass Axel keine Ahnung hatte, was auf seinem Arm steht, und dass ich ihn mit meinen Fragen geringschätzig behandelt hätte. Ich fragte zurück, wie ich darauf hätte kommen sollen, dass sich jemand ein Tattoo stechen lasse, von dem er nicht wisse, was es bedeute, und erklärte ihr, dass mir niemals in den Sinn kommen würde, jemand sei so ...

»Was? Sei so was?«, fragte sie, als ich den Satz abbrach.

»Tja, ich weiß es einfach nicht«, antwortete ich.

»So dumm?«

»Das habe ich nicht gesagt.«

Und so ging es weiter, es war unmöglich, sie zu besänftigen.

»Niemand außer dir denkt darüber nach, was irgendein Tattoo bedeuten soll«, zeterte sie. »Niemand. Das ist bloß Schmuck. Und woher willst du das überhaupt wissen? Seit wann kannst du denn Japanisch?«

Ich erwiderte, dass es zwei bekannte Schriftzüge seien, jeder, der sich ein wenig mit der japanischen Kultur vertraut gemacht habe, kenne sie.

Zum Glück stellte sie keine weiteren Fragen, da sie der Diskussion müde geworden war.

Ásta behauptete, Gerður hätte sich garantiert wieder von Axel getrennt, wenn ich so schlau gewesen wäre, den Mund zu halten. Ich dürfe mir also selbst die Schuld geben. Ásta hatte nichts gegen Axel, sie sagte das nur, um mir eins auszuwischen. Sie sagte das erst, nachdem die beiden geheiratet hatten, den genauen Zusammenhang weiß ich nicht mehr, aber die Spitze saß offensichtlich, denn ich habe sie nicht vergessen.

Axel ist »Unternehmer«, er hat Fitnessstudios und Self-Storage betrieben, eine Firma für Armierungsstahl und ein Autohaus. Er hat einen guten Riecher für Geschäfte und weiß, wie er seine Schäfchen ins Trockene bringt. Er fährt flotte Wagen und scheint es sich zum Prinzip gemacht zu haben, jedes Mal, wenn er sich einen neuen gekauft hat, bei mir vorbeizuschauen. Ich glaube nicht, dass er damit eine bestimmte Aussage vermitteln möchte, das ist nicht seine Art zu denken, vielmehr glaube ich, dass er ehrlich davon überzeugt ist, ich sei ein Autonarr. Vielleicht habe ich aus Höflichkeit irgendwann einmal etwas Nettes über seine Autos gesagt, ist gut möglich, denn insgesamt bedauere ich den armen Kerl ein wenig. Aber ich interessiere mich kein bisschen für Autos, und das sollte er doch eigentlich inzwischen mitbekommen haben.

Miko strich damals die Tür und die Fensterrahmen und ich die Hauswand. An beiden Tagen war es nur leicht bewölkt, und die Sonne schien den ganzen Vormittag auf uns herab. Ich hatte ihr noch immer nicht gesagt, was ich für sie empfand, und wusste nicht, ob sich jemals die Gelegenheit dazu ergeben würde. Ich erinnere mich, dass ich an beiden Vormittagen darüber nachdachte, während ich sie unauffällig betrachtete, ihre konzentrierte Miene, ihre grazilen Bewegungen, die Sonne auf ihrem nachtschwarzen Haar. Ich erinnere mich, dass ich mir keine großen Hoffnungen machte.

Einmal drehte sie sich plötzlich um, als ich gerade meinen Tagträumen nachhing. »Was schaust du eigentlich an?«, fragte sie mit ihrem Halblächeln auf den Lippen.

Ich lief rot an und tauchte schnell die Rolle in meinen Farbeimer.

Ich trete näher an die Wand, denn plötzlich sehe ich eine Stelle, an der die graue Farbe abzublättern scheint. Es stimmt, wie sich herausstellt, als ich genauer hinsehe, und mein Herz macht einen Sprung, als ich die hellblaue Schicht darunter erblicke. Als ich kurz davor bin, ein paar Fetzchen abzuzupfen, reiße ich mich zusammen und gehe einige Schritte rückwärts. Ich betrachte das Haus zum letzten Mal, entferne mich dann und beschließe, nicht mehr zurückzuschauen.

Ich sitze draußen in einem kleinen Restaurant unweit von Covent Garden. Auf dem Gehweg stehen mehrere Tische, und an etwa jedem zweiten sitzen Gäste. Es hat sich ein wenig abgekühlt, aber die Heizstrahler, die zwischen den Tischen aufgebaut wurden, tun ihren Dienst, und so spüre ich die Kälte nicht. Mir ist auch nicht zu heiß, denn der Kellner hat sich wirklich Mühe gegeben, die Flamme richtig einzustellen. Er merkte an, dass er weiter aufdrehen könne, falls es kälter werde, der Strahler neben mir sei erst auf halbe Kraft eingestellt.

Ich rufe Facebook auf. Nach reiflicher Überlegung habe ich beschlossen, ihr aufrichtig zu antworten, sollte sich herausstellen, dass sie etwas von meiner Reise ahnt. Ebenso habe ich beschlossen, meine Reise unbeirrt fortzusetzen, egal, was sie sagen wird. Ich habe die Lesebrille auf, ich benötigte sie, um die Speisekarte zu lesen, da kann ich gleich noch mein Telefon checken.

In der letzten Nachricht, die ich ihr gestern schickte, habe ich sie ohne Umschweife gefragt, was damals eigentlich geschehen sei. Ich konnte mich nicht länger beherrschen, schließlich schleiche ich seit dem Moment, als sie Kontakt zu mir aufgenommen hat, wie eine Katze um den heißen Brei. Ich formulierte meine Frage selbstredend behutsam und gab darauf acht, nichts zu sagen, was ihr unangenehm sein könnte, ich machte ihr auch keine Vorwürfe, weder direkt noch indirekt. Ich versuchte vielmehr, leichthin zu klingen, aber ich weiß nicht, ob es bei ihr so angekommen ist.

Sie hat mir geantwortet. Wie es aussieht, vor knapp vier Stunden. Da war ich auf dem Weg zum Hotel, nicht mehr weit entfernt, wenn ich richtig rechne, wahrscheinlich war ich gerade in die Tottenham Court Road eingebogen. Nicht, dass es von Belang wäre, und doch finde ich es in gewisser Weise schön zu wissen, wo ich mich befand, als sie mir gerade schrieb. Bei ihr war es mitten in der Nacht, obwohl sie das in ihrer Nachricht nicht erwähnt.

Um es kurz zu machen, sie beantwortet meine Frage nicht. Sie geht aber auch nicht darüber hinweg, sondern bittet um Entschuldigung, dass sie dafür zu schwach sei. *Ich will nicht versuchen auszuweichen*, fügt sie hinzu. *Ich hoffe, morgen.*

Ich lese mir unseren Schriftwechsel nochmals durch, um sicherzugehen, dass nichts aus meinem Hirn entschwunden ist. Von der ersten Nachricht bis zur letzten. Das ist ganz überflüssig, doch womöglich ist es dem Arzt gelungen, mich ein bisschen zu verunsichern. Das nehme ich ihm übel und beginne, daran zu zweifeln, dass ich seine Hilfe benötige. Zumindest bin ich froh, dem MRT entkommen zu sein.

Folgendes konnte ich ihren Nachrichten entnehmen: Seit sie aus London verschwanden, hat sie in Japan gelebt.

Sie lebt allein. Takahashi-san ist vor gut zwanzig Jahren in hohem Alter gestorben. Ihr gesamtes Berufsleben lang war sie Oberstufenlehrerin, vor einigen Jahren hat sie sich zur Ruhe gesetzt. Sie hat sich immer wieder vorgenommen, Kontakt zu mir aufzunehmen, es jedoch nie in die Tat umgesetzt. Sie hoffe, ich hätte ein gutes Leben gehabt. Sie selbst könne nicht klagen.

Wir waren so jung, schreibt sie in zwei Nachrichten, und dabei lässt sie es bewenden. Ich weiß nicht, ob ich das so interpretieren soll, dass sie darin eine Rechtfertigung sieht, oder als Erklärung dafür, dass sie und ihr Vater damals verschwunden sind.

Sie erwähnt auch, dass sie viel lese und vor Kurzem zu stricken begonnen habe. Sie tanze gern. Ihre Wohnung sei zentral gelegen. Sie sei *seit damals* nicht wieder in England gewesen.

Ich versuche, mir vorzustellen, wie sie die Sätze ausspricht, die in ihren Nachrichten stehen. So als säßen wir beide an einem ruhigen Nachmittag im Café in der Nähe ihrer damaligen Universität. Versuche, sie vor mir zu sehen, ihre Stimme zu hören, herauszuhören, ob die Worte ihr entsprechen.

Gaijin. So nannte sie mich am Anfang. Nicht bloß an dem Freitag, als ich zurückkam und sie im Gastraum die Tische eindeckte, sondern auch in der Woche darauf. Ich schlug das Wort nach und fand heraus, dass Japaner westliche Menschen – mit anderen Worten Weiße – als *Gaijin* bezeichnen, und es muss nicht abwertend gemeint sein. Das Wort setzt sich zusammen aus *gai*, was »außerhalb« bedeutet, und *jin*, das bedeutet »Mensch«. Ein Gaijin ist also ein Außenstehender. Takahashi-san hörte es dennoch nicht gern, wenn sie mich so nannte, und wies sie zurecht, wenn er es mitbekam, und so gab sie einfach darauf acht, dass er es nicht tat.

»Gaijin«, sagte sie, »ist es wahr, dass du mit dem Studium aufgehört hast, damit du schmutziges Geschirr und Besteck abwaschen kannst?«

Sie studierte am University College of London und arbeitete nur am Wochenende im Restaurant ihres Vaters, sie kam freitags nach der Uni, übernahm beide Schichten am Sonnabend, sonntags machte sie jedoch nach dem Mittag Schluss, um lernen zu können. In den Semesterferien fand sie einen Job in einem Labor auf dem Campusgelände, behielt jedoch ihre Schichten im Nippon bei. Sie kam als Vertretung für Hitomi, die am Wochenende frei hatte, genau wie Goto-san, der von Steve, einem Briten in mittlerem Alter, abgelöst wurde. Sowohl Hitomi als auch Goto-san kamen zur Abendschicht am Sonntag zurück.

Ich hatte zwei Tage in der Woche frei, mal montags, mal dienstags oder am Mittwoch. Zwei Personen waren es, die abwechselnd für mich einsprangen, zwei Männer, die in anderen Restaurants arbeiteten und mit diesem Nebenjob ohne Anmeldung ihr Gehalt aufbesserten. Takahashi-san meinte, ihm sei schon klar, dass ein junger Mann wie ich gern am Wochenende frei hätte, er werde sein Möglichstes tun. Ich hielt gar nichts davon und erklärte ihm, dass mir Montag und Dienstag besser passten, ebenso der Mittwoch, ich würde lieber am Wochenende arbeiten als an diesen Tagen. Und damit war er zufrieden.

Die Erinnerung an das erste Wochenende, an dem wir beide arbeiteten, ist immer noch frisch. Sie bediente die Gäste, brachte jedoch regelmäßig die Bestellungen in die Küche, holte die Gerichte ab, wenn sie bereit waren, brachte mir benutzte Teller und Gläser. Zumeist wortlos, doch manchmal berührten sich unsere Hände, und dann glühte ich wie ein Ofen. Ich schalt mich selbst, nur um jedoch sofort erneut darauf zu warten, dass sie zurückkäme mit weiteren Tellern und Gläsern, dass sie vielleicht dabei einen Scherz machte, mich streifte.

Am Samstagabend des ersten Wochenendes blieben an einem Tisch die Gäste länger als gewöhnlich. Es waren drei Pärchen, die sich einen netten Abend machten und bei Bier und Sake nach dem Essen die Zeit vergessen zu haben schienen. Steve war schon gegangen, Miko zählte die Einnahmen, und Takahashi-san nutzte die Zeit, um die Vorräte in der Kammer durchzusehen. Doch dann waren sie mit diesen Aufgaben fertig, und ich sah, dass Miko langsam unruhig wurde, sie hatte auf die Uhr geschielt, und dann platzte es aus ihr heraus, dass diese Leute jetzt doch wirklich mal gehen könnten.

Sie sagte es im Flüsterton, dennoch bedeutete Takahashi-san ihr, still zu sein, und erinnerte sie daran, dass die Gäste des Restaurants nach Belieben bleiben dürften. Sie verdrehte vielleicht nicht die Augen, aber es war nicht zu übersehen, dass die Leute sich endlich auf den Weg machen sollten.

»Warum hast du es so eilig?«, fragte Takahashi-san.

»Elisabeth und Penny warten auf mich. Wir treffen uns mit ein paar Kommilitonen.«

»Ich wollte bald nach Hause gehen«, erwiderte er. »Eigentlich wollte ich dich bitten, nachher zuzumachen.«

Hätte ich ihn schon besser gekannt, hätte ich ihn

durchschaut, denn er ging immer als Letzter. Er hätte sie längst losgeschickt haben können, wenn er gewollt hätte, doch irgendetwas hielt ihn davon ab.

Ich war jedoch blauäugig, wollte gern aushelfen, vor allem, um Miko zu gefallen.

»Ich kümmere mich darum, den Tisch abzudecken und alles aufzuräumen, wenn sie weg sind«, sagte ich. »Ich habe es nicht eilig.«

»Sie sind neu hier«, erwiderte Takahashi-san, nach kurzem Schweigen stieß er jedoch einen Seufzer aus und sagte: »Also gut.«

Sie lächelte mich an, küsste ihren Vater auf die Wange, und schon war sie weg.

Die Leute blieben danach etwa noch eine Viertelstunde. Takahashi-san sagte nichts weiter über seine Tochter, aber auf mich wirkte er nachdenklich.

Erst als wir gemeinsam das Restaurant verließen, brach er plötzlich sein Schweigen und murmelte, während er die Tür hinter uns abschloss: »Diese jungen Leute.«

Ich war geschmeichelt, dass er mich dabei ausnahm, fand jedoch einige Tage später heraus, welche jungen Leute es waren, die er gemeint hatte. Aber da war ich schon so niedergeschlagen, dass ich keine Kraft mehr hatte, über Takahashi-san und seine Reaktion nachzudenken.

Als der Kellner meinen Tisch abräumt, gibt mein Telefon das Signal von sich, dass ich eine SMS erhalten habe. Wir hatten über den Heizstrahler gesprochen, den er gerade höher gestellt hatte, und das Virus, das in aller Munde ist. Als er mit meinem Essen gekommen war, hatte er mir ein Desinfektionsmittel für die Hände angeboten und mir erklärt, dass er mein Besteck desinfiziert habe und mir für die Hände dasselbe anraten wolle.

Nun piepst mein Telefon, und ich hole es hervor, als sich der Kellner entfernt.

Es ist Hallmundur. Leider nutzt mein Bruder diesen Kommunikationsweg ständig, und in letzter Zeit wird es immer schlimmer. Manchmal schickt er mir irgendwelche Witze, die er lustig findet, manchmal Artikel, die ich lesen soll, manchmal schreibt er mir seine Betrachtungen oder Meinungen, manchmal rätselhafte. Diese Nachricht gehört zur letzteren Kategorie – Betrachtungen und Meinungen:

Es war ungenießbar, ich wusste es ja.

Ich rufe mir unser letztes Gespräch ins Gedächtnis zurück, komme aber nicht darauf, was er meint.

Na, die Fischfrikadellen. Dieser Dämlack hat die Reste vom Vortag genommen.

Jetzt erinnere ich mich an den Fisch, über den er sich beschwert hatte, entscheide jedoch, nicht zu antworten. Mir liegt diese Art und Weise der Kommunikation nicht, ich finde es unmöglich, sich per SMS zu unterhalten, und es dauert obendrein unendlich lange, den Text einzutippen. Ich verstehe nicht, wie Mundi das mit seinen Pranken macht, allerdings sind ihm Tippfehler egal, manchmal muss ich alle Register ziehen, um seine Nachrichten zu enträtseln.

Aber er gibt nicht auf.

Wo bist du?

Ich schreibe es ihm.

Wolltest du nicht nach Japan? (Oder vielmehr: *Wollst duni nach japn.*)

Morgen, antworte ich nach geraumer Weile. Doch meine späte und kurz angebundene Antwort schreckt Mundi keineswegs ab, der sich so schnell wieder meldet, wie seine Finger tippen können.

Warum hast du nicht Bárður das Restaurant übernehmen lassen?

Das trifft mich wie ein Blitz aus heiterem Himmel, und es bringt mich auch zur Weißglut, denn ich habe von Mundis Einmischungen schon lange die Nase gestrichen voll.

Was meinst du damit?

Er ist enttäuscht, dass du ihm das nicht angeboten hast. Er hatte es erwartet.

Ich bin sehr aufgebracht. Mundi hat augenscheinlich Kontakt zu Bárður aufgenommen, ohne Zweifel, um zu erfahren, ob er schon in einem anderen Restaurant angefangen hat. Warum, liegt auf der Hand: Mundi will Mahlzeiten nach Hause geliefert bekommen, und deshalb schikaniert er jetzt meine Leute.

So etwas kann und will ich nicht per SMS diskutieren. Ich will es nicht diskutieren, denn es geht Mundi gar nichts an, was ich mit meinem Restaurant mache. Und außerdem werde ich ihm nicht gestatten, im Namen eines Mannes zu reden, der fast fünfzehn Jahre lang bei mir gearbeitet hat.

Ich bin drauf und dran, meinen Bruder anzurufen und ihm die Meinung zu geigen, aber ich bin nicht in der Stimmung dafür. Doch seine Worte haben mich verärgert, und mir fällt schwer, sie wieder aus dem Kopf zu kriegen.

Kann es sein, dass Bárður die Hoffnung hegte, das Torgið von mir zu übernehmen? Ist das jemals zur Sprache gekommen? Nein, nicht dass ich wüsste. Ja, er war in den letzten Jahren meine rechte Hand, und ich habe ihn so gut behandelt, wie ich nur konnte, ihm alles beigebracht, was ich in meinem langen Berufsleben gelernt hatte, habe an ihn geglaubt, versucht, ihn mit ganzer Kraft zu unterstützen, als er dem Alkohol abschwören musste. Er schlug sich wacker, und ich begleitete ihn mehr als einmal zu den Treffen der Anonymen Alkoholiker, als er mich darum bat, und ich hörte ihm und den anderen zu, wie sie über ihre Probleme sprachen. Ich war mir dafür nicht zu schade, hielt ich doch unsere Beziehung für eng und vertrauensvoll. Und jetzt knallt mir Mundi das vor den Kopf!

Bárður und ich haben nie darüber gesprochen, was

danach käme, wenn ich mich zur Ruhe setzen würde. Nicht ernsthaft. Natürlich habe ich manchmal fallen lassen, dass ich nicht vorhätte, das Restaurant bis in alle Ewigkeit zu betreiben. Ich werde langsam alt, auch wenn viele mich für jünger halten, als ich bin. Und natürlich habe ich Bárður oftmals für seine gute Arbeit gelobt und ihm Mut zugesprochen, wenn er darüber klagte, dass er nicht auf der Stelle treten möchte, ihm klargemacht, wie sehr ich ihn schätze. Nicht zuletzt, als er nach seinem Alkoholproblem versuchte, wieder auf die Beine zu kommen. Da brauchte er viel Unterstützung und Ansporn.

Doch ich habe mit ihm nie darüber gesprochen, dass er meine Nachfolge antreten könnte, denn damit würde man ihm ehrlich gesagt keinen Gefallen tun. Ein Restaurant zu betreiben ist eine endlose Plackerei. Sogar in Jahren guter Konjunktur. Ein Kampf um Kleinigkeiten, wo jede Krone zählt und nichts schiefgehen darf. Nicht selten hat man quasi null Reservierungen für den Abend. Höchstens drei oder vier Tische. Man blickt gerade auf den fast leeren Gastraum auf dem Computerbildschirm, und dann kommt noch ein Anruf von einem Lieferanten, dass er die Preise erhöht. Oder eine Nachricht von einer Mitarbeiterin, dass sie ausfällt. Oder eine Kritik auf *TripAdvisor* von einem Gast, der an dem Abend, als er bei uns aß, wohl schlechte Laune hatte und sie an uns auslässt.

Nein, dieser Job ist nichts für Bárður. Er würde ihn nicht bewältigen können, mit seinen Schwachstellen. Auch wenn er nur einmal abgestürzt ist seit seinem Entzug, so ist es nie weit bis zur Flasche. Die Alkoholkrankheit ist wie ein schwelendes Feuer. Das sagen jene, die die Erfahrung gemacht haben. Wie ein schwelendes Feuer.

Ich darf mich von Hallmundur nicht so aus dem Gleichgewicht bringen lassen. Es ist ihm wieder einmal gelungen, und ich ärgere mich über mich selbst, dass ich ihn nicht in die Schranken verwiesen habe. Ich muss mir nur unseren letzten Abend ins Gedächtnis rufen, und Bárður's Rede, um zu wissen, dass Hallmundur einen Elefanten aus einer Mücke macht, um es vorsichtig auszudrücken.

Als sich Bárður an unserem Abschiedsabend mitten beim Essen erhob und zu reden anfing, richtete er seine Worte direkt an mich. Bárður ist eine empfindsame Natur, und für gewöhnlich hält er sich zurück und seine Gefühle unter Kontrolle. Nun jedoch versuchte er es nicht einmal, sondern er sprach direkt aus dem Herzen. Er wiederholte mehrmals, wie dankbar er mir sei, beschrieb, wie ich ihn damals einstellte, als er noch kaum Erfahrung hatte, wie ich ihn anleitete und ermutigte, ihm die »Schlüssel zur Küche« überreichte, als Ásberg aufhörte, ihn unterstützte, als er sich in Therapie begab.

»Es ist kein Zufall, dass ich meinen Sohn nach dir benannt habe, Kristófer, es ist kein Zufall.«

Es war mir eigentlich unangenehm, doch ich stand auf, klopfte ihm auf den Rücken und machte einen Scherz, denn es konnte nicht schaden, die Atmosphäre ein wenig aufzulockern. »Zum Glück nur mit dem zweiten Vornamen«, sagte ich. Doch meine Mitarbeiter waren noch so gerührt von Bárðurs Ansprache, dass sie nicht so lachen konnten, wie ich es mir erhofft hatte, und so nahmen wir beide wieder Platz und widmeten uns dem

Rindersteak, das wie zu erwarten erstklassig zubereitet war. Das sagte ich ihm auch. Ich sagte es so, dass es alle hörten: »Du hast dich wie immer selbst übertroffen.«

Ich will hier keine Lobrede auf mich selbst halten. Ich habe für Bárður nichts getan, was er nicht verdient hätte. Aber ich bin regelrecht schockiert, dass er Mundi dazu Anlass gegeben haben soll, gegen mich auszuteilen. Schockiert und enttäuscht.

Ich wollte mir eigentlich Kaffee und eine Nachspeise bestellen, doch der Appetit ist mir vergangen, und ich bitte den Kellner, mir die Rechnung zu bringen.

Mein Telefon piept abermals, als ich auf dem Weg ins Hotel bin, doch ich lasse es in der Tasche und nehme mir vor, meinen Bruder für den Rest der Reise zu ignorieren.

An meinem ersten freien Tag, am Dienstag in der zweiten Woche, die ich im Nippon arbeitete, ging ich nachmittags durch Westminster. Ich hatte mit zwei Kumpels aus der Uni mittags etwas gegessen, mir ein Paar Schuhe gekauft sowie Batterien für ein kleines Kofferradio, das ich besaß. Als wir in einen Buchladen auf der Oxford Street kamen, fiel mein Blick auf ein Japanischlehrbuch für Anfänger, ich nahm es zur Hand und blätterte darin. Ich hatte mir nichts dabei gedacht und wollte es gerade zurückstellen, als ich mir sagte, dass es vielleicht gar nicht verkehrt wäre, ein oder zwei Wörter Japanisch zu können. Das Buch kostete außerdem nicht viel, also war die Entscheidung gefallen. Ich weiß noch, dass einer meiner Freunde das Buch aufschlug, als wir an der Kasse warteten, um zu bezahlen, und versuchte, ein paar zufällige Sätze auszusprechen. Es waren die beiden Freunde, die mit mir und Jói Steinsson an dem Tag zusammen unterwegs gewesen waren, als ich im Nippon nach der Stelle gefragt hatte, also musste ich ihnen nicht erklären, warum ich das Buch kaufte.

»Eigo o hanasemasu ka«, las er vor und dazu die Übersetzung: »Sprechen Sie Englisch?«

In dem Moment hörte ich hinter mir eine bekannte Stimme. »Willst du Japanisch lernen, Kristófer? Dann können wir nicht mehr über dich lästern.«

Ich drehte mich um. Da stand sie mit zwei Büchern unter dem Arm und einem jungen Mann an ihrer Seite, offensichtlich hatte sie uns beobachtet.

Es war mir ziemlich peinlich, aber ich fing mich rasch, und ehe ich mich's versah, hatte ich ihr geantwortet: »Möchtest du es dir mal ausleihen?«

Sie guckte verblüfft, und ich sah sofort, dass ich ins Schwarze getroffen hatte.

Es war nämlich so, dass Takahashi-san wiederholt angemerkt hatte, seine Tochter spreche nicht gut genug Japanisch, sie sei inzwischen zur Engländerin geworden und laufe Gefahr, ihre Wurzeln zu verlieren. Er scheute sich nicht, es ihr zu sagen, wenn wir, das Personal, es mitbekamen, und er hatte mir, als wir einmal allein waren, zudem eingeschärft, ich solle das Isländische nicht verlernen, er selbst habe sich an seiner Tochter versündigt, weil er sie ihre Muttersprache habe vernachlässigen lassen.

Mir war nicht bewusst gewesen, wie ernst er es damit meinte, denn manchmal war es, als würde er Miko bloß necken, sie gutmütig an ihre Herkunft erinnern, denn so klang ihre Reaktion jedes Mal, sie sagte nur: »Ach, Papa«, oder etwas in dieser Richtung. Doch jetzt, als ich ihr ins Gesicht sah, begriff ich, wie tief sie seine Bemerkungen getroffen hatten. Das Lächeln auf ihren Lippen war erstorben und das kesse Glimmen aus ihren Augen verschwunden. Es war, als hätte ich ihr einen Schutzschild entrissen und sie stünde jetzt wehrlos vor mir.

Das alles spielte sich in wenigen Sekunden ab, schon hatte sie sich wieder gefasst, versuchte zu lächeln und beschloss, ihren Freund und mich einander vorzustellen.

»Naruki, das ist Kristófer. Er hat an der LSE aufgehört, um für meinen Vater Teller abzuwaschen.«

Wir begrüßten uns mit einem Handschlag.

»Und Besteck«, ergänzte ich im selben Tonfall wie vorhin, bevor ich ihnen meine Begleiter vorstellte.

Mehr sprachen wir nicht, denn nun war ich an der Reihe. Ich bezahlte das Buch, und kurz darauf war ich mit meinen Freunden wieder draußen.

Es ist unvorstellbar, dass ich ihr so geantwortet hätte, wenn ich allein unterwegs gewesen wäre. Dann hätte ich bloß etwas gestammelt und gestottert, sie hätte ihren Vorteil ausgenutzt und in einer Tour weiter gefrotzelt – auf meine Kosten. Doch durch meine Freunde war ich mutiger beziehungsweise fühlte mich wohl eher dazu veranlasst, mich vor ihnen großzutun.

Ich darf auch nicht vergessen, Naruki zu erwähnen und was seine Anwesenheit in mir auslöste. Sie gingen nicht Hand in Hand oder bezeugten einander auf andere Weise ihre Zuneigung, und dennoch bestand kein Zweifel daran, was sie miteinander verband. In dem Moment, als ich ihn erblickte, spürte ich die Eifersucht in mir aufwallen, und auch das hat sicherlich meine Reaktion beeinflusst.

Ich hätte gedacht, dass Takahashi-san sich über diese Verbindung freute und es ihm lieber war, dass Miko mit einem Mann japanischer Herkunft zusammen war, doch dem schien nicht so zu sein. Ich musste sofort an den Samstagabend denken, als er versucht hatte zu verhindern, dass sie mit »ihren Freundinnen« ausging, und sah diese Begebenheit jetzt in neuem Licht. Ich fand es als etwas sonderbar, wie er sich in die Angelegenheiten seiner über zwanzig Jahre alten Tochter einmischte, schob es jedoch auf die kulturellen Unterschiede, immerhin gab sich Takahashi-san stets formell und traditionell, obwohl er schon in England lebte, seit Miko zwei Jahre alt war. Das war alles, was ich damals über Mikos und Takahashi-sans Vergangenheit wusste.

Ich wartete auf den Freitag, sowohl gespannt als auch besorgt. Ich war dazu übergegangen, die Stunden zwischen Mittag und Abendessen besser zu nutzen, manchmal sauste ich nach Hause zu dem Zimmer, das ich gemietet hatte, nachdem ich aus dem Studentenwohnheim ausgezogen war. Ich hörte Musik oder las ein wenig, traf mich mit Freunden auf einen Kaffee, wenn sie Zeit hatten. Schon vor sechs Uhr war ich wieder zurück, denn es gab immer etwas zu tun, obwohl es mit dem Abwasch erst später richtig losging.

Aber an jenem Freitag hatte ich mich in der Pause nicht weit entfernt und war schon kurz vor fünf wieder im Restaurant. Wie ich mich erinnere, regnete es in Strömen, ich schaffte es gerade noch hinein, bevor es anfing. Dann legte ich in der Küche Geschirrtücher zusammen, holte Spülmittel aus dem Lager, plauderte kurz mit Steve, der sich am liebsten über Fußball unterhielt, er war ein großer Arsenal-Fan und missbilligte es, dass ich für Leeds war.

Es ergab sich so, dass ich ein Geschirrtuch in der Hand hielt, als sie über die Straße gerannt kam, ich war nach vorn gestromert, um durchs Fenster nach ihr Ausschau zu halten, nicht zum ersten Mal. Sie stürmte herein, keuchend und prustend, die Haare tropfnass, genau wie der blaue, knielange Mantel.

Ich reichte ihr das Geschirrtuch. »Willst du dich abtrocknen?«

Sie nahm schweigend das Tuch und wischte sich das Gesicht ab, bevor sie sich die Haare trocknete. Sie ließ sich Zeit, und es störte sie nicht, dass ich dastand und ihr zusah.

Als ich bemerkte, dass sie ihren Mantel ausziehen wollte, streckte ich die Hand aus und nahm ihr das Geschirrtuch ab.

»Danke«, sagte sie.

Ich nickte und wandte mich zur Küche.

»Taoru«, sagte sie hinter mir.

»Was?«, fragte ich und drehte mich wieder um.

»Geschirrtuch. Taoru.«

Ich erschrak, weil ich dachte, dass sie mir damit die Leviten für meinen Auftritt im Buchladen lesen und mir zeigen wollte, dass sie keinerlei Schwierigkeiten mit ihrer Muttersprache habe.

Aber dann lächelte sie, tat einen Schritt auf mich zu, berührte mich kurz am Arm, direkt über dem Ellbogen, ging in Richtung Küche und ließ mich mitten im Raum stehen.

Nach hinten hinaus lag ein kleiner gepflasterter Garten. Man gelangte durch eine Tür zwischen der Küche und der Vorratskammer dorthin, durch den Besenschrank. Eigentlich konnte man es kaum einen Garten nennen, es war eher der Teil eines Innenhofes, umgeben von menschenhohen Mauern, die ihn von den Parzellen trennten, die zu den Nachbarhäusern und zu dem Haus gegenüber gehörten. Wenn man ins Freie trat, stand rechts ein kleiner, runder Tisch mit zwei Stühlen und links ein großer Kühlschrank, in dem wir Getränke und Lebensmittel lagerten, die wir drinnen nicht mehr unterbrachten. Neben dem Kühlschrank standen Kästen mit Bier und Brausegetränken.

Bei gutem Wetter schien die Sonne morgens in den kleinen Hof hinein und dann noch einmal am Nachmittag. Goto-san rauchte gern an dem Tisch, und manchmal nickte er dort ein. Takahashi-san und Hitomi gingen fast nie dort hinaus, außer um etwas aus dem Kühlschrank zu holen.

Es war Sonnabend. Noch immer spürte ich ihre Berührung, und das, obwohl schon ein Tag vergangen war, seit sie aus dem Regen hereingekommen war. Danach hatten wir noch nicht weiter miteinander gesprochen, es war viel zu tun gewesen, und sie war gleich gegangen, als wir Feierabend machten. Sie verhielt sich neutral. Ich bemerkte keine Veränderung.

Seit Kurzem ging ich auf den Hof, wenn das Wetter es zuließ, und nahm mein kleines Kofferradio mit hinaus. Es war trocken und recht warm, vollkommen windstill. Hin und wieder ließ sich die Sonne durch die Wolken blicken. Die Mittagsschicht war vorüber. Takahashi-san war kurz weggegangen. Steve hantierte in der Küche.

Ich hörte die Sportmeldungen, als Miko nach draußen kam. Sie hatte ihre Schürze abgelegt, sie trug einen schwarzen Rock und eine weiße Bluse. Sie stellte sich auf den Fleck, wo die Sonne in den kleinen Hof schien.

Ich hatte die Füße auf dem zweiten Stuhl abgelegt und nahm sie rasch herunter.

Sie sah es, rührte sich jedoch nicht von der Stelle. »Warum hast du abgebrochen?«, fragte sie.

»Was?«

»Das Studium.«

»Ich habe das Interesse verloren.«

»Manche interessieren sich nie für das, was sie lernen, und trotzdem machen sie ihren Abschluss.«

»Ich nicht.«

»Vorher hat es dich also interessiert?«

»Ja.«

»Was ist denn passiert?«

Ich hatte keine Lust, mit derselben Leier anzufangen wie bei den anderen, über die Zustände in der Welt und das Versagen der Volkswirtschaft. »Die Dinge haben sich geändert.«

»Papa versteht dich nicht.«

»Meine Eltern tun es auch nicht«, erwiderte ich.

Sie sah mich an. »Und du? Verstehst du dich?«

Ich wusste nicht, was ich darauf antworten sollte, und sie erwartete keine Erklärung.

»Manchmal verstehe ich mich selbst überhaupt nicht«, sagte sie.

»Ist das nicht unangenehm?«

»Nein, ich finde es spannend.«

Ich wollte sie schon fragen, was es sei, das sie nicht verstehe, doch ich ließ es bleiben. Sie zündete sich eine Zigarette an, es war das erste und letzte Mal, dass ich sie rauchen sah. Sie hielt mir das Päckchen hin, doch ich lehnte dankend ab.

Sie studierte Psychologie. Ihr Vater hatte es mir erzählt und mich gefragt, was sie meiner Meinung nach mit solch einer Ausbildung anfangen könnte. Ich antwortete ihm, dass ich keine Ahnung hätte, und bemerkte, dass ihn das enttäuschte.

Er meinte, es wäre ihm sehr viel lieber, wenn sie etwas anderes lernen würde. Etwas Praktischeres. »Sie muss auf eigenen Füßen stehen können«, sagte er, »darf nicht auf die Unterstützung von anderen angewiesen sein.«

Es hatte mich überrascht, dass Takahashi-san so modern dachte. Auch wenn ich mich kaum mit der japanischen Gesellschaft auskannte, wusste ich, dass sie nicht gerade die Wiege der Frauenbewegung war.

Sie rauchte und betrachtete mich schweigend.

»Du bist ihm ein bisschen ähnlich«, sagte sie.

Ich wusste nicht, wen sie meinte, doch da nickte sie in Richtung meines Radios, in dem John Lennon gerade *Julia* sang. Ich hatte es nicht mitbekommen.

»Das liegt am Bart«, entgegnete ich.

»Nein, es ist etwas anderes.«

Ich wartete ab, doch sie führte es nicht weiter aus, obwohl ich den Eindruck hatte, sie sei zu einem Ergebnis gekommen.

»Jetzt sind sie verheiratet«, sagte sie stattdessen.

Ich nickte.

»Hast du heute früh die Bilder von ihnen gesehen?«

Ich antwortete, ich hätte sie gesehen. Es hatte endlose Berichte über Lennon und Yoko Ono gegeben, seit ihrem Bed-in zwei Tage zuvor in einem Hotel in Amsterdam, wo sie für den Weltfrieden demonstriert hatten.

»Was sagst du dazu?«

Ich erwiderte so in etwa, dass ich es für eine gute Sache hielt.

»Nein, zu den beiden. Wie findest du sie?«

Ich war um eine Antwort verlegen, denn plötzlich war mir so, als mache sie eine Andeutung über uns beide, sich und mich. Mein Herz hüpfte, und in meiner Brust flammte Hoffnung auf. Ich wollte etwas Nettes über das Paar sagen, aber sie kam mir zuvor.

»Du weißt, dass es in dem Song um seine Mutter geht?«

Seashell eyes, windy smile, sang Lennon.

»Sie hat ihn verlassen, als er noch klein war«, fuhr sie fort. »Jetzt ist Yoko Ono seine Mama.«

Ich dachte, sie mache einen Scherz, und lächelte.

»Im Ernst«, sagte sie. »Aber ich bin nicht wie sie.« Sie drückte die Zigarette aus, warf die Kippe in den Mülleimer neben der Tür und ging ins Haus.

Nähe. Das war das Thema von Gerður's Nachruf auf ihre Mutter. Der rote Faden jedenfalls, denn das Wort kommt mehr als einmal vor, und auch öfter als zweimal. *Wärme,* hätte ich vielleicht gesagt, aber Gerður sprach von *Nähe* und hatte jedes Recht dazu, musste niemanden um Erlaubnis bitten, mich zuallerletzt. Sie redet häufig auf diese Weise – davon, seine Mitte zu finden, die beste Version seiner selbst zu sein – und nimmt es nicht gut auf, wenn ich mir einen kleinen Scherz über ihre Wortwahl erlaube. Zum Beispiel, als ich sie irgendwann mal fragte, ob die Luxusversion ohne eine limitierte Auflage nicht noch besser wäre. Sie fand es nicht lustig.

Wie dem auch sei, das Wesentliche in ihrem Artikel war also Nähe und deren Bedeutung für die zwischenmenschliche Kommunikation. Manche hätten sie nötiger als andere, schrieb sie, einige könnten ohne sie kein glückliches Leben führen. Ásta sei bei Nähe aufgeblüht und habe selbst viel Nähe gegeben. In dem Zusammenhang erwähnte Gerður, dass sich ihre Mutter für Gartenarbeit begeisterte, und erinnerte daran, wie sie mit den Blumen sprach, schon bevor es Mode wurde. Auch seien die Blumen nirgendwo schöner gewesen als bei ihr, beispielsweise die Pfingstrosen, die die Bewunderung aller erweckt hätten, die sie zu Gesicht bekommen hätten. Sie habe jede Menge Ableger verschenkt, denn Ásta sei von Natur aus großzügig gewesen, und obwohl die Pflanzen nahezu überall zu ansehnlichen Stauden herangewachsen seien, hätten sie nirgendwo so prächtig geblüht wie bei ihrer Mutter. Das war eine hübsche Geschichte, die oft erzählt wurde, doch mit der Zeit wurde sie etwas aufgebauscht, auch wenn ich Ástas Pfingstrosen nicht kleinreden möchte, sie waren wahrhaftig eine Augenweide. Gerður schloss ihre floralen Ausführungen, indem sie erklärte, dass die Blumen Ástas Herzenswärme erwidert und ihr genauso viel gegeben hätten, wie sie ihnen gegeben habe.

An dieser Schilderung gab es nichts auszusetzen, sie war aufrichtig und stilvoll formuliert, abgesehen von Gerðurs unvermeidlichen Phrasen. Aber als sie anfing, Blumen und Menschen miteinander zu vergleichen, zuckte ich zusammen, nahm die Brille ab, setzte sie wieder auf, vermutete, möglicherweise beim Lesen eingenickt zu sein und zu träumen.

Doch die Menschen sind keine Blumen, und auch Mama musste diese Erfahrung machen.

Dieser Satz an und für sich hätte mich vielleicht nicht gar so sehr aus der Fassung gebracht, wenn Gerður zum Beispiel weiterhin beschrieben hätte, wie empfindsam Ásta sein konnte, wie sehr sie sich Dinge im Leben zu Herzen nahm, von denen die meisten völlig unbeeindruckt blieben. Selbstverständlich ohne ihre schlimmsten Phasen zu erwähnen, denn unsere schlimmsten Phasen gehören nicht in einen Nachruf.

Das hätte Gerður ohne Weiteres tun können, doch sie tat es nicht, sondern sie fuhr unmittelbar fort, und das nicht einmal mit einem Absatz dazwischen: *Mama war zweimal verheiratet. Ihr erster Ehemann war mein Vater, Friðrik Gestsson, Fotograf. Sie heirateten, als sie noch sehr jung waren – zu jung, wie Mama immer sagte –, und obwohl sie einander liebten, entwickelten sie sich mit der Zeit auseinander. Sie ließen sich scheiden, als ich vier Jahre alt war. Es spricht für ihre Reife, dass ich keiner Konflikte gewahr wurde, und ich bekam auch die Scheidung kaum zu spüren, weder zu Beginn noch später, denn Papa kümmerte sich um mich, so als wäre nichts geschehen. Mamas zweiter Ehemann und mein Stiefvater war Kristófer Hannesson, Gastronom. Er hat sie überlebt.*

Punkt. Kein einziges weiteres Wort über mich in ihrem gesamten Nachruf. Nicht namentlich jedenfalls.

Denn danach, mit Absatz, kommt Folgendes: *Selbstachtung ist nicht jedem gegeben. Achtsamkeit entsteht nicht von selbst. Ohne sie gibt es keine Nähe.*

Obwohl sie gewissermaßen schrieb, *niemand von uns* habe so viel von sich geben können wie Ásta, *niemand von uns* habe solch eine *innere Quelle* besessen wie sie, so bestand doch kein Zweifel, dass sich dieser Angriff gegen mich richtete, den Mann, über den sie nicht mehr zu sagen hatte als das, was bereits erwähnt wurde.

Und dann, am Ende, brachte sie Hveragerði aufs Tapet. Da kam sie ins Schwafeln und streifte dieses und jenes, weil sie fraglos in Zeitnot geraten war. Denn Gerður schiebt schon immer alle Aufgaben bis zur letzten Minute vor sich her. Unzählige Male war sie noch wach, wenn ich nach einem langen Arbeitstag nach Hause kam, Ásta war schlafen gegangen, doch Gerður strampelte sich ab, die Nerven meistens bis zum Zerreißen gespannt, um einen Aufsatz fertig zu bekommen oder mit einer Prüfungsvorbereitung fertig zu werden. Wie oft hatte ich mich zu ihr gesetzt und mir ihre Texte durchgelesen oder ihr geholfen, Mathematikaufgaben zu lösen, die sie überforderten, wie oft hatte ich etwas verbessert und ihr Tipps gegeben, selbst todmüde, da es oft schon nach Mitternacht war. Ich kann mich nicht entsinnen, dass sie sich in solch einer Situation an Friðrik, den Fotografen, gewandt hätte. Ich kann mich nicht entsinnen, dass es mir an diesen Abenden an Nähe gemangelt hätte oder mir vorgeworfen worden wäre, ich hätte mich nicht genug eingebracht.

Ich nahm es ihr nicht übel, denn sie hatte mit Ástas Tod einen großen Verlust erlitten, so wie ich. Ich sah keinen Grund, mit ihr über die Probleme ihrer Mutter zu sprechen, die besagten schlimmen Phasen, denn sie wollte darüber nie so genau Bescheid wissen, und ich hatte sie nach bestem Vermögen davon abgeschirmt. Diese Phasen wurden häufiger, nachdem Gerður von zu Hause ausgezogen war und wir zwei allein im Nest zurückblieben, da ging es Ásta am schlechtesten. Doch nach und nach wurde es wieder besser, insbesondere nach ihrem Entzug.

Als Gerður und ich uns nach der Trauerfeier umarmten und gemeinsam dem Sarg folgten, der aus der Kirche getragen wurde, dachte ich, ich würde sie nie wieder auf diese Weise reden hören. Auch nicht beim Beerdigungsempfang, als sie ausdrücklich dafür dankte, dass alles so gut arrangiert gewesen sei, das Essen hervorragend, die Tische schön gedeckt, die Musikauswahl stimmig, auch nicht in den folgenden Tagen, als sie mich täglich mehrmals anrief, um mit mir über ihre Mutter zu reden, mich das ein oder andere zu fragen, sich an die guten Zeiten zu erinnern. Daher war ich völlig überrascht, als sie mich zwei Wochen danach, es ging gegen Abend, anrief, wie aus dem Nichts, bloß um mir zu sagen, dass ich bei der Beerdigung nicht geweint hätte.

Ich überlege, warum mir das jetzt einfällt, aus heiterem Himmel, und finde keine andere Erklärung als jene, dass ich mich von Mikos Textnachrichten, die ich mir durchlese, seit ich wieder in meinem Hotelzimmer bin, aus dem Konzept bringen und sie obendrein ein Feuer entfachen lasse, wo vorher nicht mal ein Funke war. Es ist eine Nachricht, die ich vorgestern von ihr erhielt, geschrieben mitten in der Nacht zu ihrer Zeit, die mich nicht loslässt, obwohl sie gar nicht auffällig erscheint. Sie erzählt vom Unterrichten, was sie wohl gern getan hat, erwähnt ihren Mann, ohne mir mehr über ihn mitzuteilen, als dass er bestimmt ein wunderbarer Vater gewesen wäre, doch dann bricht ihr Bericht plötzlich, quasi mitten im Thema ab mit den Worten: *Aber ich hatte ein gutes Leben.*

Natürlich habe ich mich gefreut, als ich ihre Nachricht vor zwei Tagen las, und ich freue mich immer noch, aber jetzt stimmt sie mich auch nachdenklich. Ich muss an den merkwürdigen Nachruf denken und frage mich, ob Ásta ein gutes Leben hatte. Die Antwort fällt mir schwer, alles scheint grau und undeutlich, sodass ich fast glaube, mein Arzt könnte doch recht haben. Irgendwann reiße ich mich zusammen und sage mir, dass Miko nicht allein deshalb glücklich war, weil sie sich rechtzeitig aus dem Staub gemacht hatte, und Ásta war nicht deshalb unglücklich, weil sie ein Gutteil ihres Lebens mit mir verbracht hat, dass das alles nichts als Einbildung ist und ich mich damit nur selbst quäle. Ich sage es mir wieder und wieder, und obwohl ich weiß, dass das stimmt, dringen die Zweifel doch weiter in meinen Kopf wie Wasser in ein leckgeschlagenes Boot, sie suchen sich einen neuen Spalt, sobald die alten gekittet sind, Tröpfchen für Tröpfchen, bis ich mit einem Mal das Gefühl habe, gleich unterzugehen.

Eine gute Mütze voll Schlaf ist Gold wert.

Nach der Reise muss ich todmüde gewesen sein, denn ich schlief die ganze Nacht wie ein Stein und kam erst gegen sieben Uhr wieder zu mir, ausgeruht und befreit von den Zweifeln. Ich hatte befürchtet, dass sie mich wach halten würden, als ich gestern Abend das Licht ausschaltete. Noch bevor ich die Augen aufgeschlagen hatte, spürte ich, dass meine innere Zerrissenheit wie weggeblasen war und wichtige Ereignisse wieder in den richtigen Kontext gerückt waren. Klar war ich erleichtert, aber zugleich auch ein wenig erstaunt, denn es war, als wäre jemand in meinen Kopf eingedrungen, während ich geschlafen hatte, und hätte dort ordentlich aufgeräumt, alles neu sortiert, geputzt und entstaubt und alles in den Müll geworfen, was dort hingehörte.

Ich kann nicht behaupten, dieses Aufklaren liege am guten Wetter, denn hier ist alles grau und in dichten Nieselregen gehüllt. Während ich langsam wach wurde, war mir, als hörte ich in der Ferne das Klappern von Besteck und menschliches Stimmengemurmel, und ich dachte zuerst, ich träumte vielleicht vom Torgið, was über die

Jahre immer wieder vorgekommen ist. Dann begriff ich, dass die Geräusche von draußen kamen, und als ich das Fenster im Badezimmer öffnete, blickte ich in einen gepflegten Garten im Hof, wo es Frühstück gab.

Hier sitze ich nun unter einer Segeltuchplane, die über Tische und Stühle gespannt wurde und uns vier, die wir uns an drei Tischen niedergelassen haben, gegen den Regen abschirmt, der allerdings so leicht ist, dass die beiden Kellner nicht nass zu werden scheinen. Ich habe mir Bacon and Eggs, Toast und Blutwurst bestellt, denn ich war mit einem gewaltigen Hunger aufgewacht, als hätte ich die ganze Nacht geschuftet. Der Bacon-Duft war durch das Badezimmerfenster zu mir heraufgeweht und hatte meinen Hunger noch angeheizt, also hatte ich mich flüchtig rasiert und mir schnell die Zähne geputzt, und schon war ich unten.

Es waren die SMS von Hallmundur, die mich so durcheinandergebracht haben. Sie haben eine derartige Unruhe in meinem Geist verursacht, dass ich nicht mehr klar denken konnte und die Kontrolle über mich selbst verlor. Eins führte zum anderen, wie es eben ist, wenn man aus der Bahn geworfen wird, ein absurder Gedanke folgte auf den anderen, bis ich mich dermaßen in die Enge manövriert hatte, dass ich keinen Ausweg mehr fand.

Zum Glück liegt das jetzt hinter mir, und ich blicke frohen Mutes dem Tag entgegen.

Als der Kellner mein Essen brachte, wanderten meine Gedanken zu Takahashi-san. Genauer gesagt zu dem Tag, als er mir eröffnete, dass er überlege, Frühstück anzubieten, erst einmal an zwei Tagen in der Woche, mittwochs und freitags, und dass er mich fragen wolle, ob ich mir vorstellen könnte, diese Schichten zusätzlich zu übernehmen. Er wolle erst um sieben Uhr öffnen, sagte er, und es gäbe nicht viel vorzubereiten, ich müsste nicht vor halb sechs da sein. Ich war es von der Seefahrt gewohnt, vor Tau und Tag aufzustehen, und bin außerdem seit jeher eine Lerche, sodass mir das frühe Aufstehen gut passte. Er fügte hinzu, dass meine Aufgaben vielfältiger wären als sonst, denn er wolle, dass ich ihm beim Kochen helfen würde.

Ich sagte sofort Ja. Ich hatte schon vorher ein wenig bei den Vorbereitungen helfen dürfen und war inzwischen recht geschickt im Gemüseschneiden, beim Eierverquirlen und im Fischputzen, mir wurde damit aber noch nicht zugetraut, den Reis zu dämpfen oder Brühe zu kochen. Das würde ich nun in diesen Frühschichten von Takahashi-san lernen, denn das traditionelle japanische Frühstück folgt denselben Regeln wie andere japanische Mahlzeiten – Ichiju Sansai: eine Suppe, drei Beilagen: Misosuppe, Reis, verschiedene eingelegte Gemüse und gegrillter Fisch, zumeist Lachs. Es handelte sich also um das.

Erst in diesen Morgenstunden bekam ich das Gefühl, Takahashi-san ein wenig kennenzulernen, der es sonst stets zu vermeiden wusste, über sich selbst zu sprechen. Vielleicht bin ich in gewisser Hinsicht von ihm beeinflusst worden, ich halte es nicht für ausgeschlossen, und vielleicht liegt es daran, dass Gerður in ihrem Nachruf angedeutet hat, *ich würde mich nicht genug einbringen.* Jedenfalls redeten wir über alles zwischen Himmel und Erde, typische Gespräche für eine Restaurantküche, wo

Menschen stundenlang Seite an Seite arbeiten. Obendrein genossen wir es, dass wir in der ersten Stunde allein waren und niemand uns störte, weder unsere Unterhaltung noch unser Schweigen. Takahashi-san lobte die Vorzüge davon, *schon vor dem Tage auf den Beinen zu sein*, und ich pflichtete ihm bei, weil ich manchmal das Gefühl habe, im Kopf und auf den Lippen lebt in der Morgendämmerung etwas auf, was ansonsten vielleicht unausgesprochen bliebe. Damit meine ich keine Geheimnisse, sondern Gedanken, die sich vielleicht zu einer anderen Tageszeit nicht bemerkbar machen oder sich zumindest in anderer Gestalt zeigen würden.

Ich erinnere mich, dass ich Tofu für die Suppe würfelte, als Takahashi-san eines Morgens plötzlich in die Stille sprach: »Vielleicht habe ich einen Fehler gemacht.«

Ich dachte, er meine beim Kochen, konnte jedoch nichts ausmachen, was schiefgegangen war.

»Als ich hierhergezogen bin«, fügte er hinzu.

Ich fragte ihn, wann das gewesen sei.

»Neunzehnhundertachtundvierzig.«

»Gefällt es Ihnen hier nicht?«

Er war dabei, Lachs zu filetieren, und ich legte mein Messer für einen Moment weg, um seine flinken, präzisen Bewegungen zu beobachten.

»Ich habe spät geheiratet«, sagte er, ohne seine Arbeit zu unterbrechen. »Heirate nicht zu spät, Kristófer-san. Kinder großzuziehen ist nichts für alte Männer.«

Offenbar sprach er von Miko, und ich bekam rote Wangen, denn obwohl er sie nicht direkt erwähnte, befürchtete ich mit einem Mal, er sei dahintergekommen, was ich für sie empfand. Ich hatte stets darauf achtgegeben, sie nicht so anzusehen, dass es auffiel, und versucht, mich ihr gegenüber so zu verhalten wie gegenüber den anderen Kolleginnen und Kollegen, und trotzdem lief ich rot an und meinte, er habe mich durchschaut.

Ich dachte, ich müsse etwas sagen, aber mir fiel nichts ein.

Da brach er das Schweigen: »Vielleicht hätte ich woanders hingehen sollen. Vielleicht hätte ich gar nicht weggehen sollen.«

»Hatten Sie hier Familie?«

»Nein.«

»Warum haben Sie sich für England entschieden?«

Er lächelte. »Es war der günstigste Flug.«

Ich hatte nicht mitbekommen, dass sie je erwähnt hätten, wo in Japan sie gelebt hatten, und beschloss, ihn zu fragen, woher sie kamen.

»Aus Tokio.«

»Dort haben Sie gelebt?«

»Von dort ging der Flug.«

Ich hatte nicht das Gefühl, dass er es vermied, mir zu antworten, zumindest hörte sich seine Stimme nicht so an, und dennoch hinderte mich irgendetwas daran, genauer nachzufragen. Ich grillte den Lachs, den er in Scheiben geschnitten hatte, und kurz darauf kam Hitomi, und gleich hinterdrein folgten die ersten Gäste.

Das war an einem Freitag. Nach dem Mittagessen setzte ich mich mit einem Kaffeebecher und meinem Buch an den Tisch im Hof und wartete darauf, dass Miko kam.

Ich hatte bereits anderthalb Monate im Nippon gearbeitet und verließ das Restaurant freitags und sonnabends nicht mehr zwischen Mittag- und Abendessen, sondern wartete ungeduldig auf ihre Ankunft. Dieses Warten begann eigentlich, sobald sie am Sonntag ihre Mittagsschicht beendete, ab diesem Augenblick vermisste ich sie. An meinen freien Tagen war ich sogar zweimal zum Campus ihrer Hochschule gepilgert, war ihr jedoch nicht begegnet. Und so wartete ich, warf ab und zu einen Blick in mein Buch und trank Kaffee, den ich mir aufgebrüht hatte, beobachtete im sanften Südwind vorüberziehende Wattewolken.

Ich musste eingenickt sein, denn ich schreckte auf und brauchte eine Weile, um zu erfassen, dass es Takahashi-sans Stimme war, die zu mir nach draußen in den Hof drang. Ich hatte ihn noch nie mit erhobener Stimme reden gehört, und obwohl er nicht brüllte, bestand keinerlei Zweifel, dass er sehr aufgebracht war. Er sprach japanisch, daher verstand ich nicht, was er sagte, aber ich schlussfolgerte, dass er sowohl verärgert als auch enttäuscht war. Ich wusste auch nicht, mit wem er sprach, denn ich vernahm keine andere Stimme, nicht, bis Miko ihm schließlich mit den Worten antwortete: »Ich bin kein Kind mehr!«

Darauf folgte tiefes Schweigen, und dann öffnete sich die Tür zum Hof, und einen Wimpernschlag später erschien Miko. Sie blieb unmittelbar an der Tür stehen, so als könnte sie nicht weitergehen, und barg das Gesicht in den Händen. Ich hatte sie nie zuvor in einer solchen Verfassung erlebt und war sehr verlegen, denn sie hatte mich offensichtlich nicht bemerkt. Deshalb räusperte ich mich und drückte mich gegen die Lehne, sodass der Stuhl knarrte, doch ich sagte nichts. Sie zuckte zusammen, nahm die Hände herunter, wischte sich aber noch rasch über die Augen.

Ich wollte etwas zu ihr sagen, fühlte mich jedoch, als hätte ich spioniert, und schämte mich, obwohl ich nichts dafürkonnte. Ich befürchtete schon, dass sie böse auf mich sein könnte, doch das stellte sich als Irrtum heraus.

Sie blieb stumm, starrte vor sich hin und vermied es zuerst, mich anzusehen, dann holte sie tief Luft und sagte mehr zu sich selbst als zu mir: »Er versteht es einfach nicht.«

Ich war im Begriff, sie zu fragen, was sie meine, besann mich dann jedoch und schwieg weiter.

»Ich habe mit meiner Professorin darüber gesprochen«, sagte sie. »Zwanzig Jahre, und er steckt immer noch in der Vergangenheit fest. Es ist, als wären wir immer noch dort. Als wären wir nie weggegangen.«

»Aus Tokio?«

Sie wandte sich mir zu, betrachtete mich, sagte schließlich nach einigem Zögern: »Nein, aus Hiroshima.«

Ich begriff, dass sie mir etwas Wichtiges mitteilte. Es beunruhigte mich, dass ich keine Ahnung hatte, was.

Obwohl ich in der Schule etwas über den Atombombenangriff auf Hiroshima gelesen hatte, ging mein Wissen nicht über das hinaus, was auf kaum eine Seite in einem Schulbuch passte. Vielleicht genügte das, vielleicht hatte Miko mir lediglich sagen wollen, dass Takahashi-san sich immer noch mit den Folgen herumquäle und Schwierigkeiten habe, die Geister der Vergangenheit abzuschütteln. Das hätte auch jemanden wie mich, der sich mit der Geschichte nicht gut auskannte, vielleicht nicht überraschen sollen. Und trotzdem war ich mit dieser Erklärung allein nicht zufrieden, sah Miko wieder und wieder in Gedanken vor mir, wie sie sich mir im Hof zuwandte, mich musterte und schließlich den Namen der Stadt nannte, den ich zuvor weder sie noch ihren Vater je hatten nennen hören. Mit Nachdruck, möchte ich betonen. Denn es war nicht so, als wäre er ihr gedankenlos oder in einer Aufwallung entschlüpft, vielmehr hatte sie bewusst beschlossen, ihn mir anzuvertrauen – ohne Erklärung allerdings.

Ich war noch bis zum Frühjahr in der Hochschule eingeschrieben und hatte somit noch Zugang zur Bibliothek. Dorthin begab ich mich am Montag nach dem Mittagessen und begann, über den Angriff selbst zu lesen, über dessen Vorgeschichte und über die Folgen. Ich erfuhr, dass die Wahl auf diese Stadt wegen ihrer Lage am Meer gefallen war, und außerdem, weil sie bis dahin von Angriffen verschont geblieben war. Tokio war ebenfalls in Betracht gezogen worden, doch da es bereits stark zerstört war, wäre dort die Vernichtungskraft der Atombombe nicht so eindrücklich sichtbar geworden. In Hiroshima hingegen gab es keine Schäden, die Häuser standen noch, die Brücken über den Fluss Motoyasugawa, der große Bahnhof, der Hafen, die Tempel in der Teramachi-Straße. Die Menschen gingen am Morgen zur Arbeit und die Kinder zur Schule, die Sonne ging morgens auf und abends wieder unter. All das änderte sich urplötzlich am 6. August 1945 um Viertel nach acht. Da explodierte die Bombe namens *Little Boy* in sechshundert Meter Höhe über der Stadt und legte sie in Schutt und Asche. Über siebzigtausend Menschen verloren an dem Tag ihr Leben, und in den nächsten Monaten sollte sich diese Zahl verdoppeln.

Das und noch viel mehr las ich, und ich vergaß die Zeit in der Bibliothek, sodass ich auf dem Rückweg rennen musste, um rechtzeitig zur Spätschicht zu sein. Unter anderem vertiefte ich mich in ein Buch mit Fotografien, die vor und nach dem Angriff entstanden waren, sowohl von baulichen Anlagen als auch von Personen. Ich versuchte, mir Takahashi-san auf diesen Fotos vorzustellen. Und Miko. Es gelang mir nicht.

Ich fühlte mich nach der Lektüre elender als gedacht. Manchmal war mir bei den Protesten an der Hochschule vor Wut der Kragen geplatzt, doch der Zorn, der nun in mir aufflammte, war von ganz anderer Art. Unter ihn mischten sich Hoffnungslosigkeit und Trauer, Ohnmacht und Zweifel.

Als ich außer Puste im Nippon ankam, befürchtete ich, dass Takahashi-san mir irgendwie ansehen würde, womit ich mich beschäftigt hatte. Es war zwar völlig unnötig, trotzdem vermied ich es in den ersten Minuten, ihm in die Augen zu sehen. Er war dabei, das Abendessen vorzubereiten, und bat mich sofort, als ich ankam, Goto-san zu helfen, Zutaten aus der Vorratskammer zu holen und Gemüse zu schneiden. Er war ausgelassen an dem Abend und scherzte mit Goto-san, Hitomi und mir, tat beispielsweise so, als unterhielte er sich mit dem Fisch, den er gerade ausnahm, er klemmte sich dessen Kopf zwischen die Finger und bewegte das Fischmaul so, als würde ihm die dralle Makrele antworten.

Normalerweise wäre das sehr komisch gewesen, denn er sprach japanisch zu dem Fisch, der Fisch aber antwortete auf Englisch und überhaupt ein wenig unverschämt: »Ich verstehe kein Wort von dem, was du sagst. Kannst du nicht mal richtig sprechen?«

Doch ich musste mir Mühe geben zu lächeln, denn ich konnte die Bilder, die ich in der Bibliothek gesehen hatte, nicht beiseiteschieben, konnte sie nicht mit Takahashi-sans und Mikos Vergangenheit in jener Stadt und der Heiterkeit hier in der Küche zusammenbringen, ich war durcheinander und sonderbar betäubt. Falls Takahashi-san es merkte, so ließ er es unkommentiert, alberte stattdessen nur umso mehr herum, vielleicht in dem Versuch, mich aufzuheitern. Am Ende erreichte er sein Ziel, denn im Laufe des Abends lebte ich auf und konnte, zumindest für eine Weile, die Gedanken an meinen Besuch in der Bibliothek, die Berichte und die Fotos vergessen.

Goto-san und Hitomi gingen wie immer vor mir nach Hause, während sich Takahashi-san an den kleinen Schreibtisch setzte, wo er die geschäftlichen Aufgaben erledigte. Dieser stand in einer winzigen Nische hinter der Küche unter einem hoch gelegenen Fenster, das auf den Hof hinausging. Buchführung und Verwaltung interessierten Takahashi-san nicht besonders, und dennoch habe ich von ihm gelernt, wie wichtig es ist, alles im Griff zu haben und nichts schleifen zu lassen. Er bezahlte seine Rechnungen beizeiten, führte über alles genau Buch, gab darauf acht, seine Bestände früh genug aufzufüllen, und es kam nie vor, dass uns die Vorräte oder Utensilien ausgegangen wären. Außerdem schrieb er häufig etwas in Notizbücher, die er bei seinen anderen Büchern, allesamt auf Japanisch, in einem Regal über dem Schreibtisch aufbewahrte. Ich hatte keine Ahnung, was er da in seine Notizbücher schrieb, vermutete jedoch, dass es mit dem Betrieb zu tun hatte, denn nicht selten kam es vor, dass er sagte: »Das muss ich mir aufschreiben«, oder so ähnlich. Es konnte alles Mögliche sein – manchmal etwas über die Gäste des Restaurants, ihre Namen oder die ihrer Verwandten, ihre Geburtstage und Lieblingsgerichte. Hin und wieder waren es Wörter oder Redewendungen, die er nicht kannte, sich jedoch merken wollte, was zumeist an den Wochenenden vorkam, wenn Steve arbeitete, denn von Goto-san lernte er nicht viel Englisch.

Als ich mich an jenem Abend verabschieden wollte, rief er mich zu sich.

»Kristófer-san«, sagte er, »ich möchte dir etwas zeigen.«

Ich legte meine Schürze ab und streckte den Kopf in die Nische, wo er mich mit einem geöffneten Schreibheft erwartete.

»Weißt du, was ein Haiku ist?«

Ich schüttelte den Kopf.

Er erklärte es mir.

»Gibt es etwas Vergleichbares auf Isländisch?«, fragte er.

Ich antwortete, dass es wohl am ehesten der Vierzeiler mit Kreuzreim wäre, aber es bestünden große Unterschiede. »Denn jeder Vers hat vier Zeilen«, fügte ich hinzu.

»Kristófer-san, am schwierigsten ist es, seine Gedanken mit wenigen Worten auszudrücken.«

Ich nickte.

»Ich habe gerade ein Haiku über den Fisch verfasst. Ich meine, er hat es verdient.«

Er reichte mir das Heft.

Der Fisch behauptet,
er spreche kein Japanisch
auf dem trocknen Land.

Wir lächelten beide, er streckte die Hand nach seinem Schreibheft aus und klappte es zu.

»Manchmal ist es gut, einen Spaß zu machen, Kristófer-san. Es hellt die Stimmung auf.«

Ich stimmte ihm zu, errötete vermutlich aber zugleich, denn es bestand kein Zweifel mehr, dass er bemerkt hatte, wie niedergeschlagen ich war. Ich wollte ihm schon eine Erklärung liefern, ihm sagen, dass ich nicht ganz auf dem Damm sei, ließ es jedoch bleiben.

»Als ich jung war«, sagte er als Nächstes, »habe ich in meiner Heimatstadt neben der Schule in einem kleinen Restaurant gearbeitet. In der Küche hatten wir einen Krug, in den alle ihre Haikus hineinlegen konnten. Wir schrieben sie auf einen Zettel, falteten ihn zusammen und steckten diesen in den Krug. Die anderen langten hinein, wenn sie daran vorbeikamen, und sahen sich das Gedichtete an. Wir waren nicht viele, also kannten wir die Handschrift der anderen. Aber manchmal baten wir jemand anderes, das Haiku zu schreiben, nur zum Spaß oder wenn wir es vielleicht umgehen wollten, dass das Haiku aufgrund der Person des Autors beurteilt wurde. Hin und wieder war das wünschenswert. Anonym zu bleiben, meine ich.

Ich habe überlegt, ob ich nicht solch einen Krug hier in unserer Küche aufstellen sollte«, sagte er schließlich. »Oder vielleicht vorn am Tresen. Ich habe viel darüber nachgedacht, in der letzten Zeit.« Er sah mich an und wartete auf meine Reaktion.

Ich sagte, dass ich es für eine gute Idee hielte. »Ich würde sie auf jeden Fall lesen«, setzte ich hinzu.

Er reckte sich nach einem Buch im Regal über dem Schreibtisch und gab es mir. *Klassische japanische Haikus*, stand auf dem Einband sowie der Name der Übersetzerin.

»Ich habe es mir gekauft, als ich meine ersten Versuche machte, auf Englisch zu dichten«, erzählte er. »Das ist schwierig für mich, Kristófer-san. Genauso schwierig wie für den Fisch, japanisch zu sprechen.«

Ich drehte das Buch um, las, was hinten auf dem Umschlag stand, und wollte es ihm zurückgeben.

»Du kannst es haben. Ich glaube nicht, dass Steve oft für den Krug dichten wird. Und Goto-san und Hitomi genauso wenig. Jedenfalls nicht auf Englisch.«

Ich bedankte mich bei ihm, hielt es aber für erforderlich klarzustellen, dass ich kein Poet sei.

»Dann haben wir eine Gemeinsamkeit«, erwiderte Takahashi-san lächelnd.

Schließlich erhob er sich, und ich holte meinen Mantel, kurz darauf gingen wir zusammen hinaus und verabschiedeten uns auf dem Gehweg voneinander.

Nach einem angenehmen Morgenspaziergang bin ich an der Themse angekommen. Ich startete am Universitätscampus, doch dort war alles geschlossen, und es gab kaum ein Lebenszeichen, also ging ich weiter. Ich war nicht direkt deprimiert, aber nach diesem vergeblichen Unterfangen und nach dem gestrigen Besuch des Nippons – oder vielmehr des Tattoostudios – glaube ich, dass es nicht viel bringt, auf alten Pfaden zu wandeln. Ich hatte eigentlich nichts an der Uni zu erledigen, und darum ist es sicherlich übertrieben, meinen Spaziergang ein vergebliches Unterfangen zu nennen, doch auf dem Campus war alles wie ausgestorben, sodass ich es ratsam fand, mich davonzumachen, bevor mich diese Leere einholte. Ich stiefelte mehr oder weniger ohne Ziel los und landete nach kurzem Zwischenstopp auf dem Leicester Square im St. James's Park. Obgleich dort mehr Enten unterwegs waren als Menschen, empfand ich den Streifzug auf den Parkwegen als angenehm, und auf einer Bank legte ich eine schöne Verschnaufpause ein, während der ich die Leibgarde der Königin bei ihrem Dienst beobachten konnte. Einige Wachen standen kerzengerade und reglos auf der Stelle, derweil andere stattliche Pferde an ihren Zügeln über den Sandplatz am Horse-Guards-Gebäude führten, wobei sie fast die Schritte zu zählen schienen, lautlos selbstverständlich, so perfekt im Gleichschritt, wie sie gingen. Die Zeremonie ist eher bedeutungslos, aber ich empfand es als aufbauend, dabei zuzusehen, weil es gut tut zu wissen, dass in diesen Zeiten nicht alles der Veränderung unterworfen ist.

Bevor ich das Hotel verließ, hatte ich auf Facebook nachgesehen und festgestellt, dass ich eine Nachricht von Miko hatte. Ich zuckte unnötigerweise zusammen, denn sie bat mich lediglich um Entschuldigung, dass sie mir noch immer nicht die Erklärung gegeben habe, die sie versprochen habe. Sie machte nicht viele Worte, schrieb aber, dass sich ihr Zustand verschlechtert habe, sie habe keine Kraft, und ihr sei übel, sie schlafe die ganze Zeit und könne sich auf nichts konzentrieren.

Ich antwortete ihr auf der Stelle, dass sie sich meinetwegen keine Gedanken machen solle, und ich hätte sie beinahe über die Reise unterrichtet, auf die ich mich begeben hatte. Aber dann überlegte ich es mir zum Glück anders, denn wie schon der Mitarbeiter an der Rezeption heute Morgen festgestellt hatte, kann man sich in diesen Tagen auf keinen Flug verlassen, nicht einmal auf den nach Japan, obwohl die Airline immer noch behauptet, sie würden heute Abend fliegen. Doch das kann sich ändern, erklärte er mir und erwähnte zur Bekräftigung, dass die Flüge von zwei Gruppen, die im Hotel zu Gast waren, gestrichen worden waren, als sie in aller Frühe zum Flughafen aufbrechen wollten. Praktisch ohne Vorwarnung, erklärte er und fügte hinzu, dass sie noch

Glück im Unglück hätten, da das Hotel halb leer stehe und er die Leute daher weiterhin beherbergen könne.

Miko spielte ihre Erkrankung herunter, und mir war, als hörte ich geradezu ihre Stimme, als sie ihren Zustand ein *peinliches Elend* nannte. Ich musste lächeln, dann jedoch überkam mich die Sorge, denn ich weiß, dass sie sich nicht so schnell beklagt.

Und jetzt stehe ich also hier unten am Fluss und habe ein wenig über etwas nachgedacht, was vor allem zeigt, dass sich im Kopf eines Menschen so wie in der Welt viele skurrile Dinge abspielen. Es ist nämlich so, dass sich irgendwo zwischen St. James's Park und Westminster Bridge die fixe Idee bei mir festsetzte, dass sie vielleicht am Ende zusammengekommen sind, Naruki und Miko. Bestimmt ist es nur ein Hirngespinst und bloß ein Ausdruck meiner blühenden Fantasie, aber als ich auf das London Eye blickte, das große Riesenrad am anderen Ufer der Themse, war ich mir auf einmal sicher, dass Narukis Familienname eben Nakamura war. Das hatte nichts mit dem Riesenrad zu tun, weder er noch seine Namen, weder sein Vorname noch sein Familienname, deshalb weiß ich nicht, wie diese Verknüpfung eigentlich zustande kam. Das Riesenrad war mir aufgefallen, als ich die Leibgarde beobachtete, denn ein Stück des obersten Teils war über dem Horse-Guards-Gebäude zu sehen gewesen. Ich hatte den Eindruck, es bewege sich langsamer als sonst, aus der Ferne konnte ich es jedoch nicht definitiv feststellen. Erst als ich näher am Fluss war und kein Gebäude mehr dieses gigantische Rad verdeckte, wurde klar, dass es sich nicht bloß langsamer drehte, sondern ganz und gar stillstand.

Da begann ich, über Naruki nachzudenken, und ich bin noch immer dabei, während ich mich an der Uferkante gegen das massive Eisengeländer lehne und auf den dahinströmenden Fluss blicke. Ich erinnere mich an den Tag, als er im Nippon erschien, und an die Nachwirkungen dieses Besuches.

Es war an einem Dienstag nach der Mittagsschicht. Es war halb vier. Ich war gut eine Viertelstunde vorher zur Pause gegangen, hatte jedoch meine Brieftasche vergessen und musste noch einmal umkehren. Als ich die Tür öffnete, saßen sie zu zweit im ansonsten leeren Gastraum, Takahashi-san und Naruki. Sie achteten nicht auf mich, oder zumindest würdigten sie mich keines Blickes, denn ich bewegte mich nahezu lautlos. Es war Takahashi-san, der sprach, Naruki antwortete einsilbig. Sie sprachen japanisch, also verstand ich kein einziges Wort.

Anfangs befürchtete ich, Naruki sei gekommen, um mit Takahashi-san über seine Beziehung mit Miko zu sprechen, womöglich um ihre Hand anzuhalten, denn ich meinte gehört zu haben, dass dies der Brauch in Japan sei. Inzwischen war ich in der Küche angekommen, hatte meine Brieftasche eingesteckt, aber ich ging nicht hinaus, sondern blieb still in der Türöffnung stehen und lauschte, versuchte, ihren Stimmen anzuhören, was zwischen ihnen vorging.

Hitomi war nach dem Mittag in die Stadt gegangen, und Goto-san hatte sich in der Vorratskammer hingelegt. Sein leises Schnarchen vermischte sich mit den Klängen des Gesprächs aus dem Gastraum, verhinderte jedoch nicht, dass ich bald schlussfolgerte, Naruki befände sich in einer schwierigen Situation. Nicht, dass Takahashi-san den jungen Mann in jedweder Weise angegriffen hätte, vielmehr schien er ihm etwas klarzumachen, was diesem entgangen war. In den wenigen Momenten, als Naruki im ganzen Satz sprach, glaubte ich zu verstehen, dass er sich an Strohhalme klammerte oder sich sogar entschuldigte, jedenfalls wirkte er wie ein Häufchen Elend.

Als ich hörte, dass sie aufstanden, ging ich nach draußen auf den Hof und erst nach zehn Minuten wieder ins Haus. Takahashi-san saß an seinem Schreibtisch, offenbar tief in Gedanken versunken. Ich achtete darauf, ihn nicht zu stören, und verließ eilig das Restaurant.

Ich wusste nicht, was ich erwarten sollte, als Miko am Freitagnachmittag zur Arbeit kam. Ich wusste es im Grunde nie, doch jetzt, nachdem ich Naruki und Takahashi-san zusammen gesehen und ihre eigenen Worte über Hiroshima gehört hatte, war ich äußerst angespannt. Ich fragte mich, ob sie mir mehr über ihre Vergangenheit erzählen würde, aber eigentlich war das unwahrscheinlich. Seit sie am Sonntag nach ihrer Mittagsschicht verschwunden war, hatten wir nicht mehr miteinander gesprochen.

Sie erschien zeitig. Ich erledigte die letzten Handgriffe beim Aufräumen der Küche und hörte nicht, wie sie hereinkam. Zum Mittag war viel los gewesen, genau wie beim Frühstück, das Takahashi-san und ich für gewöhnlich allein organisierten. Er hatte mir am Morgen den Lachs anvertraut, urplötzlich gemeint, dass ich ihn schuppen und grillen solle, und mir danach gezeigt, wie er das Gemüse sauer einlegte. Mittags, als Goto-san eintraf, fiel es mir ein bisschen schwer, von dieser verantwortungsvollen Rolle wieder an mein Spülbecken zurückzukehren, doch ich konnte mich wahrhaftig nicht beklagen, nein, viel eher war ich Takahashi-san dankbar.

Ich wusste nicht, wie lange sie schon hinter mir gestanden hatte, als ich sie schließlich bemerkte. Sie lehnte an der Wand, die Arme verschränkt, und obwohl sie mich anscheinend beim Putzen und Aufräumen beobachtet hatte, blickte sie seltsam ausdruckslos vor sich hin, so wie jemand den Wolken oder einem vorbeifliegenden Vogel hinterhersieht.

Takahashi-san saß mit dem Rücken zu uns beiden in der Nische an seinem Schreibtisch und bemerkte sie genau wie ich erst, als sie zu sprechen begann.

»Du wirst langsam zum Japaner, Kristófer.« Ihre Stimme klang merkwürdig. Ich wusste nicht, was ich darauf antworten sollte. »Alles blitzblank, alles tipptopp und akkurat. Sogar deine Gesten ...«

Takahashi-san unterbrach seine Tätigkeit und spähte über die Schulter, betrachtete uns einen Moment lang, drehte sich dann wieder um und wartete offenbar auf das, was nun käme.

»Na, ich räume eigentlich bloß auf«, brachte ich gerade so hervor.

»Du siehst fast schon wie Takahashi-san und Goto-san aus«, bemerkte sie. »Du wirst bald ganz so wie ein Japaner sein.«

Ich war verlegen um eine Erwiderung, denn ich war mir nicht einmal im Klaren darüber, ob sie sich lustig machte oder mich kritisierte, mich der Mimikry bezichtigte, dass ich womöglich versuchte, ihren Vater nachzuahmen, um mich bei ihm einzuschmeicheln.

Allerdings hatte ich auch gar keine Gelegenheit, etwas zu erwidern, denn sie fuhr fort: »Hast du eine Freundin?«

Ich weiß nicht, ob es mir gelang zu verbergen, wie peinlich es mir war.

»Nein.«

»Hattest du schon mal eine Freundin?«

»Ja.«

»Hast du dich öfter mit ihrem Vater unterhalten?«

»Miko, hör auf damit!« Takahashi-san sagte das leise, er saß reglos da und blickte geradeaus.

Sie sah nicht zu ihm, sondern wartete auf meine Antwort.

»Ich kannte ihn nicht.«

»Wie bitte? Ihr habt nicht über seine Tochter und deine Beziehung zu ihr gesprochen?«

»Nein«, erwiderte ich und platzte nach einer Weile in die entstandene Stille hinaus: »Es war nichts Ernstes.«

Im selben Moment, als ich den Mund wieder schloss, sah ich ihr an, dass ich einen Fehler gemacht hatte. Mit meiner Antwort hatte ich das Gespräch, in das sie mich verwickelt hatte, beenden wollen, ohne Erfolg.

»Ach«, machte sie. »Nichts Ernstes ...«

»Nein«, wiederholte ich.

»Was genau meinst du damit? Wann wird eine Beziehung ernst?«

Ich warf einen Blick zu Takahashi-san hinüber, sah aber nur seinen Hals und die Schultern. Er saß wie erstarrt da.

»Wir hatten beide keinerlei Erwartungen aneinander«, brachte ich endlich seufzend hervor.

»Das ist es also, was eine Beziehung zu etwas Ernstem macht«, stellte sie fest. »Erwartungen ...«

Ich sah keinen Anlass, darauf zu antworten, und sie fuhr ohnehin fort: »Sonst nichts ... Nicht, ob ihr ...«

In dem Augenblick sprang Takahashi-san von seinem Stuhl auf. Ich erschrak, doch Miko schien darauf gewartet zu haben und rührte sich nicht. Er sprach kein Wort, sie starrten einander lediglich schweigend an, die Stille war so ohrenbetäubend, dass sie in meinen Ohren zu dröhnen anfing.

Als Takahashi-san endlich den Mund aufmachte, richtete er sich an mich: »Kristófer-san, verzeih. Du möchtest bestimmt los.«

Ich bemerkte, dass ich noch immer das Geschirrtuch in der Hand hielt, nun legte ich es ab und holte meinen Mantel. Als ich im Hinausgehen einen Blick in ihre Richtung riskierte, standen sie noch genauso da wie zuvor, waren beide jedoch irgendwie in sich zusammengesunken. Sie hielten den Kopf gesenkt, ließen die Schultern hängen, und anstelle des Zorns, den ich noch eine Sekunde vorher wahrgenommen hatte, waren sie nun von einer eigentümlichen Traurigkeit umgeben.

Ich verstehe nicht, wie ich mich von Hallmundur so aus der Fassung bringen lassen konnte. Die Sache mit Bárður ist kompletter Unsinn, eine völlige Übertreibung oder im besten Fall ein Missverständnis, obwohl ich leider nicht ausschließen kann, dass mein Bruder Schlimmeres im Sinn hatte. Er macht gern aus jeder Mücke einen Elefanten, er bildet sich etwas darauf ein, Schwachstellen aufzuspüren und den Finger daraufzulegen, selbst nennt er es Neckerei, obwohl *Niedertracht* wesentlich treffender wäre. So war es schon immer. Doch dieses Verhalten ist selbstverständlich unanständig, und es ist nicht verwunderlich, dass ich mich dagegen wehre, beschuldigt zu werden, meinen engsten Mitarbeiter schlecht zu behandeln.

Ich hatte es Bárður vor jedem anderen mitgeteilt, dass ich aufhören wollte. Wie schon gesagt, kam das sehr plötzlich, da sich diese Pandemie ja vorher nicht angekündigt hatte. Meine Entscheidung schockierte ihn, doch dann besprachen wir sie, und so sah er ein, dass mir, auch wenn es sehr schnell gegangen war, wohl keine Wahl blieb.

Ich will mich genau an dieses Gespräch erinnern, schon um die Seelenqual zu verscheuchen, die mir Hallmundurs SMS beschert haben.

Es war an einem Dienstagmorgen kurz vor zehn. Ich kam von dem Arzt und war vielleicht mit den Gedanken ein wenig woanders, als ich die Tür öffnete. Jedenfalls fragte Bárður mich, ob alles in Ordnung sei, als ich die Küche betrat, wo er mit den Vorbereitungen für den Tag begonnen hatte, obwohl wir kein großes Geschäft erwarteten. Ich schlug ihm vor, sich eine kleine Pause von der Arbeit zu gönnen, und so setzten wir uns vorn in den Gastraum, auf die westliche Seite, von wo aus man die Straße hinunterblicken kann, bis ganz zum Ende, wo sie in den Austurvöllur-Platz mündet.

Ich erzählte ihm nicht, woher ich gerade gekommen war. Stattdessen hielt ich eine Rückschau, denn die Erinnerungen begannen mich heimzusuchen.

»Es war Bjarni Jónsson, der hier früher einmal das Steakhouse führte«, sagte ich.

Bárður meinte, er erinnere sich daran.

»Aber seine Steaks waren nicht besonders gut, und hier drinnen war alles ganz düster.«

Er nickte, da ich das bestimmt schon oft erzählt hatte.

»Ich habe bei ihm nur einmal gegessen«, sagte ich, »und da habe ich nicht darüber nachgedacht, wie man die Räume freundlicher gestalten könnte. Vielleicht war ich zu sehr damit beschäftigt zu versuchen, irgendeinen Geschmack an dem Steak zu entdecken!«

Bárður grinste.

»Du hast Bjarni nicht kennengelernt, oder?«

»Nein.«

»Ein netter Kerl, aber vom Kochen hatte er keine Ahnung. Hatte jahrelang an der Suðurlandsbraut einen Hamburgerstand, aber hier wollte er groß rauskommen. Er nahm es sehr schwer, dass es nicht funktioniert hat.«

Bárður und ich hatten oft darüber diskutiert, was es wohl ist, das die Restaurants, die eine Zeit lang beliebt sind und dann wieder eingehen, von jenen unterscheidet, die sich etablieren, eine treue Stammkundschaft haben und neue Gäste hinzugewinnen; die dem Zahn der Zeit standhalten und gleichwohl neue Strömungen aufgreifen, ohne offensichtliche Umbrüche zu durchlaufen. Jedes Mal kamen wir, wie zu erwarten, zu dem Ergebnis, dass es das Essen selbst ist, die Zutaten und ihre Verarbeitung, Klarheit in der Ausführung, Erfindungsreichtum und Authentizität. Und dazu kommen erstklassiger Service, eine angenehme Atmosphäre und faire Preise.

Deswegen war er auch nicht überrascht, als ich ihm erklärte, es habe den seligen Bjarni zu Fall gebracht, dass dieser wenig Ahnung vom Kochen gehabt und sich vor allem für seine Jukebox interessiert habe, auf die er mächtig stolz war und die er unübersehbar direkt neben der Bar aufgestellt hatte. Jedem, der es hören wollte, berichtete er, wie er sie in Amerika gekauft und hergeschafft hatte.

»Und als ich dann mit dem Immobilienmakler hierherkam, wusste ich schon, als wir die Tür öffneten, dass ich hier sein wollte«, sagte ich. »Wir waren kaum eingetreten, da hatte ich nicht nur bereits entschieden, die Räumlichkeiten zu mieten, sondern auch, wie ich sie umgestalten würde. Ich spürte sofort, dass ich hier zu Hause sein würde.«

Bárður meinte, dass es ihm genauso ergangen sei.

»Ich hatte gerade ein Vorstellungsgespräch im Hotel Holt gehabt«, sagte er. »Aber dann lief ich Ásbjörn beim Shoppen in die Arme, und der erwähnte, dass du Personal für die Küche suchst. Um ehrlich zu sein, ich hatte immer vor, im Holt zu arbeiten, wenn sie den Job anboten. Das hier war nur zur Sicherheit.«

Ich erklärte ihm, dass ich das vergessen hätte.

»Ich glaube, ich habe es dir nie erzählt«, sagte Bárður und lächelte. »Weil, dann bekam ich den Job im Holt und musste mich zwischen beiden Angeboten entscheiden.«

»Ich hoffe, du bereust es nicht, dass du hier angefangen hast«, erwiderte ich.

»Das tat ich nie. Im Holt hätte ich es niemals zu mehr gebracht als zum Küchenchef.«

In dem Punkt, meinte ich, bezog sich Bárður darauf, dass ich ihn seit vielen Jahren in das meiste bei der Führung des Torgið miteinbezogen hatte, selbst in das Design der Anzeigen und der Webseite, in die Preisgestaltung und in alle Neueinstellungen. Als wir im vorletzten Jahr die Wände neu hatten streichen lassen, hatte ich mich mit ihm sogar über die Farbe beratschlagt, und wir waren uns einig gewesen, den Ton weiterhin hell zu halten, jedoch eine Nuance wärmer. Insofern hatte er viel, viel mehr gelernt, als er es im Hotel Holt getan hätte, so viel war sicher.

»Aber jetzt ist es vorbei«, fuhr ich fort. »Hier wird es die nächsten Wochen oder Monate nichts zu tun geben, und der Lieferservice ist auch nichts Halbes und nichts Ganzes. Vielleicht ist es für mich einfach ein Zeichen, dass es jetzt reicht.«

Bárður sagte, dass er nicht überrascht sei, denn ich

hätte in den vergangenen Monaten gelegentlich den sprichwörtlichen Herbst des Lebens erwähnt.

»Wie lange läuft der Mietvertrag noch?«, fragte er.

»Noch vierzehn Monate«, antwortete ich, ich hatte gerade erst nachgesehen.

»Hat Friðþjófur etwas davon gesagt, dass er nicht verlängern würde, wenn es so weit ist?«, fragte er.

»Frissi? Nein, er möchte uns hierbehalten. Das ist nicht der Grund, warum ich aufhören will«, fügte ich hinzu.

Bárður erwiderte, dass ich eine große Lücke hinterlassen würde. »Du hast hier in Reykjavík viel für die Branche getan«, fügte er hinzu.

»Und jetzt übernehmt ihr«, sagte ich. »Ihr seid viel talentierter, ihr jungen Leute, als ich es war in eurem Alter.«

»Danke«, sagte er. »Danke für alles, Kristófer.«

Da ging die Tür auf, und Steinunn kam herein.

»Lass uns das später zu Ende bereden«, bat ich ihn daher, »ich denke aber, dass du zufrieden sein wirst.«

Bárður ist eigentlich kein förmlicher Mensch, doch da gab er mir die Hand und dankte mir nochmals für das Vertrauen, wie er es ausdrückte.

Wir fanden erst vor zwei Tagen die Zeit, noch einmal miteinander zu reden, da ich zuerst die Buchhaltung und die Bankkonten durchgehen musste, um festzustellen, wie lange ich ihn mit den mir zur Verfügung stehenden Mitteln noch weiterbezahlen könnte. Ich rief ihn früh an dem Morgen an, weil ich nicht wollte, dass er sich Sorgen machte, und außerdem dachte ich, dass ich ihm eine erfreuliche Nachricht überbrachte.

Es war kein langes Gespräch, und ich vermute, dass ich ihn geweckt hatte. Er hakte mehrfach ungläubig nach, und ich wiederholte zweimal, dass ich vorhätte, ihn bis zum Jahresende zu bezahlen, den vollen Lohn, daher habe er ausreichend Zeit, sich umzusehen und seine künftigen Schritte zu bestimmen.

»Und um Zeit mit deiner Familie zu verbringen«, fügte ich hinzu. »Meinem kleinen Namensvetter dürfte das wohl gefallen.«

Seitdem habe ich nichts von ihm gehört. Aber ich tätigte die Überweisung auf sein Konto vor meiner Abreise, sodass er sich in der nächsten Zeit keinen Kopf wegen des Geldes zu machen braucht.

Ich meinte, ich hätte ihn gut behandelt, ich meinte, dass ich, so gut es mir irgend möglich war, Vorsorge getroffen hätte. Jetzt aber hat mich Mundi des inneren Friedens beraubt, den ich dadurch empfunden hatte, ja, er hat mich vollkommen verunsichert.

Nun frage ich mich, ob ich nicht direkt mit Bárður sprechen sollte. Es ist ungünstig, denn ich bin schon fast am Flughafen, und alles sieht danach aus, dass meine Maschine um sieben starten wird. Aber ich habe ja Zeit, darüber nachzudenken, und kann ihn immer noch anrufen, wenn ich zu dem Ergebnis gelange, dass es sinnvoll wäre. Erst mal will ich aber versuchen, mir Mundis SMS aus dem Kopf zu schlagen.

Wir sind in der Luft. Der Himmel ist klar, und ich sehe, wie sich die Lichter Londons entfernen und die der östlich gelegenen Städte näher kommen, doch dann tauchen ein paar Wolkenschleier auf, von denen einige noch ein letztes Glimmen der Sonne in sich tragen, und die Lichter verschwinden.

Ich sitze am Fenster, die Plätze neben mir sind frei, da die Maschine nur halb voll ist. Die allermeisten sind Japaner auf der Heimreise, ich bin in der Minderheit. Natürlich spielt es keine Rolle, doch tatsächlich wurde ich ein wenig beäugt, als wir das Gate erreichten, ein junger Mann mit Mund-Nasen-Schutz fragte mich, welches Anliegen mich nach Tokio führe. Er war Japaner, und ich hatte wegen seiner Maske Schwierigkeiten, ihn zu verstehen, aber er fragte mich offenbar aus argloser Neugier, und darum erzählte ich ihm, dass ich Freunde besuchen wolle. Ich weiß nicht, warum es mir schwerfällt, von ihr in der Einzahl zu sprechen, von meiner Freundin, aber es ist so. Im Nachhinein wurde mir bewusst, dass die Höflichkeit es geboten hätte, ihn seinerseits nach seinem Reiseziel zu fragen, doch leider kam es mir nicht in den Sinn.

Nun ist jedoch alles still, und der Flieger gleitet den Bogen entlang, den ich auf dem Bildschirm vor mir sehe und der sich über Schweden und Finnland erstreckt und dann weit im Norden über Russland führt, bevor er schließlich nach Süden hin zum Pazifik abbiegt. Es ist ein langer Flug, doch ich habe genug, worüber ich nachdenken kann, und daher macht es auch nichts, dass ich keine andere Lektüre mitgenommen habe als die Haiku-Sammlung – *Traditonal Japanese Poetry – An Anthology*.

Endlich schickte ich Miko eine Nachricht, dass ich komme. Ich wartete damit, bis die Abflugzeit erreicht war, denn ich wollte nicht Gefahr laufen, die Antwort von ihr zu erhalten, bevor ich an Bord des Fliegers wäre. Ich erschrak ein wenig, denn ich kam nicht ins Internet dort am Gate, doch der junge Mann mit der Maske bedeutete mir, mich ein Stück wegzubewegen, bei ihm selbst habe das gut funktioniert. Und er hatte recht, dort war die Verbindung ausgezeichnet. Ich setzte die Brille auf, tippte rasch meine Nachricht ein, schickte sie ab und steckte das Handy noch schneller wieder in die Tasche, und das, obwohl sie zu dem Zeitpunkt sicherlich geschlafen hat, denn in Japan war es mitten in der Nacht.

Meine Gedanken wandern erneut zu jenem Tag, als Takahashi-san mich um Verzeihung bat. Ich sehe seinen und Mikos Gesichtsausdruck vor mir, als ich das Geschirrtuch weglegte und meinen Mantel nahm, und die Szene, wie ich gegen fünf Uhr zurückkehrte. Es ist Mikos Lachen, das mir als Erstes einfällt, denn es empfing mich, als ich die Tür öffnete. Ich erinnere mich, dass ich unwillkürlich stehen blieb, denn es passte so überhaupt nicht zu der Schwermut, die hier geherrscht hatte, als ich vor zwei Stunden gegangen war.

Sie alberte mit Hitomi herum, die an dem Abend arbeitete, weil einer der Stammgäste Geburtstag feierte und das ganze Restaurant gemietet hatte. Wir erwarteten mehr Personen, als Plätze vorhanden waren, und hatten das Menü entsprechend zusammengestellt – Gyoza, Edamame, Tsukune mit süßer Sojasoße, Yakitori-Spieße, Teba Shio und sicherlich noch einiges mehr, was man im Stehen essen kann, auch wenn ich mich jetzt nicht mehr daran erinnere.

Die beiden lachten lauthals. Ich verstaute meinen Mantel im Schrank, wechselte die Schuhe, band mir eine Schürze um. Mir war beinahe bange davor, Takahashi-san zu begegnen, aber er gab sich ebenfalls so, als wäre nichts geschehen.

»Ah, Kristófer-san, wir brauchen mehr Frühlingszwiebeln.«

Es war ein festlicher Abend. Wenn sich die Chance bot, beobachtete ich Miko, wie sie mit den Gästen plauderte und sie bediente, geschmeidig zwischen ihnen hindurchglitt, ihnen nachschenkte und Häppchen reichte. Womöglich bildete ich mir nur ein, dass es ihr nicht ganz gelungen war, sämtliche Spuren des vorangegangenen Wortwechsels mit ihrem Vater fortzuwischen, denn hinter ihrem Lächeln meinte ich die sonderbare Trauer durchscheinen zu sehen, die ich miterlebt hatte. Es war, als machte sie ihr Lächeln noch schöner und inniger, noch bedeutungsvoller. Ich hätte sie ewig betrachten können.

Ich war so ergriffen, dass ich den Blick nicht rechtzeitig abwandte, als sie mich bemerkte. Sie stand in der

Gaststube mit einer Schüssel voll Edamame, ich stand in der Küchentür. Wir sahen einander in die Augen. Mir kam es so vor, als könnte sie in mich hineinschauen.

Die Party ging bis nach Mitternacht. Takahashi-san leistete dem Geburtstagskind und dessen Gästen Gesellschaft, nachdem er mit der Arbeit fertig war. Er trank Sake und schien sich zu amüsieren. Hitomi und Steve gingen nach Hause, ich räumte auf.

Als Miko in die Küche kam, war ich gerade bei den letzten Handgriffen. Sie sagte nichts, kam bloß zu mir und legte mir die Hand auf die Wange. Sie strich sanft einmal darüber und ließ dann die Hand darauf ruhen, bis sie sie irgendwann herunternahm. Wir sprachen beide kein Wort.

In dieser Nacht schlief ich mit ihrer Hand auf meiner Wange ein. Am nächsten Tag erwachte ich mit ihr, doch da hatte mich eine merkwürdige Furcht befallen. Sie machte sich sofort bemerkbar, als ich die Augen aufschlug, es war, als hätte sie ihren Ursprung in einem Traum, den ich vergessen hatte.

Damals wusste ich nicht, was es war, wovor ich mich fürchtete, später jedoch, als ich zurückblickte und mich an jenen Tag erinnerte, kam ich nicht umhin, mich zu fragen, ob ich nicht da schon begonnen hatte, das nahende Ende zu spüren.

Am Tag nach der Geburtstagsfeier stand ein Krug auf dem Tresen, und darin lag ein kleiner, zusammengefalteter Zettel. Ich kam zeitig und bemerkte den Krug sofort, dennoch angelte ich nicht nach dem Zettel, obwohl ich meinte zu wissen, um was es sich handelte. Es war ein alter Tonkrug mit Blumendekor, weiß-blau, und Schmetterlingen zwischen den Blümchen.

Als ich ihn Takahashi-san gegenüber erwähnte, gab er sich überrascht, er fragte mich aber, ob ich gelesen hätte, was auf dem Zettel stehe. Ich band mir die Schürze um und ging nach vorn.

Wie erwartet war es ein Haiku, geschrieben mit schwarzer Tinte auf weißem Papier. Takahashi-san besaß eine eigentümliche Handschrift, die davon zeugte, dass ihm das japanische Schriftsystem noch immer vertrauter war. Doch sie war gut zu lesen und ausdrucksvoll und eignete sich äußerst trefflich für Haikus.

Nach dem Geburtstag
stehen wieder dieselben
Speisen auf dem Tisch.

Ich hatte in das Buch über die japanische Dichtung geschaut, das er mir geschenkt hatte, und mich ein wenig mit der Struktur des Haikus vertraut gemacht, mit den feinen Nuancen, dass es wichtig war, die Dinge nur anzudeuten, statt sie auszusprechen, mit dem Zutrauen, das ein Verfasser in seine Leser hat, zwischen den Zeilen lesen zu können. Aus diesem Haiku las ich, dass es die Speisen vom Vortag nicht mehr geben werde, und damit etwas über die Vergänglichkeit, die Kontinuität der Tage, die Abwechslung, die diese für kurze Zeit unterbricht, dann jedoch vergeht, vergessen wird oder vielleicht ein wenig in der Erinnerung fortlebt.

Takahashi-san erzählte ich das aber nicht, als er von mir wissen wollte, was denn eigentlich auf dem Zettel stehe.

Ich erwiderte nur: »Wie mir scheint, dass wir zur alten Speisekarte zurückkehren.«

Ich war froh, witzeln zu können, denn ich musste die Angst abschütteln, mit der ich am Morgen aufgewacht war. Ich hatte mich dabei ertappt, dass ich meine Wange befühlte, wo Miko sie berührt hatte, so als versuchte ich zu begreifen, was sie damit hatte sagen wollen. Am Abend vorher glaubte ich es zu wissen, als sie auf mich zukam und mir in die Augen sah, während sie den Arm ausstreckte. Jetzt war ich jedoch nicht mehr sicher, Zweifel waren erwacht und hatten alles in meinem Kopf durcheinandergebracht.

Ich wartete sehnsüchtig darauf, dass sie zur Arbeit erschien, fürchtete mich aber zugleich davor. Als sie endlich kam, in letzter Minute vor Beginn des Mittagsdienstes, war ich immer noch genauso klug, obwohl sie mich lächelnd begrüßte und mir zuflüsterte: »Ich bin spät dran. Hat Papa irgendetwas gesagt?«

Nein, er hatte seine Tochter nicht erwähnt, obwohl er gesprächig gewesen war, hatte von der Geburtstagsfeier erzählt, über Haikus und von der Makrele, mit der er an dem Tag nicht zufrieden war. Er hatte mich bei den Vorbereitungen für das Mittagessen helfen lassen, denn Steve war ziemlich verkatert und schaffte nicht viel. Ich wälzte Hähnchenbrustfilets in Mehl, verquirltem Ei und Pankomehl, frittierte und tranchierte sie. Das war eine unerwartete Beförderung, denn Takahashi-san hatte hohe Ansprüche und legte größten Wert darauf, dass die Katsu-Gerichte auf den Punkt gebraten waren, ob es sich nun um Schwein oder Huhn handelte. Das Öl durfte weder zu kalt noch zu heiß sein, das Pankomehl musste das Filet komplett umhüllen und beim Braten haften bleiben, eine goldbraune Farbe annehmen, aber nicht zu dunkel werden und niemals anbrennen. Das Huhn durfte selbstverständlich bei alldem nicht trocken werden, es kam also auf das perfekte Timing an, obwohl die Uhr allein im Kopf tickte. Das war leichter gesagt als getan, und ich hatte den Chef schon nach Luft schnappen sehen, wenn Steve nicht aufpasste, obwohl Takahashi-san es sich zumeist verkniff, ihn zurechtzuweisen, und stattdessen die Stücke unauffällig aussortierte, die nicht ansehnlich genug waren.

Deshalb gebe ich zu, dass ich ein bisschen stolz war, als Takahashi-san mich nach dem Mittagessen lobte. Besonders hob er hervor, dass er mich nicht daran hatte erinnern müssen, die Scheiben nicht gerade zu schneiden, sondern abgeschrägt, diese Technik heißt Sogigiri und wird häufig verwendet, um Fisch in mundgerechte Bissen zu teilen oder auch Gemüse, das eingelegt wird.

Womöglich war es seine Anerkennung, die mich ermutigte, ein Anliegen vorzubringen, das ich schon ein paar Tage mit mir herumtrug. Schon mehr als einmal hatte ich es vorbringen wollen, aber jedes Mal im letzten Moment kalte Füße bekommen. Ich wollte nämlich ausprobieren, ob ich eine ganze Mahlzeit allein und ohne Unterstützung kochen könnte. Frühstück war das Nächstliegende, denn da hatte ich, weil ich während dieser Morgenschichten neben Takahashi-san arbeitete, den Vorteil, dass ich die Zubereitung inzwischen auswendig konnte, zumindest theoretisch. Überdies war es ein Leichtes, solch einen Probelauf durchzuführen, denn Takahashi-san widerstand dem Druck einiger Stammgäste noch, die Anzahl der Tage zu erhöhen, an denen wir zum Frühstück öffneten.

Um es kurz zu machen, er nahm meinen Vorschlag gut auf. Ich hatte mir meine Worte sorgfältig zurechtgelegt – dass ich alles so hinterlassen würde, dass keinerlei Spuren meiner Versuche mehr zu sehen wären, sobald er selbst zum Arbeiten erschiene. Außerdem würde ich sparsam mit den Zutaten umgehen und alles bezahlen, was ich benötigte.

Diese Rede hätte ich mir sparen können, und es kam für ihn nicht infrage, dass ich irgendwelche Lebensmittel bezahlte, er lächelte bloß und fragte, ob ich einen bestimmten Tag im Kopf hätte, und schien sich über mein Interesse zu freuen.

»Dienstag«, sagte ich, »wenn es in Ordnung ist.«

Ja, es war in Ordnung, und er sagte, ich solle daran

denken, mir von ihm am Tag vorher die Schlüssel geben zu lassen.

Als wir dieses Gespräch führten, war sonst niemand zugegen, Steve und Miko waren mittags außer Haus gegangen. Daher war ich erstaunt, dass Miko, als wir zugemacht und aufgeräumt hatten, auf mein geplantes Unterfangen zu sprechen kam. Ich saß draußen im Hof, um die müden Glieder bei einem Bier auszuruhen, bevor ich mich auf den Nachhauseweg machte, denn es war mild draußen, und solange sie noch da war, hatte ich es nicht eilig zu gehen.

Sie öffnete die Tür und fragte mich, als sie hinausgetreten war: »Was willst du eigentlich kochen?«

Trotz meiner Überraschung brachte ich eine Antwort zustande.

»Und wer soll beurteilen, wie es dir gelungen ist?«

Ich erwiderte, dass ich das selbst tun müsse, ich hätte Takahashi-san gesagt, dass ich nicht vorhätte, Gäste einzuladen.

»Du kannst für mich kochen ...«

Ein wohliger Schauer überlief mich, und für meine Antwort benötigte ich eine Weile.

»Wenn du möchtest ...« Im Hof war es dämmerig, nur aus der Küche drang etwas Licht, gleichwohl sah ich in ihrer Miene ... oder vielleicht spürte ich vielmehr ... eine Unsicherheit, die ich noch nie an ihr wahrgenommen hatte. Es war, als überlegte sie hin und her, ob ich ihr Angebot annehmen würde, und als wäre sie sogar darauf gefasst, sich mit einer Enttäuschung abfinden zu müssen. Am meisten überraschte es mich wohl, dass sie befürchtete, enttäuscht zu werden.

»Ja«, sagte ich schließlich. »Du darfst aber trotzdem nicht zu streng sein.«

»Befürchtest du das?«

»Selbstverständlich.«

Sie kam ein Stückchen näher. Einen Moment lang glaubte ich, sie werde mir vielleicht wieder die Hand auf die Wange legen, so wie am Abend zuvor. Unwillkürlich richtete ich mich auf, doch sie blieb einige Fuß vor mir stehen und betrachtete mich in dem Halbdunkel. Ein Schimmer lag auf ihrer Wange.

»Ich kann sehr streng sein.«

»Das bezweifle ich nicht.«

»Ich kann aber auch sanft sein ... zu denen, die ich mag ...«

Ich war kurz davor, aufzustehen und zu ihr zu gehen, weil ich sie so gern in die Arme nehmen wollte.

Doch da fügte sie in ihrem vertrauten spöttischen Ton hinzu: »... wenn ich der Meinung bin, sie haben es verdient.«

Dann machte sie auf dem Absatz kehrt, und ehe ich mich's versah, war sie in der Küche verschwunden.

Obwohl ich in den fünfzig Jahren, seit ich in London gelebt habe, kein japanisches Frühstück mehr gekocht habe, bin ich mir sicher, dass ich es im Testfall tadellos hinbekäme. Damit will ich keineswegs andeuten, dass ich ein besonders begabter Koch bin. Aber ich verfüge über viel Erfahrung – und die Erinnerung an jenes Mal, als ich für Miko kochte, wird sicherlich mit zum Letzten gehören, das aus meinem Kopf gelöscht wird, sollte mein Arzt mit seiner Diagnose recht behalten.

Dabei ist die Zubereitung an sich nicht kompliziert, die Schwierigkeit für den Koch liegt im Timing, denn alle Gerichte werden gleichzeitig serviert. Takahashi-san meinte stets, dass es vor allem mehr auf die Einstellung ankomme als auf Fingerfertigkeit, und das treffe auf Frühstück, Mittag- oder Abendessen gleichermaßen zu.

»Das Frühstück gleicht dem ersten Vers eines Haikus«, sagte er, »dieser weist uns den Weg. Das Mittagessen ist der zweite Vers, er hält die Dinge in Gang. Der dritte Vers schließlich ist das Abendessen, der führt alles zu einem Abschluss.«

Ich hatte selbstverständlich auch vorgehabt, alles zu

geben, bevor Miko sich als Kritikerin anbot, aber jetzt bedauerte ich es, Dienstag und nicht Donnerstag gewählt zu haben. Ich hatte nur zwei Tage Zeit, und plötzlich fühlte ich mich vollkommen unvorbereitet.

Miko erwähnte ich nicht, als ich Takahashi-san fragte, ob ich die Schlüssel eher bekommen könnte als geplant, damit ich üben könne. Ich wollte ihn nicht hintergehen, aber er stellte keine Fragen, also ließ ich es dabei bewenden.

Er holte die Ersatzschlüssel aus der Schreibtischschublade und überreichte sie mir.

»Behalte sie einfach«, sagte er. »Es könnte sich als nützlich erweisen, falls du einmal vor mir für das Frühstück eintriffst.«

Ich schlief nur wenig in der Nacht zum Sonntag und stand um sechs Uhr in der Küche. Ich ackerte bis um neun, als Takahashi-san eintraf: Ich kochte Algen und getrocknete Thunfischflocken für die Misosuppe, legte Gemüse ein, dämpfte den Reis. Ich würfelte Tofu, beizte zwei Scheiben Lachs und stellte sie für den nächsten Tag in den Kühlschrank, grillte eine ungesalzene Scheibe mit ein wenig Essig. Wie ich sagte, das ist alles nicht kompliziert, und dennoch weiß jeder, der schon einmal japanisch gegessen hat, dass keine Misosuppe der anderen gleicht und dass der Reis gut oder schlecht gedämpft sein kann.

Kurz nach acht Uhr war das Essen fertig. Anfangs war ich zufrieden mit dem Ergebnis, doch dann meldete sich eine kritische Stimme nach der anderen in meinem Kopf zu Wort – die Suppe war fade, der Lachs zu lange gegrillt, der Reis klumpig. Das Gemüse nicht säuerlich genug. Der Tofu matschig.

Um neun, als Takahashi-san eintraf, war alles wieder blitzblank. Er ließ den Blick durch die Küche schweifen, und ich sah, dass er zufrieden war, denn es gab außer dem Duft, der noch in der Luft hing, keinerlei Anzeichen darauf, dass ich hier gerade Frühstück zubereitet hatte.

Am nächsten Morgen wiederholte ich das Spiel, ging jedoch um fünf Uhr beim Fischhändler vorbei, von dem wir unsere Ware bezogen, um Lachs zu kaufen, und war eine halbe Stunde später im Nippon. Ich schaffte es, das Frühstück zweimal zuzubereiten, und war zufriedener als am vorangegangenen Tag, speziell mit der ersten Runde. Trotzdem hatte ich den Eindruck, es noch besser machen zu können, aber ich wusste nicht, was genau es war, das ich optimieren musste.

Am Montagmittag kam ich dann darauf, dass ich Muscheln in die Suppe geben sollte. Takahashi-san hatte das einmal getan, aber Muscheln waren teuer und manchmal schwer zu bekommen. Andererseits brauchte ich nur wenige, und ich hatte welche am Morgen beim Fischhändler gesehen, kleine Exemplare, mit denen er einige Restaurants versorgte, wie er sagte, darunter ein neues japanisches, das Akiko in der Nähe von St Paul's Cathedral.

Falls ich in der Nacht zum Dienstag überhaupt geschlafen habe, dann war es nur kurz. Dennoch verspürte ich keine Müdigkeit, als ich mich im Morgengrauen auf den Weg zum Nippon machte. Im Osten tagte es, der Himmel begann sich hinter den dunklen, aber harmlosen Haufenwolken aufzuhellen. Es war windstill und relativ warm, für die kommenden Tage war beständiges Wetter vorhergesagt.

Ich lauschte meinen Schritten, die in der Stille widerhallten, während ich Licht anmachte und mich umzog, den Herd einschaltete, Messer und Zangen herausnahm, Schneidebretter, Platten, Töpfe und Pfannen. Ich nahm die Brühe aus dem Kühlschrank, die ich am Vortag gekocht hatte, untersuchte den Lachs, der über Nacht im Salz gelegen hatte, probierte die eingelegten Pflaumen, die ich in einem verschlossenen Glas lagerte, und den geschnittenen Ingwer, den ich in der vergangenen Woche mit den Pflaumen eingelegt hatte, als ich Takahashi-san assistierte.

Die Zeit flog dahin. Es wurde sechs Uhr, es wurde sieben. Es wurde hell, das Frühlicht sickerte durch die Fenster in den Gastraum, während ich dastand, überlegte, wo Miko am besten sitzen sollte. Am Ende wählte ich einen Tisch direkt am Fenster, weil ich mehrfach gehört hatte, wie sie ihn Gästen empfahl, die sie mochte.

Sie kam wie verabredet um Punkt halb acht. Sie trug Jeans und einen roten Rollkragenpullover, in dem ich sie noch nie zuvor gesehen hatte. Sie hatte das Haar zu einem Knoten gebunden und trug kleine Ohrringe. Im Raum wurde es heller, so als hätte sie den Sonnenaufgang mit sich hereingebracht.

»Kann ich dir etwas helfen?«

»Nein«, sagte ich und bat sie, an dem Tisch Platz zu nehmen, den ich für sie ausgesucht hatte.

»Hier?«

»Ja.«

»Auf welcher Seite?«

»Du entscheidest.«

»Dann setze ich mich so, dass ich dich sehen kann, wenn du aus der Küche kommst.«

Sie ließ sich nieder. Ich ging in die Küche, um dem Frühstück den letzten Schliff zu geben. Die Muscheln waren gewaschen, und jetzt zogen sie in der Suppe gar, unterdessen grillte ich den Lachs, ich gab den Reis in ein Schälchen und platzierte es auf einem Tablett, zusammen mit dem Gemüse, das ich auf einem viereckigen Teller mit dem Bildnis eines kleinen, lächelnden Buddhas angerichtet hatte. Der Lachs und die Suppe waren gleichzeitig fertig, und als ich beides mit auf das Tablett gestellt hatte, brachte ich es zu ihr und setzte es vor ihr auf dem Tisch ab.

Sie hatte offenbar während der Minuten, die ich in der Küche verbrachte, still auf ihrem Platz gesessen, aber als ich mit dem Tablett erschien, schaute sie auf und beobachtete mich, als ich durch den Raum schritt, und auch dann noch, als das Tablett schon vor ihr stand.

Ich spürte es. Ich spürte, dass ihre Augen mir folgten und nicht dem Tablett. Und dann lächelte sie, blickte nach unten und begutachtete die Speisen.

»Ich bringe den Tee«, sagte ich.

Wir hatten alle einen eigenen Becher, den wir auf einem Regalbrett in der Küche aufbewahrten. Mein Becher war eher unscheinbar, ein weißes Gefäß mit dem Emblem von Leeds United auf Vorder- und Rückseite. Miko hingegen besaß einen alten japanischen Becher, genau wie ihr Vater, Hitomi und Goto-san, einen Keramikbecher ohne Henkel.

Ich goss grünen Tee in ihren Becher und brachte ihn ihr. Sie hatte zu essen begonnen, hatte bereits den Lachs gekostet und das Innere von zwei Muscheln aus der Suppe gegessen, und jetzt nahm sie mit den Stäbchen eine Pflaume auf und führte sie zum Mund. Ich stand still dabei und wartete darauf, dass sie sich zur Zubereitung äußerte.

Sie aß langsam. »Was machst du, wenn du nicht arbeitest?«

Auf diese Frage war ich nicht vorbereitet. »Was ich mache?«

»Ja, wenn du nicht hier bist?«

»Ich lese, höre Musik, schaue Fußball, treffe mich mit Freunden …«

»Die, mit denen du in dem Buchladen warst?«

»Ja, zum Beispiel.«

»Sind sie lustig?«

»Sie sind nett.«

»Vermisst du die Uni?«

»Nein.«

Sie sah mir in die Augen und sagte so, als ob sie eine Bestätigung erhalten hätte: »Ich glaube es dir.«

Sie teilte einen Bissen vom Lachs ab und aß. Kaute langsam.

»Lief es nicht gut dort?«

»Doch, es lief bestens.«

»Hm.«

»Glaubst du mir nicht?«

»Doch, ich glaube dir. Vermisst du Island?«

Ich wusste nicht, was ich darauf erwidern sollte, denn mir fehlte nichts, solange ich in ihrer Nähe war.

»Nein«, antwortete ich schließlich. »Vermisst du Japan?«

»Ich war zwei Jahre, als wir fortzogen, und ich bin seitdem nicht mehr dort gewesen.«

Obwohl sie nicht so antwortete, als wäre meine Frage dumm gewesen, fühlte ich mich doch genau so.

»Du musst nicht rot werden«, sagte sie. »Das konntest du nicht wissen.«

Immer noch hatte sie nichts zum Essen gesagt. Ich wurde langsam unruhig. Aber sie aß, angelte nach einer weiteren Muschel, führte die Suppenschale an die Lippen, nahm sich mehr vom Gemüse, tauchte etwas Reis in die Sojasoße.

»Wie hieß deine Freundin?«

Ich zuckte zusammen.

»Die, von der du Takahashi-san und mir neulich erzählt hast.«

»Hildur«, antwortete ich.

»Ist sie in Island?«

»Ja.«

»An der Universität?«

»Ja.«

»Habt ihr miteinander geschlafen?«

Warum auch immer, ich war plötzlich nicht mehr verlegen. »Ja«, antwortete ich.

»Wie war es?«

»Was?«

»War es gut?«

Ich brachte eine Art gestammeltes Ja hervor.

»Und trotzdem war es nichts Ernstes?«

»Nein, war es nicht.«

»Also hast du sie nicht geliebt?«

Ich musste überlegen, denn ich wusste nicht, wie ich ihr erklären sollte, dass ich, bevor ich sie getroffen hatte, nicht gewusst hatte, was Liebe ist.

»Damals dachte ich es«, erwiderte ich.

»Aber?«

»Ich hatte sie gern.«

»Da gibt es einen Unterschied, oder?«

Ich nickte.

»Ich hatte Naruki gern«, sagte sie.

Daraufhin legte sie ihre Essstäbchen ab, saß still da.

Ich rührte mich nicht, wagte es nicht, die Stille zu durchbrechen, aus Furcht, etwas Dummes zu sagen.

»Warum hast du dich hier beworben?«, fragte sie.

Mir war klar, dass ich nicht drum herumkäme, ihr die Wahrheit zu sagen.

»Deinetwegen.«

»Als wir uns in der Tür begegneten?«

»Ja.«

»Als du hinausgegangen bist und ich hereinkam?«

»Ja.«

»Ich habe zu Papa gesagt, dass er dich nicht einstellen soll.«

»Warum?«

»Damit er dich einstellt.«

Sie stand langsam auf. Ich überwand die zwei Schritte, die uns trennten.

Ich küsste und umarmte sie, dann drückte ich sie an mich, als wollte ich mich vergewissern, dass ich sie nie mehr verlieren würde.

Irasshaimase! Irasshaimase!
Wir sind gelandet. Drei Flughafenangestellte nehmen uns in Empfang, als wir aus dem Flieger steigen, zwei Frauen und ein Mann, die sich verbeugen und uns willkommen heißen. Alle drei tragen Mundschutz, so wie auch die meisten Passagiere. Ich selbst hatte es versäumt, mir eine Maske zu besorgen, bevor ich von Heathrow aufbrach, aber eine der Stewardessen hat mir ausgeholfen, und so bin ich jetzt versorgt, zumindest für den Moment.

Am Flughafen sind nur wenige Menschen, daher bin ich schnell durch. Überall grüßen mich die Bediensteten freundlich, nicht zuletzt die Grenzbeamtin, die bemerkt, es kämen nicht viele Isländer zu Besuch.

Es ist das erste Mal, dass ich hier bin. Ich war oft kurz davor gewesen, eine Reise nach Japan zu buchen, überlegte es mir aber jedes Mal anders. Ich hätte auch einfach herumreisen können, ohne nach Miko zu suchen, um die Tempel in Kyoto und Nara zu besichtigen, den Kaiserpalast in Tokio, das Nachtleben in Shinjuku zu genießen oder sogar der Insel Hokkaido im Norden einen Besuch abzustatten, besonders den Hafenarealen in den Städten

Hakodate oder Otaru, die berühmt sind für ihre vorzüglichen Fischprodukte, nicht zuletzt für ihre Seeigel, die ich so köstlich finde. Ich hätte eine Wanderung durch das Bergland von Koya-san unternehmen können, beispielsweise auf dem alten Pilgerweg, und mich von Hiroshima fernhalten können, mich gar nicht erst der Versuchung aussetzen, dort auch nur einen halben Tag zu verbringen. Doch ich tat es nicht, wusste ich doch, dass ich mich nicht zurückhalten könnte, nicht einmal, wenn Ásta mit dabei wäre.

Nicht, dass ich gewusst hätte, wo Miko und Takahashi-san abgeblieben waren. Ich hatte nicht die leiseste Ahnung. Wusste nicht einmal, ob sie in Japan waren, denn sie konnten ganz genauso gut anderswo hingegangen sein. Doch es lag am nächsten. Entweder nach Japan oder in eine der englischen Städte, auf die ich mich konzentriert hatte, in denen ich nach ihnen gesucht hatte, nachdem sie verschwunden waren.

Als ich aus London nach Island zurückgekehrt war, trug ich weiterhin Bücher und Artikel über Japan zusammen, Wissen verschiedenster Art, und ich gewann den Ruf, mich mit Land und Leuten gut auszukennen. Ich wusste, wie begrenzt meine Kenntnisse tatsächlich waren, auch wenn ich vielleicht etwas mehr wusste als die meisten anderen. Außerdem ging ich damit nicht gerade hausieren, es war Ásta, die mein Interesse erwähnte. Sie tat das auf eine Art, dass kaum einer merkte, dass sie irgendetwas dagegen einzuwenden hatte. Aber mir war es selbstverständlich klar. Ich wusste, dass sie es einfach nicht ertrug, und so kam es, dass ich, nachdem meine Haiku-Sammlung, die immer auf meinem Nachttisch gelegen hatte, verschwunden war, fast alle Bücher in Kartons packte, genau wie die Filme, die ich mir gekauft hatte, Spielfilme von bekannten Regisseuren wie etwa Kurosawa und Ozu, aber auch Werke von Shohei Imamura und Shindo Kaneto, darunter sein Film *Die Kinder von Hiroshima*. Ich sammelte auch Dokumentarfilme über alles zwischen Himmel und Erde – Reisen, Geschichte, Kochsendungen, über die Vogelwelt, über Buddhismus und Keramikherstellung, um nur einiges zu nennen. Ein paar davon waren auf Japanisch und nicht synchronisiert, und dennoch bereicherte es mich jedes Mal, sie anzusehen.

Einige der Bücher und Filme nahm ich mit ins Torgið und verstaute sie in einem Schrank in meiner Kammer. Ich kaufte mir auch einen kleinen Fernseher mit eingebautem Videoplayer, der auf dem Aktenschrank stand und den ich sehen konnte, wenn ich mich mit dem Schreibtischstuhl andersherum drehte.

Als Ásta starb, holte ich die Kartons aus dem Keller und räumte die Bücher wieder ins Wohnzimmer, dorthin, wo sie vorher gestanden hatten. Nicht sofort, wohlgemerkt, sondern nach und nach. Erst ein Buch, dann das nächste. Vereinzelt einen Film, den ich wieder einmal sehen wollte. Einen Karton nach dem anderen. Ich glaube, ich habe nichts weggeworfen, als ich schließlich unser Haus verkaufte und in die Innenstadt zog.

Jetzt halte ich eins dieser Bücher in Händen. Und zwar *Japanisch für Anfänger*, und obwohl es nicht brandneu ist, leistet es mir gute Dienste während der Taxifahrt vom Flughafen, denn der Fahrer spricht kein Englisch. Er ging sofort darauf ein, als ich einen Versuch startete, und wir sind uns einig darin, dass es nichts gegen das Wetter einzuwenden gibt, selbst wenn die Sonne nicht scheint. Er ist ein liebenswürdiger Mann und lenkt den Wagen mit weißen Handschuhen, und obwohl die Fahrt nicht günstig ist, bedauere ich es nicht, mir diesen Luxus geleistet zu haben. Ich hätte vielleicht auch aus dem komplizierten Zugfahrplan schlau werden können, aber warum eigentlich, vor allem, da ich verständlicherweise von der Flugreise erschöpft bin.

Das Hotel, das ich vorgestern übers Internet gebucht habe, liegt im Zentrum von Tokio und sieht den Bildern auf der Homepage nach ordentlich aus. Ich bekam das Zimmer zu einem guten Preis, denn es sind so wie überall nur wenige Touristen in der Stadt.

Der Taxifahrer bestätigt das. »Gojupasento«, sagt er und hebt die rechte Hand, die Finger nach oben gerichtet. Fünfzig Prozent. Es sei nur halb so viel zu tun wie sonst.

Der Türsteher, der mich begrüßt, als wir das Hotel erreichen, trägt Maske und Gummihandschuhe. Er besprüht meine Gepäckstücke mit Desinfektionsmittel, nachdem er sie aus dem Kofferraum gehoben hat, und wischt sie sorgfältig mit einem Tuch ab, bevor er sie auf seinen Wagen stellt. Am Eingang wird meine Temperatur gemessen, bevor ich zum Tresen an der Rezeption durchgelassen werde.

Die Frau, die mich dort empfängt, überreicht mir zwei eng bedruckte Seiten, auf denen in Englisch erklärt wird, wie sich das Hotel auf die Pandemie eingestellt hat.

»Die Zimmer werden einmal am Tag gereinigt, und nicht zweimal«, erklärt sie, »aber äußerst gründlich, daher dauert es länger.«

Zudem ist die Sauna geschlossen. Im Restaurant gibt es kein Büfett mehr.

»Wir bitten um Entschuldigung«, sagt sie und verneigt sich.

»Kein Problem«, erwidere ich.

Im Zimmer angekommen, schaue ich auf die Uhr. Es ist halb sechs nachmittags. Ich bin es inzwischen so gewohnt, ausrechnen zu müssen, wie spät es bei Miko ist, dass ich automatisch beginne zu rechnen. Dann schrecke ich hoch, als ob mir jetzt erst klar geworden wäre, wie nah ich ihr nun bin. Ich rufe rasch meine Facebook-Seite auf, um nachzusehen, ob sie auf meine Ankündigung, dass ich auf dem Weg zu ihr sei, geantwortet hat. Doch sie hat es noch nicht getan. Das verunsichert mich ein wenig, doch dann sage ich mir, es sei vielleicht ein gutes Zeichen, dass sie nichts dazu gesagt hat, denn ich befürchte zugleich, dass sie gegen meine Reise protestieren könnte. Daran erinnere ich mich, als ich die Beine auf dem Bett ausstrecke und die Augen schließe, wiederhole mir, dass Schweigen das Gleiche sei wie Zustimmung. Ich spüre, wie ich mich beruhige, und gleite unbesorgt hinüber ins Land der Träume.

Ich hätte gedacht, dass ich höchstens eine Stunde schlafen würde, aber es ist dunkel, und ich weiß überhaupt nicht, wo ich bin, als ich endlich wieder zu mir komme.

Es ist zehn Uhr abends. Viertel nach zehn, um genau zu sein. Ich kann Musik hören, weiß jedoch nicht, ob sie vom Flur kommt oder aus meinem Kopf.

Foie gras, Kaviar vom Seehasen, weißer Spargel... Ich versuche, meine Übungen zu machen, die ich mir angewöhnt habe, meine Ausweisnummer rief ich mir als Erstes ins Gedächtnis, und jetzt gehe ich im Kopf die Speisekarte durch. Doch ich gerate ein ums andre Mal ins Stocken, komme bloß auf jede zweite Vorspeise und bin mir nicht einmal sicher, ob es korrekt ist, woran ich mich zu erinnern meine. Es ist der Spargel, der mich so irritiert. Vornehmlich der. Ich bin ganz sicher mit dem Seehasenkaviar, denn ich habe selbst über die Bestellung verhandelt und Bárður genau beobachtet, wie er mit Zitronensaft und Chili experimentierte. Wenn ich die Augen schließe, habe ich seine Kreation noch immer auf der Zunge.

Ich unterbreche meine Wiederholungsübung, schließlich bringt es nichts, mit dem Kopf durch die Wand zu wollen. Es hat ebenso wenig Sinn, aus diesem kleinen Durchhänger ein Problem zu machen, ich bin ganz einfach noch nicht richtig wach. Draußen flimmern die Lichter der Stadt, so viele, wie ich noch nie gesehen habe, unzählige Punkte in jeder Richtung, weiße und rote und blaue und gelbe. Orangefarbene. Lilafarbene. Ich befinde mich in der zwanzigsten Etage. Daran erinnere ich mich, ohne auf dem Schlüssel nachzusehen.

Ich gehe auf Facebook. Miko hat weiterhin nicht geantwortet, und ich halte wacker daran fest, dass das ein gutes Zeichen sei, auch wenn mein Optimismus allmählich etwas ins Wanken gerät. Aber weil ich mich immer noch eingerostet und müde fühle, beschließe ich, die aufkommenden Zweifel von mir zu schieben. Sie verschwinden, sobald ich geduscht habe und nach draußen gehe, dessen bin ich mir sicher.

Doch ich habe eine Nachricht von Gerður. Besser gesagt, drei Nachrichten, alle innerhalb der letzten Stunde geschrieben. Sie hat sich einen sonderbaren Textnachrichtenstil angeeignet, so verknappt, dass ich jedes Mal überlege, wie viel sie wohl von dem weglässt, was sie eigentlich auf dem Herzen hat.

Die erste Nachricht lautet: *Hast du den Geburtstag vergessen?*

Die zweite: *20. März.*

Die dritte: *Tokio?*

Ich weiß sogleich, welchen Geburtstag sie meint, denn sie hat mich in der letzten Woche daran erinnert und erwähnt, dass sich Villi sehr darauf freue.

»Er spart auf ein neues Fahrrad«, erklärte sie.

»Aha?«, fragte ich.

»Es wäre also das Beste, ihm Geld zu schenken.«

Auf den ersten Blick scheint es eine hilfreiche Information zu sein, die mir Zeit und Mühe ersparen soll. Und so würde ich sie sicherlich auch auffassen, wäre da nicht die Tatsache, dass ich jedes Jahr solch einen Anruf erhalte. Die Botschaft enthält stets drei Bestandteile: Vergiss Villis Geburtstag nicht, besorge ein Geschenk für ihn, und zwar genau dies und jenes. Ich bestreite nicht, dass ich hin und wieder einen kleinen Denkanstoß benötige, denn Geburtstagen galt noch nie mein besonderes Interesse, und ich notiere sie mir auch nicht, daher sollte ich Gerður vielleicht sogar dankbar dafür sein, mir einen Stoß zu geben. Aber ich bin es nicht, frei heraus gesagt, obwohl ich den kleinen Villi gernhabe und es mir niemals einfallen würde, ihn um sein Geburtstagsgeschenk zu bringen.

Es ist ihre Art und Weise, die mich stört, die unverhohlene Anspruchshaltung und ihre Dominanz, die schon an Zwanghaftigkeit grenzen. Ich hätte darauf ja vorbereitet sein sollen, doch irgendwie überrascht sie mich jedes Jahr aufs Neue, überrollt mich und lässt meine Reaktion nur auf taube Ohren treffen. Ich meine nicht, dass ich ihr mit deutlichen Worten sagen würde, was ich von ihrer Dreistigkeit halte, doch bitte sehr, sie ist studierte Sozialpädagogin, die anhand kleiner Zeichen erkennen sollte, wie ihrem Gesprächspartner innerlich zumute ist.

Nach der Dusche fühle ich mich erfrischt, und obwohl ich nicht direkt Hunger habe, will ich versuchen, etwas essen zu gehen. Die pulsierende Stadt lockt mich, sie begrüßt mich mit blinkenden Lichtern und quirligem

Treiben, als ich nach draußen auf den Gehsteig trete. Und trotzdem denke ich noch an Gerður, nicht zuletzt nach dem Gespräch mit der jungen Frau an der Rezeption, als ich auf dem Weg zum Ausgang war.

Ich hielt nämlich bei ihr an, um sie nach Restaurants in der Nähe zu fragen. Sie war äußerst hilfsbereit, nutzte aber gleich die Gelegenheit, um mich darauf hinzuweisen, dass ich mein Zimmer morgen schon bis Mittag verlassen müsse und nicht erst um eins, wie es auf ihrer Webseite heißt. Weil es jetzt länger dauere, die Zimmer zu reinigen, sei entschieden worden, von denen, die das Hotel verlassen würden, eine Stunde abzuknapsen, genau wie von jenen, die anreisten, denn diese bekämen erst um drei Zutritt zu ihrem Zimmer.

Es war klar, dass ich diese neue Regelung befolgen musste, gleichwohl gelang es ihr, sie auf so charmante Weise zu vermitteln, dass ich ohne Weiteres den Schluss hätte ziehen können, sie bitte mich um einen Gefallen und es sei ganz allein meine Entscheidung, ob ich ihrer Bitte nachkäme oder nicht. Sie bedankte sich zudem mehrfach für meine Flexibilität und mein Verständnis und lud mich ein, morgen, sobald ich das Zimmer geräumt hätte, im ersten Stock im Stammgästeclub zu Mittag zu essen, auf Kosten des Hotels, Vorspeise sowie Hauptgang. Dann verneigte sie sich, und ich sah an ihren Augen, dass sie hinter der Maske lächelte.

Gerður kann so etwas nicht, und ich bezweifle, dass sie es jemals lernen wird. Wahrscheinlich sollte ich mich von ihrem Verhalten nicht beeinflussen lassen – oder irritieren, wie der Arzt es nennen würde –, doch scheinbar bin ich dazu außerstande, jedenfalls wenn ich einen schlechten Tag habe. Lange Zeit hatte ich über ihre Eigenarten hinweggesehen, und ich nickte nur, wenn Ásta sie verteidigte, so falsch ihre Entschuldigungen manchmal auch klangen. Besonders die mit Gerðurs schwieriger Kindheit, dass Ástas und Friðriks Scheidung sie stark mitgenommen habe und sie um ihren Platz habe kämpfen und sich für das Leben panzern müssen.

In dieser Art äußerte sich Ásta auch die wenigen Male, wenn ich das Thema gemeinsame Kinder anschnitt. Sie hatte Bedenken, wie Gerður darauf reagieren würde, ein Baby könnte alles noch schlimmer machen. Ihre Wortwahl erschien mir unangebracht, aber ich sagte nichts dazu. Wir waren da noch nicht lange verheiratet, aber womöglich spürte sie bereits, dass wir so schon genug miteinander zu tun hatten. Zumindest stelle ich mir das manchmal vor.

Ich werde jetzt aufhören, über Gerður nachzudenken und über ihre Nachrichten, auf die ich bisher zum Glück nicht geantwortet habe. Stattdessen werde ich den Abend in Tokio genießen, auch wenn nicht mehr viel davon übrig ist, und mich auf die morgige Bahnfahrt Richtung Süden vorbereiten.

Von hier aus ist es nicht weit zum Shibuya-Bezirk, wo mir die Dame an der Rezeption zwei Restaurants empfohlen hat, ein Spaziergang von knapp fünfzehn Minuten. Ich sehe die Lichter näher kommen, der Himmel ist hell erleuchtet und wechselt regelmäßig die Farbe, wie auf ein rhythmisches Zeichen. In nördlicher Richtung scheint der Mond, und als ich stehen bleibe und ihn betrachte, fällt mir auf einen Schlag wieder ein, wonach ich, seit ich aus dem Schlaf aufgeschreckt war, vergeblich gesucht habe: alle Vorspeisen auf der Karte des Torgið – Rindertatar, Salat und Muschelsuppe, neben Seehasenrogen, Spargel und Entenleber.

Ich fühle mich merkwürdig erleichtert und lege ein paar Schritte zu, denn mit einem Mal habe ich einen Riesenhunger.

Das Mondlicht fiel schräg durchs Fenster herein und schien auf die Wand neben dem Bett. An der hing nichts außer einem Bildnis von Jesus Christus, etwa zwanzig mal dreißig Zentimeter groß, hoch oben an der Wand angebracht, wie um sicherzugehen, dass nichts die Aussicht des Erlösers trübte.

Sie lag in meinen Armen, setzte sich nun jedoch auf und streckte den Arm vor, sodass er bis hinauf zum Ellenbogen vom Mondlicht beschienen wurde. So hielt sie den Arm eine Weile, bevor sie ihn wieder einzog.

»Es ist kalt«, sagte sie.

»Was?«

»Das Mondlicht«, antwortete sie. »Ich kriege eine Gänsehaut.«

Sie übernachtete nicht oft bei mir, höchstens einmal in der Woche. Stattdessen nutzten wir jede Gelegenheit, die sich bot, um uns tagsüber zu treffen. Sie lebte noch bei ihrem Vater in Hampstead, was ich vorher jedoch nicht gewusst hatte. Im Restaurant sprachen die beiden selten über ihre privaten Angelegenheiten.

»Fühl mal.« Sie streckte erneut den Arm aus.

Ich setzte mich auf, umfasste ihren Arm dort, wo ihr der Mond auf die Haut schien, und glitt dann mit den Fingern aufwärts in den Schatten.

Sie blickte mich an, wartete auf meine Einschätzung.

»Möglich«, sagte ich.

»Mach die Augen zu.«

Ich schloss die Augen.

Sie nahm meinen Zeigefinger und führte ihn zuerst dorthin, wo der Mond auf ihren Arm schien, und dann dorthin, wo er nicht schien. »Jetzt müsstest du es spüren.«

»Ja, hier ist deine Haut viel kälter.«

»Du Dussel, du bist an der falschen Stelle.«

Wir ließen uns wieder auf die Matratze sinken, ich lag auf dem Rücken.

Sie küsste mich, glitt mit der Hand unter die Bettdecke und umfasste mich. »Bin ich auch an der falschen Stelle?«

Ich hatte das Zimmer gemietet, als ich aus dem Wohnheim auszog. Es lag in der oberen Etage eines Hauses in Kensington, das seine besten Jahre hinter sich hatte, aber trotzdem ordentlich war. Es kam mir gelegen, dass das Zimmer möbliert war, und außerdem war die Miete bezahlbar. Die Eigentümerin, Ms Ellis, eine Witwe um die siebzig, wohnte im Erdgeschoss, oben gab es drei Zimmer und ein Bad. In dem Zimmer neben mir wohnte ein Angestellter von Harrods, ein Mann um die vierzig, und am Ende des Flurs, neben dem Badezimmer, eine Frau, die in einer Bibliothek arbeitete. Ich sah die beiden selten, denn zumeist schliefen sie schon, wenn ich vom

Nippon nach Hause kam, und waren schon zur Arbeit aufgebrochen, wenn ich morgens aufstand, außer an den Tagen, wenn ich Takahashi-san beim Frühstück unterstützte, dann war ich aber vor ihnen auf den Beinen.

Ich hatte kaum Gäste gehabt, bis Miko es sich zur Gewohnheit machte, mich zu besuchen. Als ich eingezogen war, hatte Ms Ellis betont, dass sie keinen Lärm und keine Unruhe duldete, uns Mietern sei es indes gestattet, Gäste mitzubringen, und wir dürften sogar das Wohnzimmer nutzen, um sie zu empfangen, wenn sie es nicht gerade selbst benötige. Ms Ellis war sehr gläubig, wie auch das Jesusbildnis in meinem Zimmer erkennen ließ, und zitierte hin und wieder die Heilige Schrift, jedoch nicht im Übermaß. Unten gab es noch mehr Christusbilder, unter anderem in der Diele eines von ihm am Kreuz. Als sie mich einmal freundlich fragte, ob ich mir nicht den Bart stutzen und die Haare kurz schneiden lassen könnte, musste ich mich beherrschen, um sie nicht darauf hinzuweisen, dass die Haarpracht des Erlösers auf den Bildern, die sie aufgehängt hatte, meiner nicht ganz unähnlich sei.

Ich gab mir Mühe, dass Mikos Besuche möglichst wenig auffielen, trotzdem ließ es sich nicht vermeiden, dass Ms Ellis sie gelegentlich bemerkte. Auch wenn sie nicht neugierig war und sich mit Bemerkungen zurückhielt, war es mir in der Stille des Nachmittags etwas unangenehm, dass sie von Miko in meinem Zimmer wusste.

Miko hingegen zeigte sich völlig unbeeindruckt. »Spielt es denn eine Rolle?«, fragte sie. »Geht sie überhaupt mal nach oben?«

Miko kam an meinen freien Tagen nach den Vorlesungen oder nach der Arbeit zu mir. Ansonsten flitzte ich manchmal nach dem Mittagessen nach Hause, um sie zu sehen, allerdings war es in den Semesterferien seltener geworden, denn sie konnte sich nicht so leicht mitten am Tag aus ihrem Job im Labor davonstehlen.

Wenn wir uns gesehen hatten, war es mir jedes Mal unangenehm, Takahashi-san nach meiner Rückkehr zu begegnen. Ich befürchtete, dass er mir ansehen könnte, was ich gerade getrieben hatte, und es fiel mir schwer, ihm in die Augen zu blicken. Ich bildete mir auch ein, dass er Mikos Duft an mir wahrnehmen könnte.

Wenn sie über Nacht bei mir blieb, schlichen wir uns spätabends zusammen ins Haus. Dann schlief Ms Ellis schon, und die anderen Mieter ebenso. Schwieriger war es für Miko, sich am Morgen ungesehen davonzuschleichen, egal, wie unsichtbar sie sich dabei machte.

Ihrem Vater erzählte sie, dass sie bei Elisabeth sei, ihrer Freundin. Dort hatte sie regelmäßig übernachtet, seit sie an der Universität studierte, vor allem, wenn sie bei ihr bis spät in den Abend blieb, etwa nach einem Konzert oder einer Lesung, und nicht mehr nach Hause gehen mochte. Elisabeth kam aus Schottland und war laut Miko verschwiegen, sie studierten zusammen Psychologie. Ich traf sie öfter, bevor Miko und Takahashi-san verschwanden, und fand sie sympathisch. Es lag nicht an ihr, dass Takahashi-san hinter die Wahrheit kam.

»Warum darf Takahashi-san nicht von uns wissen?«

»Warum soll er denn von uns wissen?«

»Ich mag es nicht, ihn zu hintergehen.«

»Ich mag es auch nicht.«

»Ich dachte, er wäre von mir angetan.«

»Er ist von dir angetan. Er hatte auch nichts gegen Naruki.«

»Du bist ein erwachsener Mensch ...«

»Ich weiß, was ich bin.«

»Ich verstehe nicht ...«

Sie wanderte mit der Hand unter die Bettdecke. »Was verstehst du nicht?«

Ich schloss die Lider.

»Mach sie nicht zu«, bat sie. »Sieh mir in die Augen.«

Ich fügte mich. Sie bewegte die Hand auf und ab, in gleichmäßigem Rhythmus. Als ich die Augen unwillkürlich wieder schloss, flüsterte sie mir zu, dass ich sie offen halten solle. Ich hatte das Gefühl, dass sie tief in mich hineinspähte, in jede Ecke und jeden Winkel, jeden Millimeter, als suchte sie nach dem Quell meiner Seligkeit, nicht nur jener dieses Augenblicks, sondern meiner Liebe, als prägte sie sich diese ein, den Weg zu ihr, zu diesem Quell.

Dann lächelte sie ihr halbes Lächeln und setzte sich auf mich, legte mir die Handflächen auf die Brust und begann, sich vor- und zurückzubewegen, mit dem Mondschein im schwarzen Haar.

Waren wir gleichzeitig im Nippon, konnte ich nie wissen, wie sie sich mir gegenüber verhalten würde. Manchmal ignorierte sie mich, manchmal neckte sie mich gutmütig, manchmal lobte sie mich, dann aber trotzdem mit Verwunderung in der Stimme, so als wäre es erstaunlich, dass ich beispielsweise einen Tisch im Gastraum tadellos eindecken oder Ramen-Nudeln kochen konnte, ohne es zu vermasseln.

»Nanu, die sind ja genau so, wie sie sein sollen!«

Ihr Gebaren machte mir nichts aus, ich wusste ja, es ging ihr einzig darum, dass uns niemand durchschaute. Für mich war es schwieriger, mir nichts anmerken zu lassen, und sie warf mir mörderische Blicke zu, wenn sie mich etwa dabei ertappte, wie ich sie anstarrte. Ich tat das nicht absichtlich und machte mir selbst Sorgen, dass ich mich nicht besser beherrschen konnte.

Das Schlimmste war, dass wir Takahashi-san hinters Licht führten. Doch Miko gab nicht nach, und sie reagierte mal schroff, mal traurig, wenn ich darauf zu sprechen kam, und so tat ich es nicht mehr. Sie gab mir keine Erklärungen, und ich hatte so viel Verstand, sie nicht zu bedrängen.

Stattdessen verbog ich mich geradezu, mich Takahashi-san gegenüber mustergültig zu benehmen. Ich hatte mir vorher schon große Mühe gegeben, aber jetzt legte ich mich noch mehr ins Zeug, es ihm recht zu machen und ihm so gut wie möglich die Arbeit zu erleichtern. Nun erst beschäftigte ich mich eingehender mit den Haikus, denn mir war klar, dass er es bedauerte, als Einziger für den Krug zu dichten.

Ich unternahm eine Vielzahl von Versuchen am Schreibtisch in meinem Zimmer, bevor ich es wagte, meine Poesie gewissermaßen öffentlich zu machen. Es war nicht so schwierig, die Silben korrekt auf die Verse zu verteilen, aber umso komplizierter, etwas hinzubekommen, dessen Resultat keine völlig platte Phrase war. Am Ende befolgte ich Takahashi-sans Ratschläge, etwas über einen fest umrissenen Gedanken oder eine Empfindung zu verfassen, eine Begebenheit, die Spuren hinterlassen hatte, selbst wenn sie nur kurz währte. Sich nicht zu übernehmen. Vielmehr eine kleine Kugel zu formen und diese im Geiste der Lesenden wie einen Teig aufgehen zu lassen, wie er es formulierte.

Bei Meeresstille
hör die Wellen ich im Kopf
sich rauschend brechen.

Ich schrieb mein Haiku auf einen Zettel, faltete ihn zusammen und steckte ihn in die Hosentasche, bevor ich am Donnerstag zur Mittagsschicht ging. Den Vers jedoch herzugeben, fiel mir alles andere als leicht, ich zögerte es immer wieder hinaus. Schließlich nahm ich allen Mut zusammen, ließ den Zettel in den Krug fallen, als niemand hinsah, und eilte dann los, um mich mit Miko in einem Café in der Nähe ihrer Universität zu treffen.

Sie sah mir gleich an, dass ich ein wenig angespannt war, und ich erzählte ihr von meinem Haiku.

»Das ändert nichts«, entgegnete sie.

Ich fragte sie, was sie damit meine.

»Er mag dich, du musst dich also nicht bei ihm einschmeicheln.«

»Das Dichten macht mir Spaß«, sagte ich.

Sie lächelte, so wie jemand ein ahnungsloses Kind anlächelt. »Fein«, sagte sie. »Aber es ändert nichts.«

Der Zettel lag noch im Krug, als ich um halb sechs zurückkam. Aber kurze Zeit später bemerkte Hitomi den Zettel und brachte ihn, als hielte sie eine tote Fliege zwischen Daumen und Zeigefinger, in die Küche.

»Takahashi-san, schau mal.«

Er reagierte prompt, legte Messer und Zange ab, griff nach dem Zettel, faltete ihn auseinander, las. Zuerst leise, dann noch einmal laut.

»Hm«, machte er, »hm«, betrachtete weiter den Papierschnipsel in seinen Händen und sah dann auf: »Gut gemacht, Hitomi-san.«

»Das ist nicht von mir«, erwiderte sie.

»Nicht von dir?«

»Na-hein.«

»Bist du dir sicher?«

»Takahashi-san ...«

»Auch nicht von dir, Goto-san?«

Goto-san grinste.

»Von wem dann?«, fragte Takahashi-san und gab sich,

als fiele er aus allen Wolken. »Nicht von dir, Kristófer-san?«

Ich lächelte.

»Kristófer-san«, fragte Hitomi, »bist du ein Poet?«

»Nein«, antwortete ich.

»Wellen im Kopf«, sagte Takahashi-san wie zu sich selbst und setzte seine Vorbereitungen für das Essen fort. »Bei Meeresstille. Möglich, dass sie dann dort rauschen. Die Wellen. In deinem Kopf.«

Ich war zugegebenermaßen ziemlich stolz, dass Takahashi-san befand, mein Haiku sei es wert, sich damit auseinanderzusetzen. Ich hegte keine Illusionen, ich könne ein vielversprechender Dichter sein, so dumm war ich auch wieder nicht. Aber diese Werkelei machte mir Spaß, nicht zuletzt, weil ich das Gefühl hatte, durch die Haikus Takahashi-san näherzukommen, ganz so, als hätten wir eine neue Sprache gefunden, die allein wir beide sprachen, alle anderen konnten ihr nur lauschen. Ich dachte an niemand anderes als an ihn, wenn ich meine Haikus verfasste oder vielmehr formte, nicht an Hitomi, Steve oder Goto-san, nicht einmal an Miko. Nur an Takahashi-san. Ich zeigte ihm, was in meinem Kopf vorging, bat ihn womöglich auf diese Weise um Vergebung, versuchte womöglich, ihn zu beeindrucken, wie Miko behauptete, in der Hoffnung, er werde es sich anders überlegen. Ich tappte im Dunkeln, denn es war mir ein völliges Rätsel, worauf er aus war, mit welchen Vorzügen Mikos Verehrer aufwarten mussten, um seine Billigung zu finden.

»Was ist es?«, fragte ich sie eines Nachmittags in meinem Zimmer, als ich es nicht mehr aushielt. »Was ist es, dass er für dich will? Weißt du es überhaupt?«

Da fing sie an zu weinen. Sie wandte sich von mir ab, setzte sich auf die Bettkante und verbarg das Gesicht in den Händen.

Ich wagte nicht, sie zu berühren. »Miko«, brachte ich nur keuchend hervor.

Sie sagte nichts, zog sich bloß lautlos an und ging.

Ich habe sie nie wieder gefragt.

Ich befinde mich an der berühmten Kreuzung im Zentrum von Shibuya, wo die Fußgängerüberwege in alle Richtungen führen, nach rechts und links, vor und wieder zurück, diagonal über die Straßenkreuzung, über Kreuz, auf allen wimmelt es von Menschen unter dem vielfarbigen Flutlicht der Reklametafeln. Hier herrscht ein pausenloses Summen menschlicher Stimmen, von Gelächter und Rufen, von Musik, die aus Restaurants und aus den Geschäften heranweht, vom Autoverkehr auf den Fahrbahnen. Ich bleibe stehen und nehme von einem jungen Mann in schwarzer Kleidung einen Werbeflyer entgegen, er scheint für den Elektrowarenladen hier nebenan zu arbeiten.

»Good price«, sagt er wiederholt, aber dennoch höflich.

Der Strom trägt mich weiter. Ich hätte dieses Gewühl umgehen können, denn keines der beiden Restaurants, die mir von der jungen Frau vom Hotel empfohlen wurden, liegt hier im Zentrum. Doch mich lockt es, in den Trubel einzutauchen, auch wenn ich ein wenig verwirrt bin und stehen bleiben muss, um mich zu orientieren, denn ich bin unsicher, an welcher Kreuzung ich abbiegen muss.

Zuerst möchte ich es bei dem kleinen Tonkatsu-Lokal versuchen, zu dem es dem Stadtplan zufolge nur sieben Minuten zu Fuß östlich von hier sind. Es wird von einem Ehepaar geführt, erzählte die junge Frau, vor der Küche gibt es einen Tresen, von dem aus man den Köchen zusehen kann, außerdem drei oder vier Tische am Fenster. Es wirkt unspektakulär und liegt in einer ruhigen Seitenstraße, »nothing fancy«, sagte sie.

Als ich endlich die richtige Straße gefunden habe und wieder losgehe, komme ich gut voran. Ich bin nun hellwach nach meinem Abendschläfchen und muss mir nicht länger die Vorspeisen aufsagen, um mir zu beweisen, dass mit meinem Kopf alles in Ordnung ist. Ich habe auch aufgehört, darüber zu grübeln, was ich Gerður antworten sollte, das wird sich schon von allein ergeben.

Das Restaurant ist tatsächlich recht unauffällig. Ich laufe zweimal daran vorbei, bevor schließlich mein Telefon mich auf den Eingang hinweist, eine weiße Markise mit japanischen Schriftzeichen. Ich bin nicht so groß, dass ich mich beim Betreten bücken müsste, und trotzdem ziehe ich den Kopf ein, denn die Eingangstür ist niedrig. Die Frau im Hotel meinte, es sei kein touristischer Ort, und das bestätigt sich sofort, als ich mich im Inneren umsehe. Ich bemerke, dass die Anwesenden große Augen machen, da ich mich zweifelsohne von den anderen Gästen abhebe.

Doch ich werde freundlich begrüßt und erhalte einen Platz am Tresen mit Blick in die Küche. Sicherlich spricht es für mich, dass ich versuche, mich auf Japanisch zu verständigen, und die Mitarbeiterin, die mich begrüßte, wirkt beeindruckt, auch wenn meine Kenntnisse nicht allzu weit reichen.

Als ich Platz genommen habe und die Speisekarte studiere, bietet sie mir ein Glas Sake an, das ich wohl schlecht ablehnen kann, obwohl ich nur selten Alkohol trinke. Es ist schon viele Jahre her, dass ich kaum noch trinke, nicht, weil ich damit nicht hätte umgehen können, sondern um Ásta zu unterstützen, als sie beschloss, sich einmal rundzuerneuern. Das waren ihre Worte, nicht meine; sie war damals der Meinung, dass sie das ein oder andere in ihrem Leben neu bewerten müsse, unter anderem ihren Alkoholkonsum. Sie fing außerdem mit Yoga an, stellte ihre Ernährung um und dachte fortan gründlicher und ausführlicher über das Leben nach. So beschrieb sie es selbst, und wenn sie auch gelegentlich ihre frühere Lebensweise kritisierte, wie es typisch für jemanden ist, der zu neuen Ufern aufbricht, übertrieb sie es damit nicht, sondern konzentrierte sich darauf, es sich besser gehen zu lassen und mit dem Dasein zufrieden zu sein. Sie schwor dem Alkohol ganz und gar ab, und ich tat es aus Solidarität mit ihr ebenfalls und hielt mich auch noch damit zurück, als sie ihre Selbstbeschränkung später wieder lockerte.

Es sind zwei Köche, eindeutig Vater und Sohn. Auch wenn sie sich vielleicht nicht auf den ersten Blick ähneln, ihre Verwandtschaft zeigt sich an ihrer Statur und ihren Bewegungen. Diese sind fast identisch, sie hantieren auf dieselbe Art. Der Vater erscheint ein wenig ernsthafter, aber überaus liebenswürdig, und begrüßt meine Entscheidung, nicht nach der Karte zu ordern, sondern stattdessen dem Ideenreichtum der beiden Köche zu vertrauen.

»Osusume«, sage ich.

Er verneigt sich knapp und gibt zu verstehen, dass er mein Ansinnen entgegengenommen habe.

»Noch einen Sake?«, fragt die Frau, die mich begrüßt hat.

Ich nicke dankend, denn der Sake ist weich und rund, angemessen kühl temperiert und rinnt sanft die Kehle hinab. Der Sohn reicht mir ein Schälchen mit Edamame und kurz darauf eines mit Hiyayakko, kaltem Tofu mit Ingwer und Pflaumen.

»Itadakimasu«, sage ich.

Das Essen schmeckt hervorragend, und ich gebe zu, dass der Alkohol mir wohlig durch die Adern rinnt. Mein Geist ist angenehm leer, er streift nicht herum, sondern ich erlaube mir, mit dem zufrieden zu sein, was mich umgibt, ich genieße den Augenblick, spüre keine Besorgnisse. Dennoch angle ich nach dem Telefon, um nachzusehen, ob Miko mir mittlerweile geantwortet hat. Hat sie nicht, aber mein Blick bleibt an Gerðurs Nachrichten hängen.

Hast du den Geburtstag vergessen?

20. März.

Tokio?

Ich beschließe, ihr zu antworten, und halte es für eine gute Gelegenheit, einen kleinen Scherz zu machen, um zu sehen, wie sie reagiert.

Ja, schreibe ich. Ich bin Gerður neun Stunden voraus, sie ist wahrscheinlich bei der Arbeit. Doch sie antwortet postwendend, und ich muss schmunzeln, wie vorhersehbar ihre Antwort ist, sogar deren Form.

Den Geburtstag oder Tokio?

Sie hat sich genauso wenig wie sonst die Zeit genommen, einen ganzen Satz zu schreiben, zum Beispiel: *Hast du den Geburtstag vergessen, oder bist du in Tokio?* Ihre Ungeduld ist spürbar, sie findet meine Antwort nicht lustig, sondern bestenfalls, dass sie von Gleichgültigkeit oder Geistesabwesenheit zeuge, wahrscheinlich hält sie es aber eher für Apathie oder sogar für eine eingeschränkte Beobachtungsgabe.

Ich muss erst nachdenken, bevor ich antworte, und außerdem ist es unhöflich, das Telefon in der Hand zu haben, wenn das Essen auf dem Tisch steht. Ich stecke es ein und richte meine Aufmerksamkeit auf den Teller, der köstlich aussieht.

Im Übrigen ist es bemerkenswert, dieses Interesse Gerðurs an Geburtstagen, Geburtstagsgeschenken und Geburtstagsfeiern. Zumindest verstehe ich es nicht, da ich mich wie gesagt noch nie für Geburtstage interessiert habe, am allerwenigsten für meine eigenen, ich würde sie am liebsten unbeachtet vorübergehen lassen. Aber über meine Geburtstage macht sie sich nicht groß Gedanken, ihr liegen drei Geburtstage am Herzen, Villis, Axels und ihr eigener. Und nicht nur die runden, sondern alle Geburtstage, wie unbedeutend sie auch immer sein mögen.

Jetzt kann ich über ihre Obsession lächeln, da ich hier sitze, denn ich fühle mich wohl. Ehrlich gesagt war es so jedoch nicht immer, und vielleicht sollte ich auch erklären, warum.

Ginge es um nichts weiter als die Geschenke, die sie schon im Voraus eintreibt, würde ich mich nicht beschweren. Ich bin mir nicht zu fein dafür, ihnen etwas zum Geburtstag zu schenken, und wäre ihr eventuell sogar dankbar dafür, dass sie mich erinnert und mir die Umstände erspart, denn Shoppen ist nicht gerade mein Liebstes. Doch sie lässt es nicht dabei bewenden, sondern hat irgendwann, warum auch immer, beschlossen, es sei normal, dass ich die Kosten ihrer Feierlichkeiten trüge, die sie bei jedem Geburtstag selbstverständlich findet.

Vielleicht habe ich das erst richtig begriffen, nachdem Axel ins Spiel gekommen war. Ich war ihm zwei- oder dreimal begegnet, als sich das zutrug, sie waren wahrscheinlich schon einige Monate miteinander liiert. Da rief sie also kurz vor Mittag im Torgið an und fragte nach mir. Ich hatte alle Hände voll zu tun, ging aber trotzdem ans Telefon, denn sie rief mich sonst nie bei der Arbeit an, es sei denn, es war dringend. Etwa als ihre Mama gestürzt war. Doch ich hörte sofort, dass diesmal nichts dergleichen passiert war.

»Hi, Papa.«

»Hallo, Gerður, meine Liebe.«

»Du, hör mal, der Axel, er hat Geburtstag.«

»Ist das der Bursche, der heute Nacht seine Schuhe mitten im Eingang hat liegen lassen? Ich bin fast darübergefallen. Die sind groß wie Skier.«

Sie entschied sich zu lachen. »Er hat heute Geburtstag.«

Ich wartete gespannt.

»Ich möchte ihm so gern einen schönen Tag bereiten. Wir sind nur zu sechst.«

»Wie bitte?«

»Ich möchte ihn so gern überraschen. Er denkt, wir gehen ins Kino oder so was.«

Sie war zweiundzwanzig, als sich das zutrug. Sie war kein Kleinkind mehr, sondern hatte mehrere Semester studiert und sprach ständig davon, dass sie sich Sorgen um die Zukunft der Menschheit mache.

»Axel hat Geburtstag?«

»Ja, heute. Heute hat auch Mozart Geburtstag, und Lewis Carroll. Nick Mason, der Schlagzeuger von Pink Floyd, hat auch heute Geburtstag. Axel fährt total auf Pink Floyd ab, aber er wusste nicht mal, dass sie am selben Tag Geburtstag haben.«

Ich weiß nicht mehr, was ich erwiderte. Ich weiß nur noch, dass sie fragte, ob Tisch zwölf frei wäre. Sie hatte zwei Sommer lang im Torgið gearbeitet und kannte sich aus.

Ich weiß aber noch, dass sie um acht eintrafen. Ich erinnere mich, dass sie eine Flasche Weißwein und eine Flasche Rotwein bestellten, nicht die teuersten, aber auch nicht die günstigsten. Ich erinnere mich daran, dass alle eine Vorspeise, ein Hauptgericht und ein Dessert nahmen. Ich erinnere mich daran, dass Gerður so tat, als wäre sie die Gastgeberin.

Ich weiß auch noch, dass ich nie eine Bemerkung fallen ließ und das Ganze dann Jahr für Jahr geduldig ertrug.

Deshalb muss ich wohl mir selbst die Schuld daran geben, dass Gerður aus allen Wolken fiel, als ich irgendwann nicht mehr an mich halten konnte. Es war viele Jahre später und ihr eigener einunddreißigster oder zweiunddreißigster Geburtstag, und das Vorspiel gestaltete sich nicht anders als das, woran ich mich mittlerweile gewöhnt hatte.

Allerdings war ich in keiner guten Verfassung und entgegnete daher, als sie mir ankündigte, sie werde mit Axel und sechs Gästen erscheinen: »Findest du nicht, dass es langsam mal reicht?«

Sie war bass erstaunt, und möglicherweise erläuterte ich es zu ausführlich, zählte zu viele Beispiele ihres anmaßenden und dreisten Verhaltens in der Vergangenheit auf, obwohl ich mich selbstverständlich hütete, diese Worte zu gebrauchen.

Doch sie reagierte eingeschnappt und erwiderte, dass sie mir vielleicht dankbar sein sollte, weil ich endlich ehrlich zu ihr sei, so in etwa, und nun komme wenigstens heraus, was ich für sie empfände.

»Jetzt weiß ich es endlich«, sagte sie und legte auf.

Heute Abend kann ich mir dieses Gespräch ins Gedächtnis rufen, ohne dass mich die Erinnerung aus der Bahn wirft oder ich mir wieder einmal Vorwürfe mache, weil ich es nicht einfach weiterhin auf sich hatte beruhen lassen. Ich kann sogar darüber lächeln, dass sie es war, die am Ende als das Opfer aus dieser Geschichte hervorging, und nicht ich.

Ich stimme einem weiteren Sake zu und nehme die Stäbchen auf, als der Sohn mir einen Teller mit duftendem Tonkatsu über den Tresen schiebt.

Wir hatten uns so sehr daran gewöhnt, unseren Kollegen etwas vorzumachen, dass es uns schwerfiel, uns anders zu verhalten, wenn wir mit anderen Leuten zusammen waren. Ich hatte meinen Freunden nichts von Miko erzählt, und sie hatte es nur ihrer Freundin Elisabeth gesagt. Wir vermieden es selbst dann, einander zu berühren, wenn niemand, den wir kannten, es hätte sehen können, etwa wenn wir in ein Café oder eine Galerie gingen, am Fluss entlangschlenderten oder einen der Parks aufsuchten, uns auf einer Bank in einer wenig befahrenen Straße niederließen oder die Menschenmenge in einer viel besuchten Einkaufsstraße beobachteten. Wir wagten es kaum, im Kino Händchen zu halten, wenn das Licht ausgeschaltet wurde, suchten uns stets Plätze im hinteren Teil des Saales, wo wir wenig auffielen. Wir redeten darüber nicht, es geschah von allein, dass wir uns stillschweigend wie Verbrecher auf der Flucht vor dem Gesetz benahmen.

Sie kam mit diesem Versteckspiel besser zurecht. Und ich riskierte es nicht, das Thema anzusprechen, aus Angst, dass sie sich vielleicht zurückziehen, mir aus dem

Weg gehen, unserer jungen Beziehung ein Ende setzen könnte. Also sagte ich mir lieber, dass ich glücklicher war als jemals zuvor, so glücklich, wie ich es niemals für möglich gehalten hätte, und dass ich damit zufrieden sein sollte.

Und trotzdem sehnte ich mich danach, spontan sein zu können, den Arm beim Spazierengehen um sie zu legen, ihr zu sagen, wie sehr ich sie liebte, sie zu küssen, und sei es nur auf die Stirn, über ihre Hand in meiner zu streichen. Doch der Schatten Takahashi-sans folgte uns, wohin wir auch gingen, und lediglich hinter der geschlossenen Tür meines Zimmers in Kensington schienen wir ihn abzuschütteln.

Mehr als einmal hatte mich der Gedanke beschlichen, dass wir vielleicht aus der Stadt herauskommen mussten, um uns von diesen Einschränkungen zu befreien. Am besten an einen Ort, wo uns niemand kannte, wo wir noch nie gewesen waren und wahrscheinlich auch nie wieder hinkämen. Vielleicht könnten wir irgendwann an solch einen Ort ziehen, dachte ich, wir beide, und dort unser Leben verbringen.

Es war Miko, die das Bluesfestival in Bath erwähnte. Elisabeth hatte vor, dort hinzufahren, und Miko ihr Zimmer für die Zeit angeboten. Ich hatte noch nie etwas von dem Festival gehört, besorgte mir nun jedoch Informationen darüber und schlug Miko schließlich vor, gemeinsam hinzufahren. Die Gelegenheit war günstig, denn Takahashi-san musste das Nippon für ein paar Tage schließen, weil einige Renovierungsarbeiten erforderlich waren, die er auf die lange Bank geschoben hatte, nicht zuletzt in der Gästetoilette.

Ich fuhr am Freitagmorgen los, Miko und Elisabeth kamen am Nachmittag zusammen hinterher. Ich hatte in der Altstadt ein Zimmer in einem Bed and Breakfast gebucht und begab mich vom Bahnhof aus schnurstracks dorthin. Es war ein hübsches Haus mit fünf Zimmern und wurde von einem freundlichen Ehepaar geführt. Von unserem Zimmer aus konnte man in den Garten gehen, und ein hoher Baum in der Mitte der Wiese spendete dem Haus in den Morgenstunden Schatten. Nachdem ich mich eingerichtet hatte, zog ich die Strümpfe aus und ging barfuß durch das Gras. Ich blieb im warmen Sonnenschein stehen, die Grashalme unter den nackten Sohlen, lauschte dem Gesang der Vögel und dem Echo meiner Worte, als ich den Wirtsleuten erzählte: »Meine Freundin kommt heute mit einem späteren Zug.«

Ich staunte über die Freiheit, die in diesen Worten lag. Sie kamen mir mühelos über die Lippen, so als hätte ich sie schon oft ausgesprochen und nichts zu verbergen. Und die beiden lächelten, denn die Vorfreude glühte in meiner Stimme, eine Freude so hell wie der Sonnenschein in ihrem Garten.

Sie kamen kurz vor fünf Uhr an. Ich holte sie am Bahnhof ab, und Miko und ich umarmten uns auf dem Bahnsteig, als täten wir das immer. Vor dem Bahnhof verabschiedeten wir Elisabeth, die sich mit Freunden treffen wollte, die in der Stadt lebten.

Am Abend gingen wir essen. Das Wetter war mild, wir saßen draußen auf dem Gehweg. Danach schlenderten wir durch die Stadt, Händchen haltend, sie die Stadtführerin, die sich vor ihrer Fahrt nach Bath belesen hatte. Es war schön, die Kirchen und Brücken, alten Häuser und Türme, die römischen Bäder, Parks und Plätze anzuschauen, und dennoch verblasste all das im Vergleich dazu, dass ich sie in meiner Nähe wusste.

An jenem Abend schlief sie in meinen Armen ein. Ich lag wach und lauschte ihren Atemzügen. Am Morgen beobachtete ich den Schatten des Baumes auf der Fensterscheibe, bevor ich mich genötigt sah, sie anzustupsen.

Wir nahmen im Garten ein spätes Frühstück zu uns. Noch immer schien die Sonne. Als es an der Zeit war, zum Konzert aufzubrechen, wäre ich am liebsten hiergeblieben. Das Festival begann mittags und sollte bis in den Abend dauern. Es fand in einem großen Park im Zentrum von Bath statt, unweit des Avon. Doch wir machten uns rechtzeitig auf den Weg, womöglich ein bisschen aus Pflichtgefühl, aber auch mit der Vorfreude darauf im Bauch, inmitten der vielen Menschen frei sein zu können.

Auf dem Konzert traten zahlreiche berühmte Bands auf – ich erinnere mich etwa an Fleetwood Mac, John Mayall's Bluesbreakers, Chicken Shack und Led Zeppelin. Ich will erwähnen, dass ich noch nie von der Band Chicken Shack gehört hatte und auch danach nicht mehr viel, aber den Namen vergaß man nicht so leicht.

Das Wetter spielte mit, erst gegen Nachmittag verirrten sich ein paar Wolken über die Stadt und brachten einen kleinen Wolkenbruch. Mikos Haar wurde tropfnass, und während es trocknete, bekam es einen violetten Schimmer.

Zum Abend hin ging ich in die Innenstadt, kaufte Brot und Käse und Obst zum Essen für uns. Wir hatten am äußeren Rand der Wiese neben einer Baumgruppe eine Decke ausgebreitet, ein wenig abseits der Bühne, und dort wartete Miko auf mich, während ich die Einkäufe tätigte. Ringsum waren fröhliche Menschen, und jemand nannte uns John und Yoko. So arglos und gutmütig, dass wir einfach lachten.

Ich erinnere mich, dass sie aufstand und mich umarmte, als ich zurückkam, einen Blick in die Tüte warf und meinte: »Oh, wie herrlich!«, so als hätte ich etwas dieser Art schon häufig gemacht und würde es zukünftig wiederholen. Zum Laden bummeln und uns etwas zum Essen holen.

Am Abend liebten wir uns. Es war anders als bisher. Es stürzten keine Mauern zwischen uns ein oder so, es war eher, als zerteilte sich ein hauchdünner Vorhang. Wir wurden eins. Nichts trennte uns. Ich verschwand in ihr und sie in mir.

In jener Nacht erzählte sie mir von ihrer Mutter. Ich hatte sie nicht nach ihr gefragt, es kam mir nicht in den Sinn, etwas anzuschneiden, was sie traurig machen könnte. Wir hatten uns geliebt und lagen still im dunklen Zimmer, sie fuhr mir mit den Fingern durchs Haar.

Und da sagte sie wie in der Fortsetzung von etwas, worüber wir zuvor schon gesprochen hätten, leise, aber nicht zögerlich: »Sie lebten in Kure. Aber Mama war an dem Tag zu Besuch bei ihren Eltern in Hiroshima. Hiroshima ist ungefähr eine Stunde von Kure entfernt. Sie war im sechsten Monat schwanger. Sie hatte erst seit Kurzem die Morgenübelkeit überwunden. Sie war dreiundzwanzig, Papa zehn Jahre älter. Er war Lehrer. Das wusstest du nicht?«

»Nein«, sagte ich.

»Er unterrichtete an einer Grundschule. Doch es waren Sommerferien. Papa reparierte gerade mit ein paar Kollegen das Dach der Schule, als die Bombe fiel. Niemand wusste, was passiert war, einige dachten, es hätte eine Explosion im Gaswerk gegeben. Später am Tag machte sich Papa mit anderen Leuten gemeinsam auf den Weg nach Hiroshima. Unterwegs trafen sie auf mehrere Pferde, die an der Straße standen. Sie sahen aus wie immer, nur dass ihre Leiber so aufgetrieben waren, dass sie auf dem Boden schleiften.

Ich weiß nicht, wie er es schaffen konnte, zum Haus von Großvater und Großmutter zu gelangen. Er sagt, er kann sich nicht daran erinnern. Nur an die versengte Erde, den glühenden Himmel und den schwarzen Regen. Und an den Fluss voller Leichen.

Mama hatte schwere Verbrennungen. Er brachte sie auf einen der Hügel nahe der Stadt und versorgte sie dort. Es gab keine Sanitäter. Sie waren tot, so wie die anderen. Wer überlebt hatte, suchte nach seinen Angehörigen. Mama umklammerte den Arm meiner Großmutter, als Papa sie fand.

Sie brachte mich einen Monat zu früh zur Welt. Ein Jahr später ist sie gestorben.«

Miko verstummte.

Ich wusste, dass sie nicht weitersprechen würde, sie hatte alles gesagt, was sie sagen wollte. Womöglich alles, was sie wusste.

Doch dann, und sie senkte die Stimme noch mehr, fügte sie hinzu: »Auf jeden Fall bin und bleibe ich eine Hibakusha.«

Einen Atemzug später war sie eingeschlafen.

Ich aber lag wach und wurde von demselben Zorn gepackt, den ich in der Bibliothek empfunden hatte, von

Zorn und Ohnmacht. Ich hielt sie, so fest ich konnte, ohne sie aufzuwecken.

Als sie am Morgen erwachte, lächelte sie und gab mir einen Kuss. Sie stand auf und öffnete die Tür zum Garten, streckte sich, begrüßte den neuen Tag und sagte etwas über den Sonnenschein. Es war, als hätte es ihre Schilderung einige Stunden zuvor nie gegeben.

Der Zug saust Richtung Süden. Es ist drei Uhr. Ich sitze am Fenster und blicke auf vorbeischießende Gebäude und Berge, Brücken und Flüsse, Baukräne und Lagerhäuser. Die Stadt verschwindet, es folgen gelbe Felder, Wälder in der Ferne. Dann eine andere Stadt, Vororte, weitere Kräne. Der Hochgeschwindigkeitszug Shinkansen fährt so rasend schnell, dass die Reise nur vier Stunden dauert – oder genauer, nur zweihundertdreiunddreißig Minuten, wie es in der Broschüre heißt, die ich vor meiner Abreise im Hotel erhielt. Darin steht ebenfalls, dass die Strecke achthundertvierundneunzig Komma zwei Kilometer beträgt. Japanische Eisenbahner sind exakt, und so fuhr der Zug auf die Minute pünktlich, und es scheint mir unwahrscheinlich, dass er eine Minute zu spät oder zu früh am Ziel eintreffen wird. Das wird um vier Minuten nach sechs sein.

Ich habe immer noch nichts von Miko gehört, und ich rede mir immer noch ein, dass ich mir deshalb keine Sorgen machen müsse. Ich fühle mich ein wenig dumpf im Kopf nach dem gestrigen Abend, bin aber selbst schuld, da ich Alkohol nicht gewohnt bin, hätte ich vorsichtiger mit dem Sake sein sollen. Doch ich bereue nichts, denn es ist lange her, dass ich mal einen draufgemacht habe, wenn ich es so ausdrücken darf. Nicht, dass ich es übertrieben hätte mit der Feierei, aber ich tobte mich ein bisschen aus und erinnerte mich sogar an meine Gesangsstimme, die dereinst gar nicht einmal so schlecht klang, auch wenn ich das jetzt selbst behaupte. Früher war ich auch im Chor, dort habe ich Ásta kennengelernt, aber das ist eine andere Geschichte.

Ich werde nicht Kutaragi-san aus Osaka die Schuld geben, doch wahrscheinlich wäre ich bedeutend eher ins Hotel zurückgegangen, wenn er nicht aufgetaucht wäre. Ich war noch beim Essen, als er hereinkam und sich neben mich setzte, mit einer Armlänge Abstand selbstverständlich, und seine Maske abnahm. Er war in meinem Alter, gut gekleidet, in grauem Anzug und mit weißem Hemd, dessen Kragen er aufgeknöpft hatte. Mir fiel gleich auf, dass er zu einem Gespräch aufgelegt war, und er schien die Mitarbeiter zu kennen und bei ihnen beliebt zu sein. Es stellte sich auch heraus, dass er hier Stammgast war, kam regelmäßig in die Stadt, um seinen Sohn und dessen Familie zu besuchen. Er war Witwer und im Ruhestand. Bald wandte er sich mir zu und stellte sich vor, in gutem Englisch, ich vermutete, dass er die Sprache gern gebrauchte und versuchte, seine Kenntnisse aufrechtzuerhalten.

Wir hatten uns noch nicht lange miteinander unterhalten, als ich dahinterkam, dass er gegen Ende der Sechzigerjahre in London bei Mitsubishi gearbeitet hatte. In der Tat hatte er sein ganzes Berufsleben lang bei dem Unternehmen verbracht, wie es hierzulande üblich ist.

Begonnen hatte er als *Salaryman*, wie sie einfache Büroangestellte nennen, und sich mit der Zeit hochgearbeitet, wurde ins Ausland entsandt, Abteilungsleiter, zuerst über eine kleine Abteilung, dann über eine größere, als Nächstes Direktor, schließlich stellvertretender Geschäftsführer. In London bestand seine erste Tätigkeit darin, europäischen Schifffahrtsgesellschaften Öl zu verkaufen, wenn ihre Handelsschiffe in japanischen Häfen tanken mussten, dann aber hatte er zum Stahlimport gewechselt. Er beschrieb ihn in allen Einzelheiten, die Anzahl von Tonnen, die Mitsubishi britischen Firmen verkaufte, die Transformatoren produzierten, und dass er überaus stolz war, als sich der Import in einem Jahr auf entweder sechs- oder siebentausend Tonnen belief, ich weiß es nicht mehr genau.

»1971«, berichtete er, »unter meiner Leitung. Vierzig Prozent Marktanteil.«

Seine Aufzählung war nicht ermüdend, wie man hätte meinen können, und er zog sie auch nicht in die Länge. Sicherlich lebte er ein wenig in der Vergangenheit, und ihm schienen seine Jahre im Ausland noch immer zu fehlen, die Jahre in London und Paris und Amsterdam, bevor ihn seine Firma nach Amerika versetzte, wo er ein Jahrzehnt lang blieb. Doch es waren überwiegend seine Londoner Jahre, über die wir uns unterhielten, immerhin sprang er beinahe vom Stuhl, als ich ihm erzählte, dass ich selbst in jenen Jahren in London gelebt hatte.

Wie auch immer, ich beschloss, ihm lediglich von meinem Studium zu erzählen, und erwähnte weder meinen Job im Nippon noch in dem anderen Restaurant, in dem ich danach für einige Monate gearbeitet hatte. Zugegeben, ich spielte mein Studium etwas herunter und erzählte ihm auch nicht, dass ich das Interesse daran verloren und an der Universität aufgehört hatte, die er zu Recht als »hochkarätig und sehr anerkannt« bezeichnete. Ich beantwortete einfach seine Frage, was ich studiert hätte, wahrheitsgemäß, und so sprachen wir ein wenig über Wirtschaftswissenschaften, denn die hatte sein Sohn auch studiert.

»Er macht sich«, berichtete er. »Stellvertretender Geschäftsführer für interne Kommunikation bei Matsushita. Genießt das wachsende Vertrauen der Firma in seine Fähigkeiten.«

Ich ergriff die Gelegenheit, ihn genauer nach seinem Sohn zu fragen, und so gelang es mir, das Gespräch von mir und meiner Zeit in London abzulenken.

Kutaragi-san war Gourmand und hatte eine besondere Vorliebe für Sake. Er war ein Kenner dieses Getränks und wollte korrigieren, was er ein weitverbreitetes Missverständnis nannte, obwohl ich gar nichts Kritisches gesagt hatte. Doch ihm war sehr daran gelegen, mich aufzuklären, und er meinte, am besten lasse sich das realisieren, indem wir einige Sorten probierten, sie miteinander verglichen und die Unterschiede zwischen ihnen diskutierten. Obwohl ich inzwischen nicht mehr alles wiederholen könnte, was er mir erzählt hat, stellte ich fest, dass er wirklich recht hatte, wenn er von Unterschieden wie Tag und Nacht sprach und dergleichen mehr. Manch ein Sake war ein wenig säuerlich, andere süß, einige so seidenweich, dass mein Glas geleert war, ehe ich mich's versah. Immer wieder erkundigte er sich bei Vater und Sohn nach deren Meinung, und sie bekräftigten ohne

Ausnahme alles, was er vorzubringen hatte, gaben zu verstehen, dass sie mitnichten meinten, er trage zu dick auf, und überdies stießen sie mit uns an, als wir die letzten verbliebenen Gäste am Tresen waren.

Es ist nicht verwunderlich, dass ich ein wenig benebelt war, und genauso wenig erstaunlich, dass ich im Laufe des Abends offenherziger wurde. Daher antwortete ich ihm aufrichtig, als er mich fragte, was mich nach Japan führe – nach Hiroshima, genauer gesagt, denn ich hatte ihm erzählt, dass meine Reise dorthin ging.

»Ich besuche eine Freundin«, sagte ich.

»Ist sie Japanerin?«

»Ja«, erwiderte ich und fügte hinzu: »Ich habe sie damals in London kennengelernt.«

»In London?«

Ich nickte.

»Hat sie auch an der LSE studiert?«

»Nein«, antwortete ich, »sie arbeitete in einem Restaurant.«

»Tatsächlich?«, fragte er verwundert.

»Ja«, sagte ich. »Im Nippon.«

»Im Nippon? Sagen Sie bloß.«

Vermutlich lag es am Sake, dass sich mein Herzschlag nicht beschleunigte oder verlangsamte und dass ich ihn in beiläufigem Ton fragen konnte, ob er irgendwann einmal dort gegessen habe.

»Sie hatten schon zugemacht, als ich in die Stadt kam«, erwiderte er daraufhin. »Neunundsechzig, kurz vor Weihnachten. Aber ich habe viel darüber gehört. Ich weiß noch, dass Nobukazu-san dies Restaurant vermisste.«

Das war alles. Er wiederholte mehrfach, wie klein doch diese Welt sei, wie es Leute häufig tun, wenn ihnen irgendwelche Zufälle bemerkenswert erscheinen, und ich widersprach ihm nicht.

Wir waren beide mehr als angeheitert, als wir endlich aufstanden und zahlten. Kutaragi-san bestand darauf, den Sake zu übernehmen, den er mir gezeigt hatte, und trotz meines Widerstandes ließ er nichts anderes gelten. Also schuldete ich ihm etwas und konnte es ihm nicht abschlagen, als er mich draußen fragte, ob ich nicht vor dem Schlafengehen noch einen Schlummertrunk mit ihm nehmen wolle, es sei nicht weit zu Fuß, eine seiner Lieblingsbars, sie habe eine lange Tradition.

Die Bar war winzig und wirkte unscheinbar, es gab nur ein paar Tische, der Eingang lag in einer wenig befahrenen, engen Straße. Kutaragi-san wurde freudig von dem Inhaber begrüßt, einem Mann in mittleren Jahren, der uns japanischen Whisky anbot, der nach Honig und Zedern duftete. Wir tranken gemächlich, und Kutaragi-san hob erneut an, von seinem Sohn zu erzählen, so als meinte er, er sei ihm vorher, während wir aßen, nicht ganz gerecht geworden. Es stellte sich heraus, dass er sich Sorgen um ihn machte, und er vertraute mir diese an. Er wollte sogar meinen Rat hören, leider jedoch konnte ich ihm nicht weiterhelfen, denn ich verfüge in internationalen Handelsbeziehungen nicht über dieselben Erfahrungen wie er.

Kutaragi-san befürchtete, dass sein Sohn nicht genug Ehrgeiz zeigte, dass er es in der Firma schon hätte weiter gebracht haben müssen und dass er unbedingt versuchen müsse, sich aus seiner Abteilung weiterbefördern zu lassen. Er habe ihm eingeschärft, dass er Gefahr laufe, von Kürzungen betroffen zu werden, falls harte Zeiten anbrächen, und ihm geraten, um eine Versetzung zu bitten, am besten in eines der Tochterunternehmen, wo das Geschäft brumme. Sein Sohn sei allerdings auf diesem Ohr taub, er höre den Ratschlägen seines Vaters höflich zu, lächele ihn jedoch nur an und gebe ihm zu verstehen, dass er in der Vergangenheit lebe und sich die Zeiten geändert hätten.

»Er wird bald vierzig und redet wie ein Kind«, sagte Kutaragi-san, »darüber, wie wichtig es ist, die Mitarbeiter auf dem Laufenden zu halten, ihnen Mut zu machen, ihnen gegenüber aufrichtig zu sein.« Er seufzte. »Wenn es hart auf hart kommt, wird die einzige Aufrichtigkeit, die er zu erwarten hat, die sein, dass er nicht mehr gebraucht wird.«

Offensichtlich sprach Kutaragi-san aus Erfahrung, aber ich konnte trotzdem nicht dahinterkommen, an wessen Seite des Tisches er gesessen hatte. Und ich fragte nicht nach, zumal er das Gespräch auf Gerður lenkte.

»Und Ihre Tochter?«, fragte er. »Ist sie ehrgeizig?«

»Und ob«, antwortete ich schmunzelnd.

»Prima«, sagte er.

»Ich weiß nicht«, erwiderte ich.

»Nanu?«

Ich erzählte ihm von ihren SMS-Nachrichten, ihren Geburtstagsfeiern, ihrer Dreistigkeit. Es gelang mir hoffentlich, einen unbekümmerten Ton anzuschlagen, und dennoch wurde er etwas nachdenklich.

»Was werden Sie ihr antworten?«

»Wie bitte?«

»Was wollen Sie darauf antworten, ob Sie sich in Tokio befinden oder den Geburtstag vergessen haben? Sie müssen es schließlich noch tun.«

»Später«, sagte ich, und als ich bemerkte, dass Kutaragi-san etwas überrascht wirkte, fügte ich hinzu: »Es fällt mir nicht schwer, ihr zu sagen, dass ich hier in Tokio bin, aber ich verspüre keine große Lust zuzugeben, dass ich den Geburtstag ihres Sohnes komplett vergessen hatte.«

Kutaragi-san klopfte mir auf den Rücken. »Das kann ich gut verstehen«, sagte er. »Mir bereitet es auch kein Vergnügen, wenn Akira mir signalisiert, dass ich ständig gegen alle möglichen Geister aus der Vergangenheit ankämpfe, um die sich außer mir niemand schert. Das ist nicht witzig.«

Wir nippten an unserem Whisky, schwiegen, gestatteten dem Gesagten, sich im Kopf zu setzen.

Doch dann gab Kutaragi-san sich einen Ruck, klopfte mir abermals auf den Rücken und sagte ermutigend: »Es tut immer gut zu singen, wenn man eine kleine Aufmunterung braucht.«

Er stand auf, wechselte ein paar Worte mit dem Wirt, der sich kurz verneigte, eine Tür im hinteren Teil der Bar öffnete und das Licht in einem kleinen Raum einschaltete. Darin standen vier Stühle und auf einem Tisch an der Wand ein altes Fernsehgerät. Der Wirt ließ uns allein und schloss die Tür hinter sich.

Kutaragi-san schaltete den Fernseher ein.

»Karaoke«, sagte er. »Nicht die neueste Technik, aber hier herrschen Ruhe und Frieden. Erinnern Sie sich an *Sukiyaki*?«

Ich hatte das Lied seit Jahrzehnten nicht mehr gehört,

es fiel mir aber blitzartig wieder ein. Es war Anfang der Sechzigerjahre ein Welthit, der erste japanische Song, der im Westen Furore machte.

Kutaragi-san zog sein Jackett aus und legte es beiseite, er reckte sich nach dem Mikrofon und setzte sich damit auf einen Stuhl vor dem Fernsehbildschirm.

Bereits mit den ersten Liedzeilen vermochte er es, Sehnsucht und Wehmut zu entfachen.

Ich verfolgte den Text, der auf Japanisch und Englisch über den Bildschirm lief.

»*Ich schaue nach oben auf meinem Weg, damit die Tränen nicht rinnnen, ich denke an die vergangenen Tage des Frühlings, heute Abend jedoch bin ich allein ...*«

Augenscheinlich hatte Kutaragi-san unzählige Male schon *Sukiyaki* gesungen. Er blickte nicht auf den Bildschirm, sondern sang mit geschlossenen Lidern, wiegte den Kopf langsam hin und her, es war, wie auf einen Baum in einer sanften Brise zu blicken.

»*Ich schaue nach oben auf meinem Weg und zähle die Sterne mit tränennassen Augen ... Das Glück liegt jenseits der Wolken ...*«

Als die letzten Töne verklangen, saß er reglos da, rührte sich erst, nachdem wir einen Moment lang der Stille und dem Widerhall des Liedes in unserem Geiste gelauscht hatten.

Er räusperte sich zweimal. »*Sukiyaki.* Von Kyu Sakamoto«, sagte er und übergab mir das Mikrofon. »Was möchten Sie singen?«

Ich hatte nicht geplant, ein Lied anzustimmen, nahm jedoch trotzdem das Mikrofon an und stöberte durch die Songliste auf dem Bildschirm.

»*Yesterday*«, sagte ich zögernd, wiederholte es dann jedoch noch einmal zur Bekräftigung. »Ja, *Yesterday.*«

Ich hatte schon lange nicht mehr gesungen, und zuerst glaubte ich, diese Stimme, die nun erklang, nicht mehr wiederzuerkennen. Ich fühlte mich, als hörte ich eine andere Person über *yesterday* singen, diese war älter als ich, älter und erschöpfter.

Ich war noch nicht bei der Hälfte des Songs angekommen, als ich spürte, dass mir Tränen in den Augen standen. Ich versuchte, sie wegzuwischen, aber es nützte nicht viel, und so gab ich es auf und ließ sie einfach laufen.

Sie störten nicht beim Singen, und ich brachte den Song anständig zu Ende, wenn man Kutaragi-sans Reaktion Glauben schenken konnte, der von seinem Platz aufstand, sich verneigte und abermals räusperte und mit der Stimme eines Radioansagers verkündete: »*Yesterday.* Die Beatles.«

Weitere Lieder sangen wir nicht, und bald darauf standen wir draußen auf der Straße, umarmten uns zum Abschied und schlugen dabei sämtliche Bedenken wegen irgendwelcher Viren und Epidemien in den Wind, dankbar dafür, einander gefunden zu haben, als wir einen Freund brauchten, die Augenwinkel feucht, jeder mit seinen Geistern aus der Vergangenheit im Schlepptau.

Miko und ich fuhren am späten Sonntagnachmittag mit dem Zug zurück. Er war voller junger Leute, die wie wir auf dem Festival gewesen waren, und ein paar von ihnen hingen in Gedanken immer noch der Musik nach, zumindest das Paar hinter uns, die beiden spielten fast die ganze Fahrt über Gitarre und sangen dazu. Wir hatten den Tag in der Stadt verbracht, waren durch die Straßen und Parks geschlendert, hatten auf einer Bank am Fluss Mittag gegessen, uns unweit davon in die Sonne gelegt. Sie hatte kein weiteres Wort über ihre Mutter verloren, und ich war so klug, nicht weiter nachzufragen. Aber ich hatte mir das Wort *Hibakusha* eingeprägt und notierte es mir schließlich unauffällig, um es nicht zu vergessen.

Der Zug war noch nicht ganz im Bahnhof Paddington zum Stehen gekommen, als ich eine Veränderung an ihr wahrnahm. Sie entzog mir die Hand, die ich gehalten hatte, sie griff zwar der Form halber in ihren Leinenbeutel, den sie als Tasche nutzte, so als suchte sie etwas, behielt die Hand danach jedoch im Schoß, bis wir aufstanden. Ich wagte es nicht mehr, den Arm um sie zu legen oder mich genauso zu verhalten wie das Wochenende über in Bath, sondern ich hielt mich zurück. Wir verabschiedeten uns zwar mit einem Kuss, aber das war in einer kleinen Ecke im Bahnhof, wo uns niemand sah, und es war ein flüchtiger Kuss.

Die Renovierungsarbeiten im Nippon wurden am Dienstag abgeschlossen. Am Montag legte ich mit Hand an, malerte die Toilette, half dem Tischler und dem Rohrleger, putzte alles, als sie fertig waren. Ich ging auch in die Bibliothek, schlug den Begriff *Hibakusha* nach und las die Artikel, die ich darüber fand. Es waren jedoch weniger, als ich mir erhofft hatte.

Ich wusste nun, dass jene Menschen so genannt wurden, die die Angriffe auf Hiroshima und Nagasaki überlebt hatten. Einer der Artikel enthielt ein Interview mit einer Frau und einem Mann, die bei dem ersten Angriff schwere Verbrennungen davongetragen hatten sowie radioaktiv verstrahlt worden waren, aber überlebt hatten. Fotos vom Rücken der Frau und von den Beinen des Mannes waren abgebildet, von verheilten Wunden, Narben und Entstellungen. Es fiel mir schwer, sie zu betrachten und ebenso die begleitenden Schilderungen zu lesen, obwohl sie zurückhaltend formuliert waren. Ihre Gesichter waren nicht zu erkennen, und ihre Namen wurden nicht genannt. Eine Erklärung dafür wurde nicht gegeben. Ich fand sie später heraus.

Miko sah ich erst am Donnerstagmittag wieder. Wir hatten uns bei mir verabredet, und ich raste nach der Mittagsschicht nach Hause. Ich war vor ihr da und wartete auf sie unten an der Ecke, wo wir uns immer trafen. Sie kam kurz darauf, und wir eilten zu mir hinauf.

Wir zogen die Vorhänge zu, schlüpften aus den Kleidern und krochen ins Bett. Ich war mit meinen Gedanken bei unseren Nächten in Bath, ich wollte sie wieder aufleben lassen und hätte sie doch besser in meiner Erinnerung friedlich leben lassen. Ich wusste es, aber ich hatte mich nicht im Griff und wiederholte einige der Worte, die zwischen uns gefallen waren, als wir eng umschlungen in dem Fremdenzimmer gelegen hatten, die Tür zum Garten hin geöffnet, durch die der Schein des Halbmondes hereinfiel.

Sie aber sagte nichts, stimmte nicht mit ein, legte mir einen Finger auf die Lippen und setzte sich auf mich.

Es war, als ginge es ihr darum, die Oberhand zu behalten.

Mir war es noch nie unangenehm gewesen, und ich fügte mich ihrem Wunsch. Doch sie brauchte lange, um zu kommen, und ich hatte meine liebe Not, mich zurückzuhalten, und musste sie bitten aufzuhören. Ich kam nicht umhin zu vermuten, dass sie darauf aus gewesen war, denn sie verspottete mich, während sie still auf mir saß, verspottete mich und begann dann, sich wieder langsam und rhythmisch zu bewegen.

»Kommst du nicht klar damit?«

Ich will nicht behaupten, sie habe versucht, mich zu erniedrigen. So war es nie, ihre Worte erregten mich eher noch mehr, sodass ich sie bald erneut bitten musste innezuhalten. Da lächelte sie, beugte sich vor und küsste mich, bat mich, die Augen zu öffnen, und blickte schweigend hinein, mit Spuren des Lächelns noch auf den Lippen, begann sodann erneut, obwohl ich einer längeren Pause bedurft hätte.

Ich musste wieder zur Arbeit und sie ins Labor, sie zog sich jedoch eiliger wieder an, als es nötig gewesen wäre, und wartete dann ungeduldig an der Tür, dass ich fertig wurde. Ich hatte beschlossen, mit ihr über das zu reden, was ich in der Bibliothek gelesen hatte, und bat sie, einen Moment zu warten, als sie schon die Türklinke in der Hand hatte.

»Was ist?«, fragte sie.

»Was meintest du mit *auf jeden Fall?*«, hatte ich vorgehabt zu fragen.

»*Auf jeden Fall?*«, hatte ich mir vorgestellt, würde sie zurückfragen.

»Als du sagtest: *Auf jeden Fall bin und bleibe ich eine Hibakusha …*«

Ich hatte es mir immer wieder durch den Kopf gehen lassen und es für die richtige Herangehensweise gehalten. Jetzt aber, da ich sie dort an der Tür stehen sah, wie sie die Klinke umfasste und es so eilig zu haben schien loszukommen, traute ich mich nicht mehr. »Nichts«, sagte ich stattdessen, nahm meine Schlüssel und folgte ihr die Treppe hinunter und hinaus auf die Straße.

Im Nachhinein war ich mir sicher, dass sie meine Gedanken gelesen hatte. Sie wusste, dass ich über das, was sie mir von ihrer Mutter berichtet hatte, noch einmal reden wollte, und ich war mir sicher, dass sie sich deshalb, schon seit wir uns vorn an der Ecke neben dem Friseurgeschäft getroffen hatten, so distanziert verhalten hatte. Darum hatte sie bei mir im Zimmer die Oberhand behalten wollen, darum hatte sie die Tür zu ihrem Herzen und ihrem Kopf nicht mal einen winzigen Spalt weit geöffnet. Darum hatte sie es so eilig zu gehen.

Mich plagten oft Gewissensbisse, wenn ich ins Nippon zurückkam, nachdem ich mit Miko bei mir gewesen war, doch selten waren sie so heftig wie an diesem Nachmittag. Ich konnte Takahashi-san kaum in die Augen sehen und versuchte, mich möglichst unsichtbar zu machen.

Er hingegen war bester Laune, denn er war mit der Renovierung höchst zufrieden und freute sich noch mehr, nicht länger geschlossen haben zu müssen. Was es noch schwerer machte, ihm ins Gesicht zu blicken.

»Was ist mit dir los?«, flüsterte Hitomi mir zu.

Ich zuckte zusammen.

»Hast du nicht mitbekommen, dass ein neuer Zettel im Krug liegt?«

Nein, das hatte ich nicht. Genauso wenig wie alles andere rings um mich. Doch nun ging ich nach vorn, griff in den Krug und las:

Ein Wiesenbächlein?
Nein, bloß der Strahl des neuen
Wasserhahns im Bad!

Er hatte nur darauf gewartet, dass ich im Krug nachsah, und verfolgte nun aus dem Augenwinkel, wie ich las.

Ich bekam ein Lächeln zustande und eine Bemerkung über das Gedicht, um ihm eine Freude zu machen, allerdings nur mit Müh und Not. Er schien es nicht zu bemerken, sondern scherzte, dass hier wohl wieder Hitomi zugange gewesen sei, wir müssten uns vor ihr in Acht nehmen.

»Harte Konkurrenz«, sagte er. »Wie willst du darauf antworten, Kristófer-san? Du bist dran.«

Das war der Augenblick, als das Haiku, das ich niemandem zeigen konnte, in meinem Kopf aufglühte. Ich musste nichts dafür tun, es entstand mit einem Mal und besteht seitdem unverändert.

Sterne blinken. Doch
an meinem Himmel strahlen
nur deine Augen.

Ich schrieb es mir nicht auf, habe es nie getan. Aber ich sage es mir jeden Morgen in Gedanken auf, so wie meine Ausweis- und Kontonummer, die Speisekarte und die Namen der isländischen Präsidenten.

In meiner Jackentasche finde ich einen Zettel von gestern Abend. Ich wundere mich kurz darüber, aber dann fällt mir alles wieder ein. Es war Kutaragi-san, der sich vom Sohn in dem Restaurant ein Stück Papier geben ließ, mir darauf etwas über Sake notierte, weil ich es mir nicht gut merken konnte, und es mir in die Tasche steckte. *Futsu-shu, Tokutei Meisho-shu,* hat er geschrieben, jedes Wort betont mittels doppelter Unterstreichung. Ich weiß noch, dass er sagte, aller Sake werde danach klassifiziert, entweder als Futsu-shu oder als Tokutei Meisho-shu, aber mir fiel beim besten Willen nicht mehr ein, welche Klasse die erlesenere war. Er hatte es auch nicht auf den Zettel geschrieben, meinte wohl, ich würde es bestimmt nicht vergessen.

Wir haben nur noch eine Stunde Fahrt vor uns. Das kostenlose Mittagessen im Hotel hatte ich nicht mehr in Anspruch genommen, weil ich noch keinen Hunger hatte, und mir stattdessen am Bahnhof in Tokio vor der Abfahrt eine Bento-Box gekauft und unterwegs immer wieder daraus gegessen. Es ist eine einfache, aber gute Mahlzeit, Reis, Tempura-Garnelen, eingelegtes Gemüse, Nudeln.

Ich war auch mehrmals eingenickt, schrak unter anderem gerade eben bei dem Gedanken auf, dass ich Gerður noch antworten muss.

Gestern Abend hatte ich es nicht absichtlich verschoben, ich war lediglich zu müde gewesen, als ich endlich wieder im Hotel ankam. Da ging es auf zwei Uhr zu, ich hatte mich unterwegs ein wenig verlaufen und musste nach dem Weg fragen, weil ich mit der Wegbeschreibung im Handy nicht klarkam. Obwohl es so spät war, wollte ich mich doch bei der jungen Frau an der Rezeption für die gute Restaurant-Empfehlung bedanken, und ging, nachdem am Eingang meine Temperatur gemessen worden war, geradewegs zum Empfang, doch sie war schon nach Hause gegangen, und der junge Mann, der sie abgelöst hatte, versprach, ihr meinen Dankesgruß zu übermitteln.

Reisfelder, leicht abfallende Hügel in der Ferne, ein kleiner See, Dörfer am Fuße der Berge. Ich schalte das Handy ein, um Gerður zu antworten. Unumwunden schreibe ich ihr, dass ich auf dem Weg nach Hiroshima sei und Villis Geburtstag vergessen hätte. Und dabei belasse ich es, verliere keine weiteren Worte über mein Versehen, entschuldige mich nicht, bitte sie aber, Villi und Axel zu grüßen.

Reisfelder fliegen vorüber, schreibe ich. *Der Himmel ist bedeckt, und für den Abend ist Starkregen vorhergesagt. In Tokio sah ich die Kirschen blühen.*

Genau heute vor sieben Jahren starb Ásta. Mir kommt der Gedanke, das in meiner Nachricht an Gerður zu erwähnen, ihrem Vorwurf zuvorzukommen, dass ich auch das vergessen hätte. Doch ich lasse es bleiben, diese Sorge scheint mir etwas übertrieben, und ich will ihr trotz aller Unbeherrschtheit nicht unterstellen, dass sie so weit gehen würde.

Ásta starb nach langer Krankheit. Mich befällt immer noch die gleiche Traurigkeit, wenn ich daran denke, und erinnere mich lieber an die Zeit, als wir uns kennenlernten, denn damals war sie so lustig und lebensfroh, auf jeder Party der Mittelpunkt, nicht zuletzt in unserem Chor.

Sie war schon einige Jahre dabei, als ich mich dem Chor anschloss. Ich ließ mich auf die Initiative meines Freundes Daníel hin dazu verleiten, das war seine Art, mich »unter Leute zu bringen«, wie er es nannte. Daníel hatte eine schöne Stimme, ein lyrischer Bariton, und er beherrschte die hohen ebenso wie die tiefen Lagen. Er hatte kurz nach der Eröffnung angefangen, im Torgið zu arbeiten und kannte meine Sangeskünste nur daher, dass ich bei meinen Lieblingsliedern im Radio gern mitsang.

Ich war damals über vierzig und begann endlich, darüber nachzudenken, zur Ruhe zu kommen, wie es so schön heißt. Die Chormitglieder nahmen mich herzlich auf, Männer wie Frauen, und ich spürte bald, dass ich mich dort wohlfühlte.

Ásta fiel mir gleich am ersten Abend auf. Sie war überaus attraktiv, spielte sich aber nicht in den Vordergrund. Ihr Charme lag vielmehr in einem herzlichen Wesen und einer Ungezwungenheit, die beim Singen zutage trat. Ich fand heraus, dass sie geschieden war und eine kleine Tochter hatte, mit einer anderen Frau gemeinsam eine Boutique auf dem Laugavegur betrieb, eine versierte Schneiderin war, in der Bragagata wohnte und fünf Jahre jünger war als ich.

Ich begann, mich darauf zu freuen, sie bei den Chorproben zu sehen. Es war seltsam, dieses Gefühl wieder zu verspüren, und am Anfang wusste ich kaum, was mit mir los war. Vor den Proben legte ich Rasierwasser auf, zog ein sauberes Hemd an, putzte meine Schuhe. Nach der Probe gingen wir einen Kaffee trinken. Ich führte sie zum Essen aus. Wir spazierten um den Stadtteich, verbrachten die Nacht zusammen bei ihr. Drei Monate später zog sie aus der Wohnung in der Bragagata aus und bei mir ein.

Es dauerte nicht lange, bis ich anfing, mich zu fragen, ob ich nicht einen schweren Fehler begangen hatte. Ich erinnere mich, dass es zum ersten Mal an einem Sonnabendmorgen im Mai geschah, wir waren in der Küche, Ásta sprach über Friðrik, ihren Ex-Mann, Gerður hätte das Wochenende bei ihm verbringen sollen, doch wie so oft war ihm etwas dazwischengekommen. Ich hörte zu und nickte hin und wieder – wie schade, wir könnten nicht ins Theater, wie schade –, schenkte ihr Kaffee ein. Das Radio lief, eine Schlagersendung und zwischen den Titeln Gespräche, die zum einen Ohr hinein- und zum anderen wieder hinausflossen und sich weitgehend mit Ástas Klagen und dem im Wind klappernden Fenster vermischten. Doch da zuckte ich plötzlich zusammen, im Radio kam das nächste Lied und verdrängte alle anderen Geräusche. Ich hörte kein Wort mehr von dem, was Ásta gerade erzählte, und noch weniger den Sturm draußen – *Julia* von den Beatles, Lennons Song.

Ich stand wie versteinert da, die Kaffeetasse in der Hand, und fing mich erst wieder, als Ásta, offenbar nicht zum ersten Mal, laut rief: »Kristófer, Kristófer, ist alles in Ordnung mit dir?« Da kam ich endlich zu mir und schaute sie an, als sähe ich sie zum ersten Mal, als wäre sie unvermittelt draußen von der Straße hereingekommen und in meine Wohnung eingedrungen.

Da begriff ich es. Da begriff ich, dass mir ein schrecklicher Fehler unterlaufen war.

Es war ausschließlich meine Schuld, nicht ihre. Sie hatte Besseres verdient, einen Mann, der sie bedingungslos liebte und ihre Anwesenheit genoss, niemals Zweifel hegte, sich nachts im Schlaf darauf freute, morgens an ihrer Seite aufzuwachen, der nicht von einer anderen Frau träumte. Sie hatte jede Menge Verehrer gehabt, nachdem sie und Friðrik sich hatten scheiden lassen, allein im Chor noch zwei weitere. Aber sie wählte mich, das war ihr Verhängnis.

Ich habe es versucht. Ich habe alles versucht. Doch es genügte nicht. Sie wusste, dass irgendetwas nicht stimmte, sie spürte, was fehlte, ich konnte es nicht verbergen. Wir lebten seit wenigen Monaten zusammen, als sie mich eines Morgens, als wir aus dem Haus gingen, fragte, ob ich »es« bereute. Ich erinnere mich nicht mehr an den Anlass, vielleicht gab es gar keinen, und sie lachte verhalten in dem Versuch, ihre Frage herunterzuspielen. Ich wusste ganz genau, was sie meinte, und fand, dass sie es nicht verdiene, wenn ich vorgäbe, ich wüsste es nicht. »Nein, wie kommst du denn darauf?«, hörte ich mich sagen und merkte, wie hohl und falsch meine Worte klangen.

Ich hätte ihr aufrichtig antworten sollen, anstatt, gepeinigt von Schuldgefühlen, eine Woche später um ihre Hand anzuhalten.

Wir heirateten im Herbst. Sie kümmerte sich um die Vorbereitungen. Auf der Feier waren über hundert Gäste, und Ásta sah so hübsch aus, dass ich beinahe in Tränen ausbrach, weil mir klar war, was ich ihr antat.

»Und so frage ich dich, Kristófer Hannesson, ist es dein aufrichtiger Wille, mit der hier anwesenden Ásta Bjarnadóttir den Bund der Ehe einzugehen und damit ihr Leben zu zerstören?«

So klangen die Worte des Pfarrers im Reykjavíker Dom in meinen Ohren. Er blickte mir in die Augen, genau wie Ásta, und ich antwortete laut und deutlich mit Ja, sobald er seinen Satz beendet hatte, denn ich wollte nicht, dass irgendjemand mitbekäme, wie mir innerlich zumute war.

Gelächter hallte durch die Kirche, denn den Anwesenden gefiel meine eifrige Antwort, und Daníel bemerkte hinterher: »Du hattest es offenbar sehr eilig, deine Ásta zu heiraten.«

Sieben Jahre ist es her, dass sie starb, und es vergeht kein Tag, an dem ich sie nicht darum bitte, mir zu vergeben.

Reisfelder fliegen vorüber .... In Tokio sah ich die Kirschen blühen.

Ich sende die Nachricht an Gerður ab, stecke das Handy in die Tasche und schließe die Augen. Wir haben nur noch eine gute halbe Stunde Fahrt vor uns. Vielleicht gelingt es mir, mich ein wenig zu vergessen.

Ich hatte Jói Steinsson wochenlang nicht gesehen. Ich hätte gedacht, er sei wegen eines Sommerjobs in Island gewesen, denn das Semester endete im Mai, und die Wohnheime leerten sich dann. Im Sommer davor hatte Jói im isländischen Amt für Statistik gearbeitet und uns mit Geschichten von seinen Kollegen unterhalten, als die Uni im September wieder begann. Sich endlos über sie lustig gemacht, über ihre völlige Unfähigkeit gelästert, sie nachgeäfft, wie sie die Inflationsrate errechneten und jedes Mal genauso verblüfft waren, wenn sie herausfanden, dass sie ein weiteres Mal alle Rekorde gesprengt hatte. »Nein, so was!«, machte er sie nach und kratzte sich am Kopf. »Zweiundvierzig Komma drei Prozent. Wir müssen etwas unternehmen ...« Und dann fügte er hinzu: »Auf dem Fischkutter warst du besser dran, Kristófer«, obwohl er sehr genau wusste, dass ich mich gern beim Statistikamt oder anderswo beworben hätte, wo ich meine Kenntnisse hätte anwenden und Erfahrungen sammeln können. Ich war nur zur See gefahren, weil ich das Geld brauchte.

Die Hochschule vermisste ich nicht, und ich hatte gar

nicht mehr an Jói Steinsson gedacht. Kurz nach meinem Studienabbruch hatte mir einer unserer gemeinsamen Bekannten bei einem Glas Bier anvertraut, dass Jói sich über mich lustig gemacht habe, aber ich ließ mich davon nicht irritieren. Wenn ich mich recht entsinne, soll er etwas gesagt haben wie, das Einzige, was unsere Studentenrevolte gebracht habe, sei, dass ich als Tellerwäscher geendet sei; lang lebe der Sozialismus, und noch mehr in dem Stil.

Eines Freitagabends im Juli erschrak ich allerdings, als Miko in die Küche kam und sagte, dass draußen Gäste seien, die behaupteten, mich zu kennen. »Isländer«, sagte sie, »und sie fragen nach dir.«

Es war kurz nach sieben, und in der Küche gab es reichlich zu tun, daher bat ich Miko, ihnen auszurichten, dass ich bei ihnen am Tisch vorbeischauen würde, sobald es gehe. Ich konnte trotzdem kurz in den Gastraum spähen und erblickte dort Jói und Marteinn Hauksson, einen meiner Mitschüler aus dem Gymnasium, der wohl zu Besuch war, denn meines Wissens studierte er an der Universität von Island. Jói und er waren alte Freunde, wie ich mich erinnerte, und zusammen im Laugarnes-Viertel aufgewachsen.

Ich bestreite nicht, dass es mich verunsicherte, sie zu treffen. Vor allem Marteinn, denn er hatte stets zu mir aufgesehen und mich oft um Hilfe gebeten, wenn er in den naturwissenschaftlichen Fächern nicht weiterwusste. Ich hatte genauso wenig Lust, mit Jói zu reden, weil mir klar war, dass er nicht wegen seines Interesses an der japanischen Küche hergekommen war, sondern einzig, um erzählen zu können, dass er mich mit eigenen

Augen beim Geschirrspülen gesehen habe, und um mich und den Sozialismus verspotten zu können. »Wenn alle als Tellerwäscher enden, oder in der Putzkolonne, dann sind alle gleich«, hörte ich ihn förmlich sagen. »Kristófer hat es begriffen.«

Deshalb hatte ich es nicht eilig. Eine Viertelstunde verging, eine halbe Stunde verging. Miko bemerkte, dass ich mir Zeit ließ, und zog die Augenbrauen zusammen, sagte jedoch nichts. Ich zuckte mit den Schultern, versuchte, ihr zu vermitteln, dass ich einfach keine Lust hätte, mit den beiden zu reden, mit dem Kopf woanders sei, mir keinerlei Gedanken machte. Doch irgendwann konnte ich es nicht länger aufschieben, also legte ich das Geschirrtuch beiseite und hängte meine Schürze an einen Haken. Im letzten Augenblick machte ich vor der Küchentür kehrt, ich band die Schürze wieder um, griff das Geschirrtuch und steckte es hinter das Taillenband.

Jói sah mich kommen, Marteinn saß mit dem Rücken zu mir. Aber er sah es Jói an, dass ich auf dem Weg zu ihnen war, denn er blickte unvermittelt über die Schulter und grinste ziemlich belämmert.

Wir begrüßten uns. Ich versuchte, selbstbewusst aufzutreten, entschied mich, derjenige zu sein, der die Fragen stellte. Ich fragte Marteinn, wie es komme, dass er in der Stadt sei. Er erzählte, dass er im Urlaub sei und als Nächstes nach Paris wolle. Ich fragte ihn, ob er noch Geschichte studiere. Er erzählte, dass er nach einem Jahr aufgehört und mit Jura begonnen habe.

»Und du?«, fragte ich Jói. »Ich dachte, du wärst nach Hause gefahren.«

Jói erzählte, er habe einen Sommerjob an der Fakultät und ein Forschungsstipendium erhalten.

»Für wen arbeitest du?«, fragte ich ihn.

Er nannte den Namen des Professors, ein Schwede, der ihm früher auf die Nerven gegangen und mit dem er während des Seminars mehr als einmal in einen Konflikt geraten war, wofür er von anderen Studierenden aber durchaus bewundert wurde.

Ich sah ihn fragend an. »Engström?«

»Ja«, sagte er.

»Gratuliere«, erwiderte ich.

Er bemühte sich, nonchalant zu wirken, und ich sagte nichts weiter dazu. Dennoch spürte Marteinn etwas und sah uns abwechselnd an, doch keiner von uns beiden fügte dem etwas hinzu.

»Und du arbeitest hier?«, fragte Marteinn.

»Ja«, erwiderte ich.

»Wie gefällt es dir?«

»Sehr gut.«

»Machst Pause von den Wirtschaftswissenschaften ...«

»Pause? Nein, ich hab aufgehört.«

Marteinn tat verwundert, aber er sah zu Jói, der ihn bestimmt vorgewarnt hatte.

»Ach?«

»Ja«, sagte ich.

»Und warum?«

»Ich habe begriffen, dass ich es nicht mit Jói aufnehmen kann«, entgegnete ich.

Sie lachten beide, aber eher verlegen.

»Es ist nicht für alle Platz im Statistikamt«, setzte ich unnötigerweise hinzu.

Jói zuckte zusammen. »Das war ja bloß im letzten Sommer«, sagte er.

Miko kam an den Tisch und räumte die Teller ab. Sie hätte damit warten können, aber ich glaube, sie war ein wenig neugierig. Die beiden bestellten ein Dessert. Miko entfernte sich wieder.

»Jói meint, du hast angefangen, auch zu kochen.«

»Ja, Bill hat erzählt, dass er einmal zum Frühstücken hier war«, erklärte Jói.

»Nein, ich spüle nur das Geschirr«, erwiderte ich.

»Was? Bill meinte, dass ...«

»Er hat das bestimmt missverstanden«, sagte ich.

Miko brachte die Desserts.

Ich nutzte die Gelegenheit und verabschiedete mich. »Der Abwasch wartet auf mich«, erklärte ich. »Eure Teller. Lasst euch den Nachtisch schmecken.«

Ich war geschafft, als ich in die Küche kam. Lehnte mich gegen das Spülbecken, drehte das kalte Wasser auf und benetzte mein Gesicht. Als ich mich aufrichtete, sah ich, dass Miko hinter mir stand. Takahashi-san und Steve suchten etwas in der Vorratskammer, ich hörte das Murmeln ihrer Stimmen. Sie blickte sich um und kam zu mir, nahm meine Hand und drückte sie kurz.

Ich sah Jói danach nur noch selten. Und ich vergaß seinen und Marteinns Besuch im Nippon wieder, letztendlich war er kaum der Rede wert gewesen.

Umso erstaunter war ich, dass Jói sich daran erinnerte, als wir uns letztes Jahr in der Tryggvagata über den Weg liefen. Da wusste ich, dass er schwer krank war.

»Ich habe dich immer dafür bewundert, dass du dir deinen Traum erfüllt hast«, sagte er.

Ich sah ihn verdutzt an.

»Marteinn und ich mussten neulich daran denken, wie wir dich in dem japanischen Restaurant besucht haben«, erzählte er. »Wir sprachen darüber, dass du alles hinter dir gelassen hast, um dich dem widmen zu können, wofür du brennst. Dafür braucht man Mumm.«

Er war ausgezehrt, und seine Stimme klang schwach.

Seine Worte hätten mich sicherlich zufrieden stimmen sollen, doch sie bereiteten mir Unbehagen. Nie hätte ich gedacht, dass ich Jói Steinsson einmal bedauern würde, nie hätte ich gedacht, dass er einmal an irgendetwas zweifeln würde, schon gar nicht an sich selbst.

»Du und Marteinn habt es doch gut getroffen?«, fragte ich, um von mir abzulenken.

»Ja, wir haben es gut getroffen«, antwortete Jói. »Wir können uns alle nicht beklagen.«

Dem stimmte ich zu, sowohl bei unserer Begegnung in der Tryggvagata als auch bei seiner Beerdigung neulich, als der Pfarrer von Volumen- und Preisindizes, von Ertragswertverfahren und volkswirtschaftlichen Gesamtrechnungen sprach, von Verlässlichkeit, der Familie, dem Reihenhaus in Fossvogur. Wir können uns nicht beklagen, sagte ich daraufhin zu mir selbst. Keiner von uns.

Doch zugleich beschlich mich ein unbestimmter Zweifel, den ich nicht fortzuscheuchen vermochte, wie sehr ich mich auch anstrengte. Nicht, während der Pfarrer sprach und der Chor sang, nicht hinterher, als ich nach Hause ging und die Lichtreflexe auf dem Stadtteich betrachtete, nicht, als ich abends im Bett lag. Ich bekam ihn nicht zu fassen, diesen Zweifel, und das war vielleicht das Schlimmste, denn es ist unmöglich, auf jene Gedanken zu reagieren, die sich noch nicht in Worten manifestiert haben, man kann sie nicht niederdiskutieren, übertönen oder zurückweisen, sie sind wie ein unsichtbarer Feind. Ich wusste nicht, ob der Zweifel Jói oder mir galt, oder womöglich uns beiden, unserem Schicksal oder unserer Lebensgeschichte, die mit einem Mal so ungeheuer kurz erschien, wenn ich mir meinen Ritt auf seinem Rücken an den Trafalgar Square in Erinnerung rufe.

Dann aber erholte ich mich zum Glück wieder, und als ich am nächsten Tag erwachte, machte ich mir bewusst, dass ich mich jedes Mal nach einer Beerdigung eines meiner Weggefährten ziemlich eigentümlich fühle.

Mein Chefkellner Gunnar hat die Quarantäne gesund überstanden und mir dabei geholfen, hier eine Wohnung zu finden. Er ist routiniert in der Nutzung dieser Internetseite, er und sein Mann Svanur haben sie wohl häufig für ihre Reisen im In- und Ausland genutzt und verstehen es, gute von mäßigen Angeboten zu unterscheiden. Er fragte mich, wo in der Stadt ich am liebsten wohnen würde, hatte im Nu einen Stadtplan von Hiroshima auf den Bildschirm gerufen und eine Vielzahl von Wohnungen in der Gegend gefunden, die ich genannt hatte, einige nur wenige Gehminuten vom Friedenspark entfernt, andere in unmittelbarer Nähe der Burg. Ich bat ihn, die Suche einzugrenzen, denn ich wolle gern nahe am Fluss sein und in fußläufiger Entfernung von Miko wohnen, wenn möglich gern in einem ruhigen Viertel, teilte ich ihm mit. Ich fürchtete schon, zu anspruchsvoll gewesen zu sein, aber Gunnar zeigte mir drei Wohnungen, von denen er meinte, dass sie die genannten Bedingungen erfüllten, er zeigte mir auch zahlreiche Fotos von jeder Wohnung sowie eine detaillierte Beschreibung. Sie machten alle drei einen guten Eindruck, ich konnte mich einfach nicht entscheiden, also bat ich Gunnar, für mich eine Wahl zu treffen. Er nahm diese Aufgabe sehr ernst, sah sie sich alle noch einmal an und zählte alle Vor- und Nachteile auf, bevor er sein Urteil fällte.

Er bezahlte mit meiner Kreditkarte, machte mit meinem Handy ein Foto von meinem Reisepass und schickte es dem Eigentümer, so wie es offenbar gesetzlich vorgeschrieben ist.

Nun, da ich die Fotos von der Webseite mit den tatsächlichen Gegebenheiten vergleiche, stelle ich fest, dass der Eigentümer die Wohnung wahrheitsgemäß und richtig beschrieben hat. Sie ist hell und sauber, die Einrichtung schlicht und geschmackvoll, die Waschmaschine steht wie beschrieben im Badezimmer. Der Balkon geht vom Wohnzimmer ab, mit Blick über den Fluss. Internetzugang. Handtücher im Schrank.

Auf der Webseite gab es Fotos von Kissen auf der Couch im Wohnzimmer, von einem Wasserkocher in der Küche und Porzellangeschirr auf dem Esstisch, von einer Packung Kaffee, auf der *Café de Coffee* stand, einem Mikrowellengerät, einer Topfpflanze auf dem Couchtisch – Detailaufnahmen, von denen der Eigentümer der Wohnung augenscheinlich wollte, dass man sie beachtete. All die Dinge befinden sich an ihrem Platz, und wenn ich sie so betrachte, habe ich plötzlich den Eindruck, dass ich schon einmal hier war und mich hier auskenne, beinahe so, als wäre ich nach Hause gekommen. Denn das ist das Gefühl, das ich habe: nicht, dass ich mich in einem fremden Land befinde und nicht weiß, wo oben und wo unten ist, die Sprache nicht kann, die Gepflogenheiten nicht verstehe, sondern dass ich nach Hause gekommen bin.

Ich brauche nicht lange, um den Koffer auszupacken, die sauberen Sachen in den Schrank zu legen und die getragenen in die Waschmaschine zu stecken, die ich aber erst später anstellen werde. Ich habe keine Eile, fülle den Wasserkocher, stecke ihn ein, öffne die Balkontür. Ein warmer Windhauch weht in die Wohnung und trägt die Stimmen der Menschen unten auf der Straße zu mir herein, gedämpfte Motorengeräusche und das Klappern eines Karrens, den zwei Männer auf dem Gehweg hinter sich herziehen. Ich wickle den Teebecher aus dem Geschirrhandtuch und der Polsterfolie und atme auf, als ich feststelle, dass er unterwegs keinen Schaden genommen hat. Er macht sich gut neben dem Wasserkocher, und es wäre keinesfalls abwegig, ihn sich auf einem der Fotos von der Webseite vorzustellen.

Von hier aus sind es weniger als zehn Minuten zu Fuß bis zu dem Haus, in dem sie wohnt. Den Fluss hinunter, ein kleines Stück eine Einbahnstraße entlang, dann nach links auf einen kleinen Platz. Dort befindet sich ihr Wohnhaus, fünf Geschosse, nicht unähnlich dem Haus, in dem ich wohne, dem Foto nach, das Gunnar mir auf dem Bildschirm zeigte. Es war bereits zu spät, ihm zu sagen, dass er sich nicht bemühen solle, so flink war er auf der Tastatur.

»Hier wohnen deine Freunde«, sagte er.

Ich setzte die Brille auf und betrachtete das Gebäude.

Es sah nicht besonders beeindruckend aus, eine weiß gestrichene Fassade, mittelgroße Fenster und Balkone. Die Aufnahme war um die Mittagszeit entstanden, die Sonne stand hoch am Himmel.

»Weißt du die Etage?«, fragte er.

»Erste« antwortete ich.

Er zoomte die Aufnahme von dem Haus heran und zeigte auf den Bildschirm. »Es ist eine dieser beiden Wohnungen, auf jeder Etage scheint es zwei zu geben.«

Keine zehn Minuten. Und doch zögere ich, trete auf den Balkon und blicke auf den Fluss, so als müsste ich mir einen Überblick verschaffen, bevor ich mich auf den Weg mache. Ich gieße heißes Wasser in den Becher, tauche den Teebeutel ein, angele nach dem Telefon. Sie hat mir immer noch nicht geantwortet, also scrolle ich ein weiteres Mal durch unsere Konversation, lese abermals, was sie mir geschrieben hat, wie um mich zu versichern, dass mir nichts entgangen ist.

Ich wohne in einem Wohnblock. Er ist nicht groß. Eine Freundin bringt mir Essen und stellt es vor die Tür. Wir sprechen auch durch das Fenster miteinander.

Sie ist nicht oft auf Facebook und hat dort keine Fotos gepostet oder viel von sich erzählt. Mir ist der Gedanke gekommen, dass es für sie neu sein könnte, Facebook, aber ich kann es nicht mit Sicherheit sagen. Vor einigen Jahren hatte ich die Idee, sie auf Facebook zu suchen, fand sie jedoch nicht. Miko Nakamura, so heißt sie jetzt. Nicht Takahashi, sondern Nakamura.

Es ist mir auch in den Sinn gekommen, sie zu bitten, mir ein Foto von sich zu schicken, aber bisher habe ich es nicht getan. Auf meiner Seite habe ich nicht viele Fotos veröffentlicht, ein paar vom Torgið, sowohl vom Gastraum als auch aus der Küche, aber auch eine Aufnahme mit einem Sonnenuntergang im Skagafjörður, von den Felseninseln Málmey und Þórðarhöfði, denn da war ich gerade neu auf Facebook und fand, ich müsse es genauso machen wie alle anderen. Ich bin außerdem lausig darin, Beiträge über das einzustellen, womit ich mich beschäftige, oder über meine Ansichten zu diesem und jenem, und habe die Fragen nach meinen Hobbys und Interessen bisher ebenso links liegen lassen. Daher verstehe ich es nur zu gut, wenn sie sich in diesen Gefilden eher zurückhält, und stelle mir vor, dass sie Facebook so wie ich vorwiegend nutzt, um Nachrichten auszutauschen.

Ich hatte immer vor, dich wiederzufinden, doch dann verging die Zeit, und irgendwann war es zu spät ...

Ich finde, das klingt nicht, als hätte sie es geschrieben. Irgendwie sieht es ihr nicht ähnlich. Der Satz ist vielleicht zu lang. Und zu förmlich. Dann sage ich mir, dass ein halbes Jahrhundert vergangen ist, seit ich sie das letzte Mal gesehen habe. Ein gutes halbes Jahrhundert, wiederhole ich mir noch einmal, so als hätte ich urplötzlich etwas herausgefunden, was nicht auf der Hand lag. Ich sinke zusammen und beginne, leicht zu zittern, denn das Offensichtliche dämmert mir nun in dem Moment, wo ich mit dem Teebecher in den Händen dastehe, denn auch wenn sich der Becher nicht verändert hat, so ist Miko aller Wahrscheinlichkeit nach inzwischen ein völlig anderer Mensch als damals, als ich mir vorstellte, wir würden das ganze Leben miteinander verbringen.

Ich setze mich hin. Stelle den Becher ab. Blicke auf die Uhr, als ob sie mir etwas über die Jahrzehnte verraten könnte, die vergangen sind, mir etwa Hinweise geben würde, wo die Zeit geblieben ist, einige der Rätsel lösen. Doch sie tut es selbstverständlich nicht, sondern tickt bloß an der Wand, misst Sekunden und Minuten ab und erinnert mich daran, dass es Abend geworden ist.

Ich hatte Blumen für sie kaufen wollen, sobald ich den Koffer ausgepackt hätte. Im Zug überlegte ich hin und her und war zu dem Ergebnis gelangt, dass ich nicht mit leeren Händen bei ihr auftauchen wollte. Ich hatte die Pralinenschachtel, doch jetzt schien sie mir irgendwie unpassend für den ersten Besuch. Der Strauß dürfte nicht zu üppig ausfallen, sagte ich mir, besser wäre es, weniger, aber sorgfältig ausgesuchte Blumen zu kaufen. Ich hatte sogar einen Blumenladen hier im Viertel entdeckt, der erst um neun Uhr schließt, und fühlte mich somit, als wäre ich einen großen Schritt weitergekommen. Jetzt allerdings bin ich zu benommen und kraftlos, um mich auf den Beinen zu halten, zu müde, um mir selbst zu versichern, dass diese Reise doch etwas anderes sei als ein Riesenfehler, nicht nur die Fantasie eines alten Mannes, der manchmal nicht weiß, ob er wach ist oder schläft, der sich jeden Tag dessen versichern muss, ob sein Gehirn ihm nicht gerade den Dienst versagt. Ich beobachte die hereinbrechende Dämmerung und habe nicht einmal mehr die Energie, aufzustehen und das Licht einzuschalten, erst als es an der Wohnungstür klingelt, schrecke ich hoch.

Ich versuche, die Ereignisse des Sommers 69 in die richtige Reihenfolge zu bringen, diese Wochen irgendwie in meinem Kopf zu ordnen. Das ist schwieriger, als mich an meine Ausweisnummer und die Namen unserer Präsidenten zu erinnern, an die Vorspeisen auf unserer Karte, an alte Verse über Sterne und Augen. Vielleicht liegt es daran, dass es mir im Nachhinein, als ich versuchte, mir alles zu erklären, so vorkam, als hätte allein der Zufall die Weichen gestellt; war Mikos Verhalten schon während der Zeit, als sich alles zutrug, unvorhersehbar, ist es im Nachhinein geradezu unerklärlich. Letztlich habe ich nie eine Ahnung gehabt, was als Nächstes passieren würde, und habe hinterher noch weniger ein Muster in ihrem Verhalten erkennen können, wie sehr ich mir auch, bis an den Rand der Besessenheit, den Kopf zerbrach. Es gab auch kein entscheidendes Ereignis, nichts, was mich dazu gebracht hätte, innezuhalten und mich zu fürchten vor dem, was kommen würde, sondern es war, als käme allmählich die Flut, aber so allmählich und schwankend, dass man hätte meinen können, in Wahrheit liefe das Wasser ab.

Ich meine die Wochen im Juli und August. Irgendwie verbinde ich den Anfang immer damit, dass meine Großmutter erkrankte und ins Krankenhaus eingeliefert wurde. Genauso gut könnte ich ihn jedoch auch mit der Mondlandung in Verbindung bringen und mit der Nacht, die wir durchwachten, um die Fernsehsendung in der BBC zu sehen, und ich nicht verstand, warum sie das so unbeeindruckt ließ.

Doch ich werde mit Oma Hólmfríður beginnen. Sie war meine Großmutter väterlicherseits, stammte aus Ostisland, war Witwe, seit mein Großvater einige Jahre zuvor verstorben war. Sie lebte noch in ihrer Wohnung in der Hávallagata, kam weitgehend allein zurecht, und es hatte ihr nie etwas gefehlt. Doch nun wurde sie krank, und Mama sah sich veranlasst, mir dieses in einem Brief mitzuteilen, obwohl sie betonte, dass sich meine Oma gut erhole und die Ärzte zuversichtlich seien. *Ihr Herz,* schrieb Mama, *es sind die Kranzgefäße.* Ich habe immer sehr an Oma Fríða gehangen und nahm oft den Bus, als Kind wie als Teenager, um sie zu besuchen, sie machte mir Pfannkuchen, ich habe mit ihr Rommé gespielt und die dänischen Donald-Duck-Hefte gelesen, die sie in einer Kiste im Keller aufbewahrte.

Ich schrieb Mama zurück und bat sie, Oma liebe Grüße von mir auszurichten, und vertraute im Übrigen ihren Worten, dass die Ärzte zuversichtlich waren. Sie hatte gleich die Gelegenheit genutzt und mich nach meinen Plänen gefragt, denn ihr und Papa gefiel es selbstredend überhaupt nicht, dass ich das Studium aufgegeben hatte, und noch viel weniger das, womit ich mich stattdessen beschäftigte. Ich erklärte ihr, dass es mir gut gehe und ich über die Zukunft nachdächte, so wie Papa und sie es mir ans Herz gelegt hätten.

Ich erzählte Miko von meiner Oma und war überrascht, dass sie mich daraufhin mit Fragen bestürmte. Wir hatten bislang kaum über meine Familie gesprochen, jetzt aber fragte sie mich nicht nur nach meiner Großmutter, sondern auch nach meinen Eltern und nach meinem Bruder Mundi; sie fragte danach, wie das Leben auf Island sei, nach dem Wetter und der Dunkelheit im Winter, den Bergen, dem Arbeitsalltag, den Verkehrsregeln. Ungefähr auf diese Art, wie ein Wasserfall, alles durcheinander und ziemlich aufgeregt. Ich antwortete ihr nach bestem Vermögen und versuchte, meine Hoffnung auf eine gemeinsame Zukunft mit ihr zu verbergen, die diese Fragen in mir weckten, obwohl das alles andere als leicht war, als sie mich fragte, wie es für Ausländer sei, in Island zu leben. Seien es viele? Aus welchen Ländern kämen sie? Ob es schwierig sei, die Sprache zu lernen? Konnten viele Isländer Englisch? Und so weiter.

Zur selben Zeit wurde sie unbekümmerter.

Sie hielt meine Hand auf der Straße, küsste mich ein paar Tage später, als wir uns in einem Café trafen, fragte mich eines Nachmittags beim Hinausgehen, nachdem wir uns in meinem Zimmer geliebt hatten: »Glaubst du etwa, sie weiß nicht, was wir hier machen?«

Sie hatte mich stets gebeten hinauszuspähen, um festzustellen, ob etwa Ms Ellis zu sehen wäre, bevor wir uns hinausstahlen, jetzt aber kümmerte es sie nicht die Bohne.

»Es ist schließlich dein Zimmer.«

Ich empfand diesen Wandel als etwas abrupt, aber ich

kam nicht auf die Idee, sie nach dem Warum zu fragen. Ich genoss es, nicht länger permanent auf der Hut sein zu müssen, dass wir uns nicht mehr versteckten, ob wir nun allein unterwegs waren oder zusammen mit ihren Universitätsfreunden – Elisabeth und Penny, William und Patricia, die allesamt (bis auf Elisabeth) überrascht waren, als Miko mich ihnen eines Abends, als wir zusammen ins Kino gingen, vorstellte. »Wo hattest du ihn bloß die ganze Zeit versteckt?«, fragte Penny da und sprach dabei offensichtlich im Namen aller.

Jeder Tag war nun wie unser Wochenende in Bath, jeden Tag schien die Sonne, wie auch immer das Wetter aussah. Ich erwachte gut gelaunt und ging gut gelaunt zu Bett. Ich sehnte mich nach ihr, wenn sie nicht bei mir war, und war ich mit ihr zusammen, dann fürchtete ich den Moment, in dem sie fortging.

»Das ist Kristófer, mein Liebster.«

So stellte sie mich vor. Ohne Umschweife, mit diesem Leuchten in der Stimme, das alles rings um sie erhellte.

Nur im Nippon änderte sich so gut wie nichts. Hin und wieder erlaubte sie es sich, mich zu streifen, wenn wir zwei allein in der Küche waren, doch das war alles. Es kam nicht häufig vor, und die Berührung währte nie lange. Ich selbst war nicht so wagemutig und gab sogar darauf acht, sie nicht auf eine Weise anzusehen, die auffallen könnte.

Als sie über einen halben Monat lang im selben Stil fortfuhr und ich mir sicher war, dass sie ihr Verhalten nicht mehr ändern würde, traute ich mich, ihr gegenüber erneut ihren Vater zu erwähnen. An dem Abend waren wir mit ihren Freunden bei einem Vortrag gewesen und hinterher in ein Café gegangen und schließlich zu mir nach Hause, wo sie über Nacht bleiben wollte. Auf dem Weg war ich zweimal kurz davor gewesen, sie auf Takahashi-san anzusprechen, hatte jedoch beide Male kalte Füße bekommen.

Erst als wir im Bett lagen und das Licht ausgeschaltet hatten, gab ich mir einen Ruck.

»Miko …«

»Ja?«

»Schläfst du schon?«

»Ja.«

Stille.

»Was ist?«

»Nichts …«

»Doch, was ist denn?«

»Takahashi-san …« Mein Herz setzte einen Schlag aus, nur weil ich seinen Namen aussprach. Ich verstummte und wartete angespannt, rührte mich nicht. Ich bereute sofort, dass ich nicht den Mund gehalten hatte.

Das war jedoch nicht nötig. Sie tastete nach meiner Hand unter der Decke und sagte aufmunternd: »Lass das meine Sorge sein.«

»Sicher?«

»Ganz sicher.«

»Ich möchte nicht …«

»Mach dir keine Gedanken.«

Ich glaubte, sie wollte noch etwas hinzufügen, eine Erklärung für diesen Sinneswandel, doch sie hielt sich zurück.

»Ich liebe dich«, sagte ich.

»Ich liebe dich auch«, sagte sie.

In der darauffolgenden Woche passierten zwei Dinge, an die ich mich besonders erinnere, denn beide erfüllten mich mit Freude. Oma wurde am Dienstag aus dem Krankenhaus entlassen, und Takahashi-san verkündete, dass Steve am Wochenende nicht da sei, und fragte, ob ich für ihn einspringen könne. Was meine Oma betraf, so meinten die Ärzte, dass sie nach der Behandlung auf dem Wege der Besserung sei, und obwohl Takahashi-san keinen Lobgesang auf meine Fähigkeiten hielt, gab er zweifelsfrei zu verstehen, dass er Vertrauen in mich hatte.

Als er mir auf den Rücken klopfte, durchzuckte mich der Gedanke, dass Miko ihm etwas gesagt habe. Nicht alles, aber etwas über uns, das ihm gefallen haben müsse.

Am Freitag hatte er nach dem Mittagessen einen Termin beim Optiker, also ging ich in der Pause nicht weg, sondern begann in der Küche mit den Vorbereitungen für das Abendessen. Deshalb war ich allein, als Miko gegen vier erschien.

»Wo sind die anderen?«, fragte sie.

Ich erzählte es ihr.

Sie baute sich im Türrahmen auf und beobachtete mich, während ich in der Küche arbeitete. Ich weiß noch, dass ich Gemüse schnitt. Ich weiß auch noch, wie laut sich das Messer anhörte, wenn es auf dem Schneidebrett auftraf.

»Takahashi-san ...«, begann ich.

»Was ist mit ihm?«

»Hast du ihm etwas erzählt?« Unwillkürlich blickte ich mich um, obwohl wir beide allein waren, ganz so, als fürchtete ich, dass sich jemand versteckt habe oder die Wände Ohren hätten.

»Komm«, sagte sie und zog an meinem Hemd.

»Wohin?«

»Komm.« Sie zerrte mich in die Vorratskammer und küsste mich.

Meine Nerven lagen blank. »Es kann jederzeit jemand kommen«, sagte ich.

»Es kommt niemand«, erwiderte sie und begann, sich auszuziehen. Als ich nur langsam reagierte, löste sie meinen Gürtel und wickelte sich dann um mich.

Ich fühlte mich nicht wohl dabei, versuchte aber, mir nichts anmerken zu lassen. Es war, als entweihte ich einen heiligen Ort, zudem meinte ich die ganze Zeit, die Eingangstür zu hören. Danach zog ich mich eilig an, und kurz darauf schnitt ich wieder Gemüse.

Miko verschwand im WC, und gerade, als sie heraustrat, öffnete sich die Eingangstür, und Takahashi-san erschien. Ich weiß noch, dass mir besonders auffiel, wie fröhlich sie ihn begrüßte.

Der Wohnungseigentümer war zu Besuch gekommen. Selbstverständlich besaß er Schlüssel, doch er erwies mir die Höflichkeit, vorher zu klingeln und mich durch die Gegensprechanlage zu fragen, ob es mir recht wäre, dass er vorbeischaue. Er kam mit einem zweifachen Anliegen. Zum einen, um mich willkommen zu heißen und zu fragen, ob es mir an irgendetwas mangele, und zum anderen, um mir Masken zu bringen, von denen er meinte, dass ich sie benötigen würde.

»Sie sind gerade noch so ins Land gekommen«, informierte er mich. »Island steht jetzt auch auf der Liste der Einreiseverbote.«

Er hängte die Tüte mit den Masken an die Türklinke.

»Zwanzig Stück«, sagte er. »Es ist derzeit manchmal schwierig, welche zu bekommen.«

Er trug selbst eine Maske, sodass ich sein Gesicht nicht gut sehen konnte, aber ich vermute, der Mann war vielleicht Mitte dreißig. Er sprach gut Englisch und wirkte sehr ordentlich, genau wie die Wohnung. Ich bedankte mich bei ihm für seine Fürsorge und bot an, für die Masken zu bezahlen, aber davon wollte er nichts hören.

»Willkommen in Hiroshima«, sagte er. »Bitte zögern Sie nicht, mich wissen zu lassen, wenn ich Ihnen behilflich sein kann.«

In der Tüte steckte auch eine kleine Flasche Desinfektionsmittel, kleiner als die beiden Flaschen in der Wohnung, praktisch für unterwegs. Ich habe sie jetzt in der Jackentasche dabei und trage eine Maske, in der Hand halte ich einen Blumenstrauß, während ich in der Dämmerung am Fluss entlanggehe. Der Strauß ist größer als geplant, denn die Frau im Blumenladen war so eifrig, dass ich es nicht über mich brachte, sie zu bitten, ihn zu verkleinern, nachdem sie ihn mit so viel Mühe zusammengestellt hatte. Trotzdem möchte ich erwähnen, dass er nicht unerhört groß geraten ist, es hätten nur ein, zwei Tulpen weniger sein können.

Ich muss zugeben, dass ich heute ein wenig verkatert war nach dem Abend mit Kutaragi-san. Das ist gleichfalls die Erklärung für meine Niedergeschlagenheit, und ich weiß wieder, warum ich Alkohol sonst meide. Doch jetzt fühle ich mich besser, nicht zuletzt, nachdem ich ein Stück weiter oben am Fluss an einem Imbisswagen Okonomiyaki gegessen und ein Glas Mineralwasser getrunken habe. Wesentlich besser, und ich denke warmherzig an Kutaragi-sans Sake-Unterricht und den japanischen Whisky, den wir vor unserer Karaoke-Sitzung tranken. Spesen, so nennt Hallmundur den Kater nach so einem Abend. Obwohl er vorgibt, selbst nie einen zu haben.

Miko war immer eine ziemliche Nachteule gewesen, also habe ich beschlossen, sie zu Hause zu besuchen, obwohl es schon auf neun Uhr zugeht. Durch Gunnars Ermittlungen weiß ich, in welcher Wohnung sie wohnt, und sollte bei ihr kein Licht brennen, mache ich einfach kehrt. In einer ihrer Nachrichten erwähnte sie, dass sie zurzeit unregelmäßig schlafe, manchmal am Tage, manchmal in der Nacht, ihr Schlaf sei wegen der Erkrankung durcheinandergeraten. *Manchmal werde ich wach und habe das Gefühl, in London zu sein.* Mehr schrieb sie nicht dazu, aber es genügte, um mich nachdenklich zu machen.

Ich merke, dass ich unbewusst langsamer geworden bin. Ich bin vom Fluss nach Osten abgebogen, und es sind nur noch wenige Schritte bis zu ihr. Doch ich bleibe nicht stehen und überlege auch nicht mehr, was ich zu ihr sagen werde, wenn wir uns sehen, suche nicht mehr nach Worten, die die Distanz eines halben Jahrhunderts überbrücken sollen.

Die letzte Abzweigung. Vor mir ragt das Haus auf, ein wenig dunkler als auf dem Bild, das Gunnar mir zeigte. Es war schließlich mitten am Tage aufgenommen worden, und außerdem gibt es keine Laterne vor dem Haus. Es stehen gleich links und rechts des Gebäudes welche, aber keine direkt davor.

Trotzdem gehe ich näher heran, bleibe auf der anderen Straßenseite stehen und blicke zu den Fenstern in der ersten Etage hinauf. Hinter zweien hängen helle, nicht ganz zugezogene Gardinen. Ich meine kurz, einen Lichtschein in der Wohnung zu sehen, aber es ist nur der Widerschein von den Lichtern der Straße auf der Scheibe.

Ich warte. In der dritten Etage geht eine Frau mit einem Geschirrtuch in der Hand am Fenster vorbei. Sie schaut nicht nach draußen, scheint mit einer Person zu reden, die womöglich bei ihr am Küchentisch sitzt, sie nickt, legt das Geschirrtuch weg. Verschwindet. Hinter einem Fenster in der zweiten Etage flackert hin und wieder der bläuliche Schein eines Fernsehbildschirms. Das ist alles.

Nach einer Weile überquere ich die Straße und gehe zur Eingangstür. Dort gibt es eine Gegensprechanlage, und neben den Klingelknöpfen stehen auf Schildchen die Namen der Hausbewohner. Nur die Familiennamen, außer bei ihr: *Miko Nakamura, 2B*. Ich erinnere mich daran, wie ich das erste Mal *Miko* auf Japanisch schrieb. In ein Buch über Island, das ich ihr geschenkt hatte, einen Bildband. Ich hatte ihn zufällig in einem Antiquariat entdeckt, nachdem sie mich nach meinem Heimatland ausgefragt hatte, nach den Menschen, den Bergen, den Verkehrswegen, der Sprache. Wir saßen in einem Café. Sie öffnete das Buch und klappte es wieder zu.

Bei ihr brennt kein Licht, also werde ich sie jetzt nicht stören. Hoffentlich schläft sie. Die Blumen werden die Nacht überstehen, um die mache ich mir keine Sorgen. Als ich vorhin einen der Küchenschränke öffnete, habe ich eine Vase gesehen, eine blaue Vase mit gelben Punkten. Sie ist vielleicht ein bisschen klein, aber dann nehme ich einfach ein paar Tulpen heraus, die mir sowieso zu viel erscheinen.

An Ms Ellis' Stimme hörte ich, dass sie bereits eine Weile an die Tür geklopft hatte, denn es schwang etwas Ungeduld darin mit. »Kristófer, Kristófer, sind Sie da? Hier ist Besuch für Sie ...«

Ich brauchte einen Moment, um zu mir zu kommen, antwortete ihr dann endlich und zog mich an. Es war acht Uhr, ich war spät zu Bett gegangen und hatte fest geschlafen, müde nach einem langen Arbeitstag.

Ms Ellis hatte Miko selbstverständlich schon kommen und gehen sehen, aber sie hatten noch nie miteinander gesprochen. Ich hatte die beiden auch noch nie einander vorgestellt, also hatte ich selbst schuld, dass Ms Ellis Miko an diesem Morgen so begegnete, als würde sie sie nicht kennen.

Sei's drum, ich holte sie unten in der Diele ab, und gemeinsam gingen wir hinauf in mein Zimmer. Ich rechnete damit, dass sie eine spitze Bemerkung über meine Vermieterin fallen ließ, sobald ich die Tür hinter uns schloss, aber sie war anderswo mit ihren Gedanken. Sie griff in ihre Tasche und überreichte mir ein kleines Paket, eingewickelt in altes Zeitungspapier.

Ich betrachtete es in meinen Händen, war jedoch so perplex, dass ich nicht auf die Idee kam, es auszupacken.

»Ich dachte, ich schaue auf dem Weg zur Uni bei dir vorbei«, sagte sie. »Es ist zerbrechlich.«

Mein Zimmer lag alles andere als auf ihrem Weg zur Universität. Sie hatte mit dem Bus umsteigen und überdies ein gutes Stück zu Fuß gehen müssen. Aber ich sagte nichts dazu, sondern löste die Schnur um das Päckchen und wickelte die Zeitungsseiten von dem Becher, der mich fortan auf all meinen Wegen begleiten sollte, und betrachtete das Bild von einem Eichhörnchen oder einem Vogel, einer Eule vielleicht.

Ein hübscher Becher, aber ich war verwirrt und wusste nicht, was ich dazu sagen sollte, ich wusste nicht, warum sie ihn mir unbedingt am frühen Morgen mit solch einem Aufwand hatte bringen wollen. Als das Schweigen langsam drückend wurde, fiel mein Blick auf eine Meldung in der Zeitung, in die der Becher eingewickelt gewesen war. *The Beatles at Tittenhurst Park*, lautete die Schlagzeile, darunter prangte ein großes Bild von John Lennon und Yoko Ono. Auf der nächsten Seite weitere Bilder der Fab Four, die meisten aufgenommen vor diesem neuen Landsitz, den Lennon und Ono kurz zuvor erworben hatten. Lennon trug einen breitkrempigen Hut, einen Vollbart, sein Haar war schulterlang.

»Sieh mal«, sagte ich.

Sie blickte kurz auf die Zeitung, schob sie dann jedoch zur Seite. Nicht mit großer Geste, aber so, als räumte sie etwas aus dem Weg, das sie störte.

»Das war der Becher meiner Mutter«, sagte sie. »Papa

hat ihn mir geschenkt, als ich klein war. Ich möchte, dass er jetzt dir gehört.«

Ich nahm sie in die Arme, doch als ich gerade etwas sagen wollte, wand sie sich aus meiner Umarmung und griff nach ihrer Tasche. »Ich komme zu spät.«

Ich folgte ihr die Treppe hinunter, doch sie war schneller und öffnete die Haustür. Ich rief ihr etwas hinterher, ein paar Abschiedsworte, doch sie sah sich kaum einmal um und eilte die Straße hinab.

Das war am Donnerstag. Am darauffolgenden Tag kam sie erst um kurz vor sechs zur Arbeit und ging sofort, als wir zumachten. Bevor sie sich verabschiedete, kündigte sie an, dass sie am nächsten Tag nicht da sei, Takahashi-san und sie wollten außerhalb der Stadt Freunde der Familie besuchen.

»Wo denn?«, fragte ich.

»In Brighton«, antwortete sie.

Ich gebrauche das Verb *ankündigen* nicht ohne Grund, denn ihre Stimme klang sonderbar monoton.

»Danke für den Becher«, konnte ich noch rasch sagen, bevor sie aufbrach. Die Worte klangen bizarr.

Sie sah mich flüchtig an, und dann war sie auch schon fort.

Am Sonnabend kochte Steve, ich ging ihm zur Hand. Hitomi kellnerte im Saal. Es war nicht viel los, ebenso wenig am Sonntag. Zum ersten Mal, seit ich im Nippon arbeitete, war Takahashi-san nicht da. Ohne ihn fühlte sich das Restaurant leer an.

Im Nachhinein bin ich dieses Wochenende gedanklich Hunderte Male durchgegangen, und ich versuchte dabei, insbesondere Hitomi wieder vor mir zu sehen, sie muss doch gewusst haben, was kommen würde. Dennoch fand ich in meinen Erinnerungen keinerlei Hinweise darauf, dass sie sich anders verhalten hätte als üblich. Sie las Steve und mir scherzhaft die Leviten, beschwerte sich, dass die Gerichte nicht appetitlich aussähen, sagte, sie schäme sich, sie zu servieren, und sie werde dafür sorgen, dass die Gäste keinen Blick in die Küche werfen würden, denn dann fielen sie in Ohnmacht.

»Gaijin können nicht japanisch kochen«, stöhnte sie.

»Zum Teufel mit dir«, erwiderte Steve.

Nein, ich fand in meinen Erinnerungen keinerlei Hinweise. Nicht, wenn ich Hitomi vor meinem inneren Auge sah. Aber sie sprangen mir förmlich ins Gesicht, wenn ich an den Morgen dachte, an dem Miko mit dem Becher zu mir gekommen war, oder an mein letztes Gespräch mit Takahashi-san.

Das war an dem Montag. Morgens hatten meine Eltern angerufen, um mir zu sagen, dass meine Großmutter in der Nacht gestorben war. Am Abend zuvor hatte sie plötzlich einen Schwächeanfall erlitten und war wenige Stunden später gestorben.

»Sie hat nach dir gefragt«, sagte Mama. »Du warst immer ihr Liebling.«

Wir beschlossen, dass ich für die Beerdigung nach Hause fliegen würde.

»Komm bitte so schnell wie möglich«, sagte Papa. »Es muss so vieles geplant werden.«

Nach dem Mittag ging ich zum Nippon. Takahashi-san war gerade nicht da, also setzte ich mich in den Hof und wartete. Als er bald darauf zurückkam, trug ich mein Anliegen vor. Er kam direkt auf mich zu und gab mir die

Hand. Ich kann mich nicht erinnern, dass er das vorher schon einmal getan hätte.

»Gute Reise, Kristófer«, sagte er. »Pass auf dich auf.«

Er hielt meine Hand fest und blickte mir direkt in die Augen. Ich wusste nicht, dass er sich von mir für immer verabschiedete.

Bevor ich mich auf den Weg machte, sagte er, dass Miko noch in Brighton sei. Er stand in der Küche, hatte mir halb den Rücken zugewandt, daher schien es nicht so, als richtete er seine Worte unbedingt an mich. Doch das tat er, allein mir galten sie, obwohl ich bis zum heutigen Tage nicht verstehe, was in seinem Kopf vorging.

Mein Flug ging am Mittwoch. Ich hatte nicht viel dabei, noch weniger als jetzt für die Reise hierher. Meinen Anzug und die Krawatte, ein weißes Hemd und meine besten Schuhe. Und den Becher, um etwas zu haben, das mich an sie erinnerte, denn mir wurde bewusst, dass ich kein einziges Foto von ihr besaß, und erst recht keines von uns beiden.

Auch am Morgen sehen die Blumen noch wunderbar aus. Der Strauß hätte in die Vase gepasst, aber ich entschied, ihn zu reduzieren, und stellte zwei der Tulpen in einem hohen Glas auf den Küchentisch. Er nimmt sich jetzt besser aus, ist genau so, wie ich ihn mir vorgestellt hatte.

Ich betätige die Türklingel zum zweiten Mal. Es ist schon fast neun Uhr morgens. Ich stand nach einer guten Nacht um sieben auf und verließ das Haus um acht Uhr. Vorher hatte ich auf Facebook nachgesehen, doch dort gab es nichts Neues, sie bleibt stumm wie ein Fisch.

Es antwortet niemand. Ich nehme den Strauß aus der rechten in die linke Hand, trete von einem Bein aufs andere, mache einige Schritte rückwärts auf den Gehweg und blicke am Haus empor. Die Gardinen sind zugezogen wie gestern Abend, kein Lebenszeichen. In der dritten Etage, wo gestern Abend die Frau mit dem Geschirrtuch stand, schaut ein junger Bursche aus dem Küchenfenster. Er ist höchstens zehn Jahre alt, vermute ich. Er scheint nicht nach irgendetwas Speziellem Ausschau zu halten.

Ich setze mich auf eine Bank auf dem Platz auf der anderen Straßenseite. Es einen Platz zu nennen, ist vielleicht ein wenig hoch gegriffen, denn er besteht aus einem runden Blumenbeet, der Bank, auf der ich sitze, und einem kleinen Mahnmal, für wen oder was, weiß ich nicht.

Ich lege den Blumenstrauß ab. In der Straße herrscht etwas Verkehr, mehr Lieferwagen als Pkw, Passanten zu Fuß auf dem Weg zur Arbeit oder zum Supermarkt an der Ecke. Sie tragen fast ausnahmslos eine Maske, das hat sich verändert, seit ich in Tokio war. Ich greife in die Tasche und setze meine auf.

Ich habe nichts Besseres zu tun, als hier zu sitzen und auf das Haus gegenüber zu blicken. Ich bin etwas ratlos, aber merkwürdig ruhig dabei. Ich habe mir immer gesagt, dass mein Unterfangen auch ins Leere laufen könne, erwarte es vielleicht sogar, seit sie mir nicht mehr geantwortet hat, auch wenn ich es mir nicht wirklich bewusst gemacht habe. Vielleicht ist sie genesen, vielleicht hat sie ihre Situation neu überdacht, als es ihr besser ging, es nicht mehr sinnvoll gefunden, die Zeit zurückzudrehen. Das wäre verständlich, die Menschen denken gewiss anders, wenn sie glauben, das Ende naht, sie verspüren den Drang, ihr Leben in Ordnung zu bringen, bevor es zu spät ist, Dinge zu klären oder Erklärungen zu bekommen, Unerledigtes zu einem Ende zu bringen. Vielleicht werde ich eines Tages genauso empfinden.

Ich hoffe, dass es so gekommen ist. Dass sie genesen und weggefahren ist, damit sie mich nicht sehen muss. Über die andere mögliche Erklärung für ihr Schweigen denke ich lieber nicht nach.

Es ist achtzehn Grad warm, und auch wenn die Sonne nicht scheint, habe ich es behaglich hier auf der Bank, mit der blauen Windjacke über dem Hemd. Ich habe beschlossen zu warten, bis jemand aus ihrer Nachbarschaft erscheint, entweder auf dem Weg ins Haus hinein oder heraus. Ich habe mich sogar darauf vorbereitet, mich auf Japanisch verständigen zu müssen, habe mir heute früh mittels Wörterbuch und Übersetzungsprogramm ein paar Sätze auf *einen* Zettel geschrieben, auf die ich notfalls zurückgreifen kann.

Ich lasse den Blumenstrauß auf der Bank liegen, während ich mir ein Stück die Straße hinunter rasch einen Snack besorge. Heute früh habe ich nichts gegessen, und jetzt bin ich ziemlich hungrig. Der Imbisswagen steht so, dass ich einen Teil des Gebäudes im Blick behalten kann, während ich auf den Kaffee und das Milchbrötchen warte. Allerdings nicht die Eingangstür, weswegen ich etwas unruhig bin, bis ich mein Frühstück in der Hand halte.

Es wird zehn Uhr und es wird elf Uhr. Ich behalte vor allem die dritte Etage im Auge, wo ich gestern Abend die Frau und am Morgen den Jungen sah, doch die beiden lassen sich nicht wieder blicken, genauso wenig wie andere Hausbewohner. Mir kommt der Gedanke, dass sie vielleicht herausgekommen sind, während ich den Kaffee holen war, und ich ärgere mich ein bisschen, dass ich nicht ruhig sitzen geblieben bin. Dann aber sage ich mir wieder, dass ich sowieso nichts Besseres vorhabe, als hier in der milden Luft zu sitzen; wenn sie weggegangen sind, dann werden sie auch wieder zurückkehren. Außerdem kommt die Sonne inzwischen ab und zu durch, und wenn ich mich nicht vertue, müssten ihre Strahlen binnen Kurzem bis hierher auf den Platz reichen.

Es ist eine Sache, positiv zu denken; eine andere Sache ist es, sich etwas vorzumachen. Je länger ich zu den Fenstern hinaufstarre, desto weniger komme ich umhin, der Tatsache ins Auge zu blicken, dass wahrscheinlich etwas Schlimmes geschehen ist. Nirgendwo in ihren Nachrichten erwähnt sie, dass es ihr ein wenig besser gehe, und selbst wenn sie vollmundig klingt und von *lächerlicher Kraftlosigkeit* redet, ist ersichtlich, dass sie beständig schwächer wurde während der Tage, an denen sie mir schrieb.

Ich komme zu spät. Nach all den Jahren bin ich ein paar Tage zu spät.

Eine plötzliche Angst packt mich, sodass ich aufstehe und die Straße überquert habe, ehe ich es begreife. Ich betätige erneut die Klingel, warte, lausche in die Stille.

Es gibt viele Arten von Stille. Meistens beruhigt sie den Geist. Manchmal ist sie angefüllt von Erwartungen. Doch dies ist dieselbe Stille, die mir entgegenschlug, als ich nach Großmutters Beerdigung aus Island zurückkam und das Nippon leer und verlassen vorfand. Es ist eine Totenstille.

Ich setze mich wieder. Nehme den Blumenstrauß auf, der irgendwie geschrumpft ist und nicht mehr so harmonisch aussieht, wie ich nach meinem Arrangement heute Morgen geglaubt habe. Er scheint in der Wärme zu welken.

Wir befinden uns mitten in einer weltweiten Pandemie. Ich habe das Restaurant dichtgemacht und bin um den halben Globus geflogen. Und wozu? Um etwas wiederzuerlangen, was es niemals gab? Um mich selbst zu trösten – um etwas zu finden, das rechtfertigt, wie ich mein Leben gelebt habe?

Die Sonne tastet sich auf den kleinen Platz vor und hat bald meine Bank erreicht, als ich eine Frau bemerke, die auf der anderen Straßenseite auf die Haustür zugeht. Sie trägt einen hellen Mantel und zieht ein Wägelchen hinter sich her. Sie hat keinerlei Eile, bleibt stehen und prüft ihr Handy, bevor sie den Schlüssel aus der Tasche holt. Das ist der Moment, als ich aufspringe und über die Fahrbahn haste.

Bevor sie die Tür öffnet, bin ich bei ihr. Sie bekommt einen kleinen Schreck, und ich bitte sie umgehend um Verzeihung. Es spricht sich merkwürdig mit der Maske, meine Stimme klingt tiefer und dumpf, aber ich kann sie schlecht abnehmen. Sie trägt selbst eine Maske, doch am Ausdruck ihrer Augen erkenne ich, dass sie eher neugierig als erschrocken ist.

Ich trage mein Anliegen vor. Zuerst auf Englisch, aber da sie mich nicht zu verstehen scheint, hole ich mein Blatt heraus und erkläre ihr in gebrochenem Japanisch, dass ich auf der Suche nach Miko Nakamura sei. Sie mustert mich schweigend, blickt auf das Papier in meinen Händen. Dann fragt sie auf Englisch: »Wie heißen Sie?«

Ich nenne ihr meinen Namen. Sie zieht die Augenbrauen zusammen, also hole ich einen Stift aus der Tasche, um meinen Namen auf das Blatt zu schreiben.

»Ich habe gehört, was Sie sagten«, erklärt sie daraufhin.

Ich stecke den Stift wieder ein. »Kennen Sie sie?«, frage ich.

Sie antwortet mir nicht, doch ihr Blick wandert auf den Blumenstrauß in meiner Hand.

»Die brauchen Wasser«, sage ich.

Glockengeläut, Psalm, gemeinsames Lied, Schriftlesung. Predigt, Instrumentalstück. Persönliches Gedenken – Hólmfríður Jónsdóttir wurde am 14. Mai des Jahres 1885 auf dem Hof Gröf im Bezirk Austur-Skaftafell geboren …

Ich versuchte, mich auf die Worte des Pfarrers zu konzentrieren, hatte aber einen Kampf gegen mich selbst auszufechten, damit meine Gedanken nicht davondrifteten.

»Fríða, wie sie von allen gerufen wurde, war eine großzügige Gastgeberin. Ihre Enkelkinder liebten es, sie in der Hávallagata zu besuchen, wo sie mit Pfannkuchen und heißer Schokolade, oftmals mit Sahne, empfangen wurden …« Er sprach von den Donald-Duck-Heften, Großmutters Engagement in Hilfsorganisationen, ihrer Reise nach Norwegen, wo sie 1951 ihre Schwester besucht hatte. Von Handarbeiten und ihrer Begeisterung für das Singen … Und ich dachte an Miko. Wie sehr ich mich auch anstrengte, ich konnte an nichts anderes denken. Ich dachte an ihr Profil, wenn sie über etwas nachdachte. An das Wochenende in Bath, als wir in den Wolkenbruch gerieten. Den Abend, als ich sie fragte, warum Takahashi-san nichts von uns wissen dürfe und sie mit der Hand unter die Decke glitt, mich umfasste und mir untersagte, die Augen zu schließen. An diesen und an andere solcher Momente.

Ich schämte mich, versuchte, die Bilder wegzuschieben, die mich so in Beschlag genommen hatten, und stattdessen an meine Oma zu denken, die diese Respektlosigkeit nicht verdient hatte, sondern vielmehr, dass ich ihr das letzte Geleit mit ganzem Herzen gab, dass ich dem Pfarrer beipflichtete, wenn er uns daran erinnerte, wie viel sie uns geschenkt hatte.

Ich wollte schnell zurück. Meine Eltern spürten, wie ruhelos ich war.

»Ist etwas mit dir?«, fragte Mama.

»Nein«, antwortete ich.

Papa bat Hallmundur und mich, ihm zu helfen, die Wohnung in der Hávallagata zu räumen, es war beschlossen worden, sie zu verkaufen. Ich hatte für den Sonnabend einen Flug nach London gebucht, aber er bat mich, ihn bis nach dem Wochenende zu verschieben. Ich konnte es ihm nicht abschlagen, doch ich stand trotzdem kurz davor, mir eine Ausrede einfallen zu lassen, um mich aus dem Staub zu machen.

Wir kamen gut voran. Mir war daran gelegen, rasch mit der Arbeit fertig zu werden, während Hallmundur mein Eifer auf den Geist ging. »Hast du es irgendwie eilig?«, fragte er und sprach damit augenscheinlich für Papa mit, der sich jedoch jede Bemerkung verkniffen hatte, bis er bemerkte, dass ich die Donald-Duck-Hefte wegwarf.

Ich erklärte ihm, und das war die Wahrheit, dass sie

versehentlich im Altpapier gelandet seien. Einen Moment lang sah er mich an, als würde er mich nicht wiedererkennen, doch dann machten wir weiter. Als ich mich nach zwölf Tagen von meinen Eltern am Busbahnhof verabschiedete, hatte ich den Eindruck, ihnen stehe die Sorge ins Gesicht geschrieben. Sie gaben sich aber große Mühe, sie zu überspielen.

Am nächsten Morgen wartete ich vor dem Gebäude, in dem sich das Labor befand, auf Miko. Ich wusste, dass sie immer erst in letzter Minute kam, war jedoch schon zwanzig Minuten vor neun da, weil ich zeitig aufgewacht war und es nicht mehr in meinem Zimmer ausgehalten hatte.

Als um halb zehn noch immer nichts von ihr zu sehen war, schlussfolgerte ich, dass sie an dem Tag früher gekommen sein musste. Obwohl ich wie erwartet enttäuscht war, verlor ich nicht den Mut. Auch nicht später am selben Tag, als ich gegen Feierabend noch einmal hinging und wieder kein Glück hatte.

Bevor Oma gestorben war, hatte ich Ms Ellis versprochen, ihr die Schranktüren in der Küche zu reparieren, bei einigen die Scharniere, bei anderen die Griffe. Das war keine schwere Aufgabe, aber ich wurde trotzdem erst gegen Mitternacht damit fertig. Bevor ich schlafen ging, stellte ich mir den Wecker, und um acht Uhr früh fand ich mich an derselben Stelle ein wie am Tag zuvor.

Das Ergebnis dieser Expedition brauche ich nicht weiter zu erwähnen, und ich habe mich tatsächlich nur selten während meiner jahrzehntelangen Rückschau auf diesen Tag damit beschäftigt. Es war nur eine Art Auftakt, ein harmloser Ton, der verklingt und nichts Dramatisches anzukündigen scheint, keinesfalls jene betäubende Stille, die mir entgegenschlug, als ich am Nippon ankam, und die mir seither ununterbrochen in den Ohren dröhnt.

Ich weiß nicht, warum ich an dem Morgen dorthin ging. Ich machte mir noch keine Sorgen, obwohl ich es durchaus merkwürdig fand, dass Miko zwei Tage nacheinander nicht zur Arbeit gegangen war. Vielleicht dachte ich, sie müsse im Nippon für jemanden einspringen, vielleicht hatte ich Sehnsucht nach der Küche und wollte deshalb kurz vorbeischauen, obwohl ich dort erst am nächsten Tag wieder erwartet wurde, vielleicht wollte ich nachsehen, ob Takahashi-san ein Haiku in den Krug gesteckt hatte, während ich weg war.

Ich war so ahnungslos, dass ich einfach nicht begriff, was dort auf dem Schild an der Tür stand. GESCHLOSSEN.

Bis Mittag? Bis Ende der Woche? Bis zum Monatsende? Ich kannte das Schild, es wurde im Besenschrank aufbewahrt, doch ich erinnerte mich nicht daran, dass wir es jemals draußen angebracht hätten. Ich hatte meinen Schlüssel nicht dabei und drückte unwillkürlich, aber erfolglos die Klinke hinunter. Dann spähte ich durch das Fenster ins Innere. Anfangs entdeckte ich nichts Bemerkenswertes, Tische und Stühle standen an Ort und Stelle, ebenso das Pult am Empfang, die Bügel hingen an der Kleiderstange neben der Tür – nichts Bemerkenswertes, bis mir auffiel, dass der Krug verschwunden war. Da trat ich noch näher, lehnte mich gegen die Scheibe und schirmte die Augen mit beiden Händen gegen das Sonnenlicht ab, presste das Gesicht auf das kalte Glas und stellte fest, dass alle beweglichen Dinge auf und davon zu sein schienen, die Borde hinter der Bar waren leer, Flaschen und Gläser hatten sich in Luft aufgelöst, die Bilder von den Wänden waren verschwunden.

Wie sehr ich mich auch abgemüht, wie sehr ich mir auch den Kopf zerbrochen und das Hirn zermartert habe, in der Stille der Nacht in mein Gedächtnis drang oder dieses am helllichten Tage bestürmte, nie ist es mir gelungen, in meinem Bewusstsein nur den Hauch einer Erinnerung an die folgenden Augenblicke, Minuten oder gar die nächste Viertelstunde wiederzufinden. Nicht das Bruchstück eines Bildes, nicht das Echo eines einzigen Tons. Nichts. Nichts, bis ich nach Hause renne, um den Schlüssel zu holen, nass geschwitzt, außer Atem und so kraftlos, wie man sich manchmal in einem bösen Traum auf der Flucht fühlt.

Als ich endlich die Tür zum Nippon aufschloss, empfing mich eine solch massive Leere, dass mir war, als stieße ich gegen eine Mauer, da ich in das Halbdunkel hinabstieg. Alles war verschwunden, aus der Küche und der Vorratskammer, aus dem Kleiderschrank und dem Bad, alle tragbaren Gegenstände, sämtliche Hinweise auf diejenigen, die hier in den vergangenen Jahren den Großteil ihrer Zeit verbracht hatten. Ich streifte einige Minuten lang durch die Räume, dermaßen leer und betäubt, dass es mich Kraft kostete, Schränke und Schubladen zu öffnen, und so gab ich es bald auf, stand nur reglos in der Küche – mit meinem Messer, das auf dem Tisch, wo ich üblicherweise gearbeitet hatte, für mich zurückgelassen worden war.

Ohne Nachricht. Es war keine nötig. In der Mitte des Tisches, die Klinge in ein Geschirrtuch geschlagen, das

Heft sichtbar. Und daneben ein Umschlag mit dem Lohn, den Takahashi-san mir schuldete. Selbst wenn ich zu vernichtet war, um es mir klarmachen zu können, so glaube ich, dass ich da bereits wusste, dass ich Miko und Takahashi-san nicht wiedersehen würde.

Ein Sturm bringt ein Schiff vom Kurs ab, die Wellen spülen Bruchholz an Land. Die Sonne geht auf, und die Sonne geht unter. Es wird Herbst. Die Natur folgt ihrem Lauf, in der nächtlichen Stille scheint der Mond auf nachtschwarzes Haar und lässt einen Silberfaden zurück, der Jahrzehnte später in der Erinnerung aufschimmert.

Ich war dreiundzwanzig Jahre alt und hatte sie nur ein paar Monate gekannt, als sie verschwand. Das Leben lag vor mir, auf unbekannten Pfaden oder einem abgesteckten Kurs, das liege an mir selbst, meinte ich. Ich war ein unabhängiger Mann, hatte entgegen dem, was üblich war, und dem gesunden Menschenverstand mein Studium an den Nagel gehängt; ich war zur See gefahren, hatte an Deck gestanden und hinauf in die Himmelskuppel geschaut, in so vollkommener Stille, dass diese ihren Anfang womöglich in der Lautlosigkeit genommen hatte, die vor der Entstehung der Welt herrschte. Ich trug das Haar lang, einen Vollbart und eine Nickelbrille. Mama erzählte, ich hätte von Kindesbeinen an einen starken Willen besessen und selten geweint.

Minuten werden zu Stunden und ein Wimpernschlag zur Ewigkeit. Ich bin fünfundsiebzig Jahre alt, sitze hier auf einer Bank und füttere zwei kleine Vögel mit Krumen von meinem Milchbrötchen, das ich mir zum Kaffee gekauft habe. Ich denke an das Messer auf dem Tisch, meinen Teebecher, den Mondschein auf dem schwarzen Haar. Es ist, als wäre die Zeit stehen geblieben, als wäre nichts geschehen in diesem halben Jahrhundert, das inzwischen vergangen ist.

Die Frau erwiderte nichts, als ich mich für den Zustand der Blumen entschuldigte, steckte stattdessen den Schlüssel ins Türschloss und verschwand ins Haus. Sie bat mich nicht zu warten, schickte mich andererseits aber auch nicht fort. Ein gutes Zeichen, aber ich zügele meine Zuversicht trotzdem.

Ich schaue nach oben zu den Fenstern, die an dem, was sich hier unten auf der Straße tut, noch genauso desinteressiert sind wie zuvor. Einmal glaube ich, hinter einem von ihnen eine Bewegung auszumachen, doch dann nichts mehr. Ein Mann sieht aus dem Küchenfenster in der dritten Etage. Er trägt eine Maske. Es erscheint mir seltsam, doch als er kurz darauf mit dem Jungen und der Frau mit dem Geschirrtuch das Haus verlässt, weiß ich Bescheid.

Ich war nie bei Miko und Takahashi-san zu Hause gewesen, begab mich aber später an dem Tag dorthin. Zuerst legte ich einen Stopp bei mir ein, um das Messer abzulegen, denn ich konnte nicht mit dem Messer in der Hand durch die Stadt ziehen. Wie ich mir hätte denken können, blieb mein Versuch vergeblich, doch ich erfuhr von einer Frau, die im selben Haus wohnte, dass sie vor einigen Tagen, drei oder vier, ausgezogen waren, vielleicht vor fünf, sie erinnerte sich nicht genau. Wohin, wusste sie auch nicht.

»Ich habe nur ihn gesehen«, berichtete sie. »Den Vater. Das Mädchen nicht.«

Ich merkte, wie wenig ich über meine Arbeitskollegen wusste. In den folgenden Tagen versuchte ich vergeblich, Hitomi und Goto-san ausfindig zu machen. Erst mehrere Monate später begegnete ich Hitomi in einem japanischen Restaurant in Kensington, das dort neu eröffnet hatte. Sie war so liebenswürdig wie immer, hatte jedoch ebenfalls keine Erklärung für Takahashi-sans und Mikos Verschwinden, vermutete indes, dass gesundheitliche Gründe dazu geführt hätten.

»Nicht, dass Takahashi-san mir oder Goto-san etwas erzählt hätte. Er sprach mit uns nie über sich selbst.«

Sie berichtete, wie großzügig er sich ihnen gegenüber gezeigt, sie weit im Voraus entlohnt habe. »Bis zum Jahresende«, sagte sie. »Goto-san hat die Gelegenheit genutzt und sich ein Flugticket nach Hause gekauft. Er ist noch nicht zurück. Vielleicht kommt er nie wieder.«

»Und Takahashi-san und Miko?«, fragte ich. Wusste sie, wohin sie gegangen waren?

Hitomi schüttelte den Kopf.

»Nach Japan?«

»Er hat nichts davon gesagt«, antwortete sie.

»Und Miko?«, fragte ich. Was hatte sie wohl gesagt?

»Ich habe sie die letzten Tage nicht mehr gesehen«, antwortete Hitomi. »Ich fand es traurig, mich nicht von ihr verabschieden zu können. Aber es ging alles so schnell.«

Ich versuchte, mehr aus ihr herauszubekommen, doch sie wusste kaum etwas.

Sie betonte dennoch mehrmals, dass Takahashi-san während der letzten Tage neben sich gestanden habe, er sei schweigsam und sonderbar geschwächt gewesen. »Ich meinte zu Goto-san, dass ich das Gefühl habe, er sei innerhalb weniger Tage um viele Jahre gealtert«, berichtete sie. »Plötzlich wirkte er wie ein alter Mann.«

»Wann hat er mit den Vorbereitungen begonnen, um das Restaurant dichtzumachen?«, fragte ich.

»Wann bist du nach Island geflogen, zur Beerdigung deiner Großmutter?«, fragte sie zurück.

Ich nannte ihr das Datum.

»Am Mittwoch?«

»Ja.«

»Ich glaube, er hat mit uns am Donnerstag gesprochen. Der Sonnabend war dann der letzte Tag, an dem wir geöffnet hatten.«

»Hat Miko an dem Wochenende gearbeitet?«

»Nein, nur Goto-san und ich und der Bursche, der für dich eingesprungen ist. Takahashi-san hatte Steve schon vorher gekündigt.«

Ich fragte sie, ob die Stammgäste gekommen seien, um Abschied zu nehmen.

»Nein, Takahashi-san hat niemandem gesagt, dass er schließen würde.«

Mehr bekam ich nicht aus ihr heraus, obwohl ich ihr noch eine Weile Löcher in den Bauch fragte. Das war am späteren Nachmittag, ich hatte gewartet, bis sie ihre Pause nahm. Bevor ich mich von Hitomi verabschiedete, bat ich sie, mir Bescheid zu sagen, falls sie etwas von ihnen hörte. Ich arbeitete damals in einem Restaurant in der Nähe von Covent Garden und schrieb ihr den Namen auf einen Zettel.

»Ich bezweifle, dass ich von ihnen hören werde«, erwiderte sie und fügte hinzu: »Hat er dich nicht bezahlt?«

»Doch«, antwortete ich, »er hat mich bezahlt.«

Der Strauß ist so verwelkt, dass ich überlege, ob ich ihn nicht entsorgen sollte. Doch eigentlich eilt es nicht, und außerdem habe ich schon Blumen in viel schlimmerem Zustand gesehen, die sich wieder erholt haben, sobald sie Wasser bekamen. Er liegt neben mir auf der Bank, auf der rechten Seite, und jetzt lege ich ihn nach links, denn dorthin scheint mittlerweile die Sonne. Nicht, dass ich denke, die Sonnenstrahlen würden den Strauß aufleben lassen, aber die Farben strahlen zumindest mehr in der Helligkeit.

Dieses Arrangement dauert nur einen Moment, denn als ich aufblicke, sehe ich, dass die Frau jenseits der Straße wieder in der Tür erschienen ist und mir zuwinkt. Ihrem Gebaren entnehme ich, dass sie dort schon eine Weile gestanden hat und nun ungeduldig wird.

Ich springe auf und haste zu ihr hinüber, in letzter Sekunde denke ich noch daran, den Blumenstrauß zu greifen.

Ich brachte den Begriff *Hibakusha* nicht mit ihrem Verschwinden in Verbindung, nicht einmal, nachdem ich auf den Artikel im *Guardian* gestoßen war. Das war Mitte Oktober. Ich schnitt ihn aus und las ihn wieder und wieder, und im Nachhinein glaubte ich zu verstehen, warum Takahashi-san damals sein Heimatland verlassen hatte, alles zusammenpackte und mit der kleinen Miko ins Ausland ging, ohne dass er eine andere als seine eigene Sprache beherrschte und obwohl er noch nie in einer anderen Stadt gelebt hatte.

Den Artikel hatte Graham Tucker verfasst, ein junger Journalist, der mir schon vorher aufgefallen war, denn er hatte eine lebendige und kreative Schreibe, ob er nun das Woodstock-Festival in den USA zum Thema machte oder die Reise Armstrongs und seiner Kollegen zum Mond. In dem Artikel wurde erwähnt, dass er sich einem Interview mit einem Arzt in Hamburg verdanke (ich erinnere mich nicht mehr, was Graham Tucker dorthin geführt hatte). Dieser Arzt hatte in Japan für eine internationale Organisation an einer Studie zu den Auswirkungen der Atombombenangriffe auf den Gesundheitszustand der

Überlebenden geforscht, vor allem in Hiroshima und Nagasaki.

Hibakusha. Der Begriff kam in dem Artikel ziemlich am Anfang vor. Tucker erläuterte in einem kurzen Absatz, welche Personen so genannt wurden, stellte die Verletzungen und Krankheiten dar, unter denen sie litten, und kam dann zum wesentlichen Inhalt seines Artikels, den Vorurteilen, denen sie in ihrer Heimat ausgesetzt waren. Die wenigsten Personen erschienen unter ihrem richtigen Namen, aber sie schilderten jeweils den Tag, an dem die Bombe fiel, die folgenden Tage und Wochen, das Mitgefühl, das sich nach und nach in Vorurteile wandelte. Die Betroffenen wurden bald behandelt, als ginge von ihnen eine Infektionsgefahr aus – als wären sie Aussätzige. Kindern wurde der Zutritt zur Schule verwehrt, Verlobte suchten das Weite, wenn sie erfuhren, dass ihr zukünftiger Ehepartner Hibakusha sei, manche Menschen verloren ihre Arbeit, andere bekamen keinen Mietvertrag. Ein Ladeninhaber in Tokio musste sein Geschäft schließen, nachdem ein Kunde dahintergekommen war, woher er stammte, und anderen davon erzählt hatte – zu diesem Zeitpunkt waren seit den Angriffen schon beinahe zwanzig Jahre vergangen. Viele Hibakusha versuchten, ihre Vergangenheit geheim zu halten, zogen fort, fingen ein neues Leben an.

Das Interview mit einer Frau, die schwanger gewesen war, als die Bombe fiel, erweckte mein besonderes Interesse. Vier Monate später brachte sie ein gesundes Baby zur Welt, sie war selbst mit einer verhältnismäßig leichten Strahlenkrankheit davongekommen. Doch trotzdem wurde sie verstoßen, und das Kind ebenfalls. Sie zogen fort, als der Junge ein Jahr alt war, wohin, das wollte sie in dem Artikel nicht sagen. Sie hatte ihren Namen geändert und ihrem Sohn die Wahrheit nie erzählt, obwohl er inzwischen ein erwachsener Mann war. Sie bezweifelte, dass sie es jemals tun würde.

»Ich bin und bleibe eine Hibakusha«, hatte Miko in der Nacht in Bath gesagt. Jetzt verstand ich, was sie damit meinte.

Ich hatte das Gefühl, eine Art Rätsel gelöst zu haben, auch wenn die Lösung lediglich die Vergangenheit beleuchtete. Takahashi-san hatte sein Ziel erreicht, er war den Vorurteilen entflohen, hatte Miko und sich ein neues und besseres Leben aufgebaut. Ich bezweifelte nicht, dass die Vergangenheit die beiden geprägt hatte, vor allem Takahashi-san, der sie allein mit sich herumschleppen musste, ohne sich mit anderen über sie austauschen zu können, bestimmt nicht gewillt, sich Hilfe zu suchen, wie man es heutzutage nenne würde, sofern ihm diese überhaupt zur Verfügung gestanden hätte.

Der Artikel schürte trotzdem einen Funken Hoffnung in mir, eine Zeit lang zumindest. Es war nahezu undenkbar, schlussfolgerte ich, dass sie nach dem, was dort geschehen war, nach Japan zurückgekehrt waren, und so konzentrierte ich meine Suche auf ein paar Orte in England, die Miko, wie ich mich erinnerte, erwähnt hatte. Nicht in einem bestimmten Zusammenhang, aber doch so, dass mir die Namen im Gedächtnis geblieben waren. Zum Beispiel die Städtchen Woolacombe, Salcombe und Torquay in der Grafschaft Devon, wo Takahashi-san mit ihr kurze Sommerferien verbracht hatte, als sie jünger war, Bristol und Birmingham, Edinburgh in Schottland.

Und Brighton natürlich, wo sie, wie sie erzählt hatte, mit Takahashi-san an dem Wochenende, bevor ich nach Island zu Omas Beerdigung flog, Freunde der Familie besuchen wollte.

In den nächsten Wochen und Monaten suchte ich all diese Orte auf. Als Erstes Brighton, dann Bristol und Birmingham, dann Edinburgh, schließlich die Küstenstädte in Devon. Und dort endete meine Suche eines Sonntags im Oktober, sämtliche Touristen waren abgereist, der Strand war verwaist, eine steife Brise wehte vom Meer. Es gibt kaum etwas Trostloseres als einen Sommerferienort im Winter, das endlose Grau, die Stille lediglich durchbrochen von Möwengeschrei und dem Pfeifen des Windes, vorbei die Heiterkeit und die nächsten milden Tage in solcher Ferne, dass allein der Gedanke daran alles nur noch schlimmer macht. Es fing an zu regnen, als ich vor den vernagelten Fenstern eines weiß getünchten Restaurants stand und aufs Meer hinausblickte, zu einem Containerschiff weit draußen vor der Küste, das langsam in die Ferne entschwand. Ich eilte nicht weiter, bewegte mich erst, als das Schiff außer Sicht war, verschwunden in Regen und Nebel. Mittlerweile war ich bis auf die Haut durchnässt.

Ich arbeitete als Beikoch in dem Restaurant in Covent Garden bis zum Frühling. Das Essen war nicht schlecht, die Preise waren bezahlbar. Der Koch war Franzose, was sich auf der Karte widerspiegelte – Escargots, Croque-monsieur, Coq au Vin, Bouillabaisse, Bœuf bourguignon –, er war nicht untalentiert, aber faul und unordentlich. Ich hielt mich im Hintergrund, blieb für mich, war mit den Gedanken ganz woanders.

Ich sah nur wenige Menschen, am häufigsten meldete ich mich bei Elisabeth, Mikos Freundin, um zu erfahren, ob sie etwas von ihr gehört hatte. Sie sagte jedes Mal Nein und versuchte, mir klarzumachen, dass Mikos und Takahashi-sans Verschwinden sie genauso überrascht habe wie mich. Anfangs glaubte ich ihr nicht recht – das war ungerecht ihr gegenüber, aber ich konnte nicht anders.

Hin und wieder schaute ich beim Nippon vorbei. Zumeist am Abend. Die Räume standen noch leer, als ich zurück nach Island ging, und nichts deutete darauf hin, dass neue Mieter in Sicht wären. Ein- oder zweimal fuhr ich auch zu dem Haus, in dem sie gewohnt hatten, doch hinterher fühlte ich mich nur noch schlechter.

Am Ende gab ich es auf. Meine Eltern spürten, dass etwas nicht stimmte, und als mein Vater seinen Besuch ankündigte, beschloss ich, ihm zuvorzukommen. Ich kündigte meinen Job bei dem französischen Koch und das Zimmer bei Ms Ellis, packte Bücher und Krimskrams in einen Karton und flog an Mamas Geburtstag, am 4. Juni 1970, nach Hause.

Es war ein klarer Tag, kaum eine Wolke am Himmel. Ein Jahr zuvor hatte ich für Miko im Nippon Frühstück gekocht, fast auf den Tag genau, sie zum ersten Mal in die Arme geschlossen, sie an mich gedrückt, wie um sicher zu sein, dass ich sie niemals verlieren würde. Ich sah zu, wie sich die Stadt entfernte, die Häuser schrumpften und sich zu einer grauen Fläche verbanden, der Fluss verschwand. Dort hatten wir unsere wenigen gemeinsamen Stunden erlebt, dort hatte ich das Glück gefunden, ein tieferes, als ich mir jemals vorstellen konnte, und dann Verzweiflung.

Vielleicht glaubte ich, dass ich mit der Stadt alles, was dazugehörte, hinter mir ließe, vielleicht glaubte ich, dass ich mit der Zeit neu anfangen könnte. Doch sie begleitete mich so wie die Bücher, die ich in den Karton gepackt hatte, und der Teebecher, den ich während des Fluges fest in der Hand hielt, eben jener, den ich heute Morgen auf dem Küchentisch stehen ließ. Die Stadt und die Erinnerungen, die Freude, die Kümmernisse und der Zorn – und die Liebe, die in all diesen Jahren so vielem im Wege gestanden hat.

Sie erwartet mich in der halb offenen Tür, und ich nehme an, sie will mich ins Haus bitten. Doch das tut sie nicht, vielmehr bittet sie mich, vor ihr auf dem Gehweg stehen zu bleiben, hält ihr Telefon hoch – und schon hat sie ein Foto von mir gemacht.

»Könnten Sie hier warten?«, fragt sie und schließt die Haustür hinter sich.

Ich weiß nicht recht, wie ich reagieren soll, aber ich muss nicht lange darüber nachdenken, denn ich spüre, wie mich eine Welle der Hoffnung durchströmt. Sie geht vom Bauch aus und fließt von dort in meine Arme, weiter bis in die Fingerspitzen und zugleich hinauf in den Kopf, tief hinein.

»Miko«, sage ich leise vor mich hin, das sieht ihr ähnlich. Niemand sonst käme auf solch eine Idee.

Die Frau bleibt nicht lange weg, höchstens fünf Minuten. Diesmal bittet sie mich herein, sie geht jedoch nicht Richtung Treppe, als die Tür ins Schloss fällt, sondern bleibt reglos im Hausflur stehen.

»Nakamura-san war krank«, sagt sie.

Ich erkläre, dass ich das wisse.

»Sie wurde gestern aus dem Krankenhaus entlassen.«

»War sie erneut im Krankenhaus?«, frage ich.

»Ja, sie war sehr krank.«

»Und jetzt?«

»Sehr müde.«

»Aber nicht mehr krank?«

Sie antwortet nicht, sondern geht endlich die Treppe hoch. Zwar sagt sie nichts dergleichen, aber vermutlich soll ich ihr folgen. Sie blickt nicht über die Schulter, steigt langsam nach oben, unendlich langsam, obwohl sie sich sonderbar leichtfüßig, wie auf Zehenspitzen, bewegt, bis wir in der ersten Etage angekommen sind. Dort hält sie an und zeigt in einen kleinen Korridor, mit einer Tür am Ende. Sie steht einen Spalt offen, und davor ein Stuhl.

»Setzen Sie sich dort hin«, sagt sie.

»Wie bitte?«

»Sie möchte nicht durchs Telefon mit Ihnen sprechen.«

Die Frau entfernt sich, ich warte, bis ich die Haustür zufallen höre. Dann erst taste ich mich den Korridor entlang, Schritt für Schritt, in völliger Stille. Das Deckenlicht ist ausgeschaltet, aber durch den Türspalt dringt ein schwacher Lichtschein.

Einen Meter vor der Tür bleibe ich stehen. Es sind nur noch drei, vier Schritte, doch auf einmal erscheinen sie mir so unüberwindlich, dass mir die Kraft fehlt weiterzugehen. Gleichwohl nur für einen Augenblick, denn allmählich schaffe ich es, die pessimistische Stimme zum Schweigen zu bringen, die sich während der letzten Tage ständig zu Wort meldete und die jede einzelne sich bietende Gelegenheit genutzt hat, hinterlistig und ohne Erbarmen. Allmählich schaffe ich es, den Blick wieder von meinen Füßen zu heben und diese in Gang zu setzen, erst links, dann rechts, in kleinen Schritten meinem Ziel entgegen: einem weißen Küchenstuhl, der so gedreht dasteht, dass ich von seinem Sitz aus nicht durch den Spalt in der Tür sehe, sondern stattdessen auf die weiß gestrichene Wand daneben, auf ein Foto, eine Straßenszene in London, in Westminster genauer gesagt.

Ich setze mich und schaue auf das Bild, lausche. Doch ich höre keine Geräusche hinter der Wohnungstür, weder Husten noch Seufzer, ganz zu schweigen von Schritten, höre nichts als das Rauschen in meinem Kopf. Das Herz klopft mir bis zum Hals, und schließlich kann ich nicht anders, als die Stille zu durchbrechen: »Miko?«

Ihr Name hallt für einen Moment nach, dann wird der schmale Korridor abermals von Stille erfüllt.

Bis ich sie jenseits der Tür sagen höre: »Ich habe dich noch nie ohne Bart gesehen.«

Ich bin wie vom Donner gerührt und bringe kein Wort heraus. Es ist, als käme die Stimme aus meinem eigenen Inneren, aus meinem Kopf, wo sie seit einem halben Jahrhundert erklingt. Dann wundere ich mich, wie wenig sie sich verändert hat, diese Stimme, weder tiefer, noch schwächer geworden ist, weder ihren spöttischen Unterton, wenn dieser auch etwas matter klingt, noch ihren Zauber verloren hat, der in meiner Brust unmittelbar etwas zum Schwirren bringt. Sie klingt vielleicht schwächer als in meiner Erinnerung, selbst wenn sie versucht, es sich nicht anmerken zu lassen, ein wenig zerbrechlicher.

»Den habe ich schon vor Langem abrasiert«, sage ich.

Jetzt dämmert mir, dass ich völlig unvorbereitet bin, ich habe mir nie überlegt, was ich zu ihr sagen würde, wenn ich die Gelegenheit bekäme, habe mir keine Worte zurechtgelegt, geschweige denn aufgeschrieben, auch wenn es sinnvoll gewesen wäre.

»Vor gut vierzig Jahren, würde ich denken«, füge ich hinzu. »Und davor hatte ich ihn schon ordentlich gestutzt.«

Schweigen.

»Hattest du ein gutes Leben, Kristófer?«

Mein Herz setzt einen Schlag aus. Nicht wegen der Frage, sondern als ich sie meinen Namen sagen höre.

»Ich kann mich nicht beklagen«, erwidere ich.

»Ich habe dich sofort erkannt«, sagt sie rasch. »Auf dem Foto, das Keiko gemacht hat. Hashimoto-san ... obwohl sie keine gute Fotografin ist.«

»Wieso?«

»Es ist mehr von der Straße zu sehen als von dir.«

»Sie hatte es eilig«, erkläre ich.

»Ich wollte sehen, wie du aussiehst.«

»Ich habe mich überhaupt nicht verändert.« Ich sehe sie vor mir, wie sie schmunzelt.

»Wo wohnst du?«

Ich erzähle es ihr. Sie fragt mich nach der Gästewohnung. Ich erzähle ihr, dass sie ziemlich groß ist, hell und sauber.

»Ich habe dort alles, was ich brauche«, sage ich. »Und es ist nicht weit von hier.«

Schweigen.

»Ich habe dir einmal einen Brief geschrieben. Ich

hatte sogar deine Adresse herausgefunden, aber als ich an der Postfiliale ankam, habe ich kalte Füße bekommen.«

»Miko …«, sage ich, »es eilt nicht …«

»Die Ärzte dachten, ich würde sterben. Sonst hätte ich dich nicht belästigt.«

»Du hast mich nicht belästigt.«

»Es ist eben kein Verlass auf diese Ärzte.«

»Da hast du recht.«

Schweigen.

»Kristófer …«

»Ja …«

»Vergib mir.«

»Du brauchst dich nicht zu …«

»Vergib mir.«

Stille.

»Ich habe Blumen für dich.«

»Ich habe sie auf dem Foto gesehen. Keiko hat extra auf sie hingewiesen.«

»Ich dachte, sie hielt nicht viel von dem Strauß.«

»Die Ärzte meinen, ich sei nicht mehr ansteckend, aber ich weiß nicht, ob es stimmt.«

»Die Blumen brauchen Wasser«, sage ich.

Sie antwortet nicht, aber ich erkenne an dem Lichtschein, der durch den Türspalt auf die weiß gestrichene Wand fällt, dass sie sich bewegt.

Ich stehe auf. »Miko?«

»Ja …«

Ich nehme den Stuhl und stelle ihn zur Seite. Zupfe mein Hemd zurecht, nehme den Strauß von der rechten in die linke Hand, bevor ich die Türklinke umfasse. Langsam öffne ich die Tür. Zögere, warte womöglich darauf, dass sie mich bittet, draußen zu bleiben, umklammere wieder die Klinke

Sie steht an der Tür, hatte auf genauso einem Stuhl gesessen wie ich und hat ihn zur Seite geschoben. Durch ein Fenster hinter ihr strömt Helligkeit herein und umgibt sie mit gleißendem Licht.

Einen Augenblick lang sehen wir uns in die Augen. Und dann überwinde ich die zwei, drei Schritte, die uns noch trennen, und nehme sie in die Arme, drücke sie an mich wie damals und fühle, wie auch sie mich mit beiden Armen umschließt.

Ich sage nichts, beide sagen wir nichts, und plötzlich laufen mir die Tränen über die Wangen. Ich versuche nicht, sie fortzuwischen, denn ich will Miko nicht loslassen. Nun habe ich innerhalb von drei Tagen zweimal geweint. Ich wusste gar nicht, dass ich es noch kann.

Ich weiß nicht, wie lange wir so dastehen. Doch dann lockern wir langsam unsere Umarmung, streichen beide die Tränen auf unseren Wangen fort, lächeln.

Ich habe den Strauß auf den Fußboden fallen lassen, bücke mich jetzt nach ihm.

»Wir müssen diese Blumen retten«, sagt sie und nimmt meine Hand. Und so, Hand in Hand, geleiten wir einander in die sonnige Wohnung.

Hier gibt es viel zu besichtigen. Den Friedensgedenkpark und das Friedensmuseum, die Burg, Tempel und Statuen, die Friedensglocke, die Einkaufsstraßen auf Miyajima. Am Abend wird die Burg angeleuchtet, ebenso die Gebäude des Itsukushima-Schreins, die bei Flut aus dem Meereswasser ragen und auf den trägen Wellen zu schwimmen scheinen. Es muss ein großartiger Anblick sein, und viele Menschen, Jung und Alt, versammeln sich dort nach Sonnenuntergang, um Ruhe und Frieden zu finden, die sie sicherlich so lange wie möglich in ihrem Inneren bewahren möchten.

Ich habe noch nichts besichtigt, obwohl Miko mich dazu ermuntert und obwohl alles in der Nähe liegt. Ich wache zeitig auf, dusche und rasiere mich, dann gehe ich zu ihr und mache uns Frühstück. Manchmal hole ich unterwegs etwas von einer Bäckerei oder vom Lebensmittelladen, manchmal ist es nicht nötig. Ich koche Kaffee, brühe Tee auf.

Eine Woche ist vergangen, seit ich angekommen bin. Sie schläft immer noch viel, aber es wird weniger. Heute Morgen haben wir Karten gespielt. Gestern Abend legte ich eine Schallplatte auf, japanischen Jazz, den sie ausgewählt hatte. Wir saßen auf dem Sofa und lauschten. Hielten uns bei den Händen. Auf einem kleinen Tisch vor den Bücherregalen brannte eine Lampe.

Nach meiner Ankunft war sie vollkommen erschöpft. Ich habe keine Ahnung, wie sie es an dem Tag geschafft hat, da auf dem Stuhl an der Tür zu sitzen und sich mit mir zu unterhalten, bis ich die Tür öffnete und hereinkam. Als wir in der Küche standen, zeigte sie mir, wo ich eine Vase für den Blumenstrauß fände, sie hielt sich am Esstisch fest, während ich die Vase mit Wasser füllte, und bat mich anschließend, ihr dabei zu helfen, sich hinzusetzen; dabei musste ich sie festhalten. Kurze Zeit später half ich ihr ins Schlafzimmer, wo sie den Rest des Tages dann schlief. Sie schlief auch den Großteil des folgenden Tages.

Sie sprach wenig in den ersten Tagen. Wenn sie sprach, hatte ich mitunter den Eindruck, dass sie fieberte. Zwischendurch ging es ihr besser, und die Miko, die ich in Erinnerung hatte, kam einen Moment lang zum Vorschein.

In den letzten Tagen ist das häufiger vorgekommen, denn sie ist auf dem Weg der Besserung. Hashimoto-san, die täglich vorbeischaut, bestätigt das und hat sich offenbar auch mit mir abgefunden. Anfangs warf sie mir vor, dass Miko so kraftlos sei, liege an mir, mein Besuch habe alles nur noch schlimmer gemacht.

So formulierte sie es: »alles noch schlimmer«.

Inzwischen begegnet sie mir anders, freundlicher, bleibt neuerdings ein bisschen, wenn sie bei Miko vorbeischaut, und unterhält sich mit mir. Sie hat mir erzählt, wie sie sich kennengelernt haben; sie unterrichteten an derselben Schule, beide Englisch.

»Wir zwei bildeten die Englischabteilung«, erzählte sie. »Miko und ich. Achtundzwanzig Jahre lang.«

Sie ist vermutlich ein bisschen jünger als Miko und ich und alleinstehend. Sie wohnt mit ihrem Hund im selben Viertel. Er ist zehn Jahre alt und heißt Hamlet.

Die ersten Nächte verbrachte ich auf dem Wohnzimmersofa. Hashimoto-san bekam einen leichten Schreck, als ich ihr am Morgen nach meiner Ankunft öffnete, und musterte mich forschend. Als ich ihr mitteilte, wie schlecht es Miko gehe, dachte sie jedoch nicht länger über mich nach, sondern eilte zu ihr ins Schlafzimmer und blieb dort eine ganze Weile.

Als sie wieder herauskam, fragte ich, ob sie nicht einen Arzt rufen wolle.

Am nächsten Tag tat sie es. In der Zwischenzeit lief ich in meine Wohnung, sprang unter die Dusche, wechselte die Kleidung.

Als ich zurückkehrte, war der Arzt schon wieder weg.

»Er meinte, dass es lange dauern könnte, bis sie wieder auf den Beinen ist«, erklärte Hashimoto-san. »So gehe es vielen. Sie habe Glück, dass sie noch am Leben sei.«

Gestern waren Hashimoto-san und ich zusammen einkaufen. Bevor ich erschien, hatte sie für Miko gekocht, und sie fühlte sich meines Erachtens, als hätte ich mich in ihr Revier gedrängt. Als mir das bewusst wurde, lud ich sie ein, mit uns zu essen, das war am dritten Tag. Sie brachte Miko das Essen ans Bett und setzte sich dann zu mir an den Küchentisch. Ich glaube, es hat ihr geschmeckt.

Ich habe keine Ahnung, was Miko ihr von uns erzählt hat. Hashimoto-san hat diesbezüglich nichts erwähnt, und ich habe nicht gefragt. Als wir dort beim Abendessen saßen, sagte sie, nachdem sie mich eine Weile betrachtet hatte, als sähe sie mich zum ersten Mal, unvermittelt in die Stille hinein: »Sie also sind der Mann …«

Mehr nicht.

Manchmal ruft Miko nach mir, und wenn ich zu ihr ins Zimmer komme, schläft sie fest. Das geschieht am Tage genauso wie des Nachts. Einmal sagte sie: »Lass uns nach Kure fahren.« Auch da redete sie im Schlaf.

Wir haben noch nicht über die Vergangenheit gesprochen. Sie hat es versucht, ich bat sie jedoch, damit zu warten, als ich sah, wie viel Kraft es sie kostete. »Das eilt nicht«, habe ich erwidert.

Gestern Abend, als wir im Wohnzimmer zusammensaßen und dem Jazz lauschten, dachte ich, als sie unvermittelt anhob, sie wolle etwas von damals ansprechen. Es war weniger das, was sie sagte, als die Pause, nachdem sie begann: »Ich hatte überlegt …«

Ich zuckte zusammen und spürte plötzlich, dass ich ganz und gar nicht darauf vorbereitet war, über unsere Vergangenheit zu reden. Ich erwiderte jedoch nichts.

Zum Glück ging es ihr um etwas anderes. »Nakamura-san«, sagte sie. »Er hatte etwas Besseres verdient.«

Mehr musste sie nicht sagen. Ich war drauf und dran, Ásta zu erwähnen, aber ich schwieg.

»Er war Lehrer, so wie ich«, fuhr sie fort. »Unterrichtete Mathematik. Er ist ein sehr akribischer Mensch.«

Ich fiel aus allen Wolken. »Er ist nicht gestorben?«, fragte ich.

»Nein, wir haben uns scheiden lassen.«

Ich versuchte, mich an das zu erinnern, was sie mir auf Facebook über ihren Ehemann erzählt hatte, brachte aber nicht mehr alles zusammen. Nur, dass sie keine Kinder hatten. Als ich später nachsah, stellte ich fest, dass in ihren Nachrichten nichts weiter über ihn stand. Ich hatte nur angenommen, dass er gestorben sei.

Mehr erzählte sie nicht über ihn, als wir auf dem Sofa saßen. Ich erhob mich und drehte die Platte um. Es gefiel mir, die Nadel zu lüften und sie wieder abzusenken, sie in der Rille entlanggleiten zu sehen. Ich habe meinen Plattenspieler schon vor Jahren entsorgt.

Am Abend, als ich bei ihr hineinschaute, um ihr Gute Nacht zu wünschen, erwähnte sie abermals ihren geschiedenen Mann. Sie hatte das Licht gelöscht, ich war im Begriff, ihr Zimmer zu verlassen.

»Nakamura-san ist ein guter Mensch«, sagte sie leise. »Wir haben uns siebenundneunzig scheiden lassen. Einen Monat nachdem Takahashi-san gestorben war.«

Mehr sagte sie nicht, und ich zog die Tür hinter mir zu.

Ich hatte sie am Tag, als ich ankam, nach ihrem Vater gefragt. Sie erzählte nicht viel, nur, dass er vor über zwanzig Jahren gestorben war. Dann sah sie mich an, wie um zu bestätigen, dass es vieles gebe, was wir zu besprechen hatten.

Auf dem Schrank im Wohnzimmer steht ein gerahmtes Foto von ihm. Es ist am Meer entstanden, an einem Anlegekai im Hintergrund liegen kleine Boote. Die Sonne steht tief am Himmel und überzieht sie mit goldenem Licht, während Takahashi-san ein wenig im Schatten steht. Vielleicht kommt er mir deshalb so klein vor, und vielleicht liegt es daran, dass ich ihn überhaupt nicht mit dem Bild, das ich von ihm im Kopf habe, in Einklang bringen kann.

Gestern schrieb ich Gerður eine lange Nachricht auf Facebook, in der ich ihr von der Wohnung erzählte, die ich zurzeit bewohne, beschrieb, was ich bisher von der Stadt gesehen habe und was ich mir noch ansehen möchte, das Wetter, das es seit meiner Ankunft gut mit mir meint, die Kirschbäume, die jetzt in voller Pracht stehen. Dem Friedensmuseum, das ich vorgestern endlich besucht habe, widmete ich besondere Aufmerksamkeit, denn ich muss die ganze Zeit daran denken. Ich kürzte meinen Bericht für Gerður dann allerdings, bevor ich ihn losschickte, denn mir fiel auf, dass meine Schilderung zu ausführlich geraten war. Ich ließ es bei ein paar allgemeinen Worten über die Katastrophe der Atombombe, die dort dokumentiert wird, vielleicht zu allgemein und damit nichtssagend.

Aber es geht mir gut, schrieb ich. *Es ist schön, hier zu sein, die Leute sind freundlich und rücksichtsvoll. Ich versuche, etwas Japanisch zu lernen, komme jedoch nur langsam voran. Ich habe genug zu tun ...*

Ich hatte ihr eigentlich etwas darüber erzählen wollen, warum ich letztlich hier bin, wusste aber nicht, wie. Ich erwähnte etwas von *Freunden,* löschte es jedoch wieder. Fragte Gerður stattdessen nach Villi und Axel und bat sie, viele Grüße auszurichten.

Wir waren beide bei Ásta, als sie starb. Es war abends, nach dreiundzwanzig Uhr. In den letzten Tagen war Ásta immer schwächer geworden, und die Pflegekräfte waren seit vierundzwanzig Stunden darauf gefasst, dass sie jederzeit von uns gehen würde. Sie war mit Medikamenten vollgepumpt und die meiste Zeit ohne Bewusstsein.

Kurz bevor sie ihren letzten Atemzug tat, kam sie für einige Sekunden zu sich. Vielleicht für eine Minute, ich weiß es nicht ganz genau. Sie flüsterte ein paar Worte, sie waren schwer zu verstehen. Gerður beugte sich zu ihr hinunter. »Ich bin so stolz auf dich«, hauchte Ásta mit Mühe.

Ich rückte ein Stück an sie heran, gab aber acht darauf, Gerður nicht wegzustoßen, die inzwischen unaufhörlich weinte.

Ásta sah mich an. Es fiel ihr schwer, die Augen offen zu halten. Mir schien, sie versuchte zu lächeln. »Ich weiß, du hast es versucht …«, war das Einzige, was sie hervorbrachte.

Sie befand sich in einem Dämmerzustand, und es wäre unvernünftig, ihren Worten allzu viel beizumessen.

So direkt sagte ich es nicht zu Gerður, gab es ihr aber zu verstehen und bewirkte damit den genau gegenteiligen Effekt. Das erklärt vielleicht, wie mir jetzt klar wird, den Ton in ihrem Nachruf und ihr Verhalten hinterher. Also habe ich mir das wohl selbst zuzuschreiben.

In meiner Nachricht wollte ich Gerður den Hintergrund meiner Reise erklären und aufrichtig sein. Ich wollte ihr schildern, wie es in meinem Inneren aussieht.

Ich wollte ihr erzählen, wie froh ich bin. Aber ich konnte es nicht. Um ihretwegen nicht. Auch um Ástas wegen nicht. Vielleicht werde ich es nie können.

Sie antwortete mir später am selben Tag, stellte ein paar harmlose Fragen, die ich mit Leichtigkeit beantworten konnte, sie berichtete, dass die Corona-Maßnahmen in Island verschärft worden seien, dass sich die Krankenhäuser füllten, es Gerüchte über einen Mangel an Schutzmasken und weiterer Schutzausrüstung gebe. Viele ihrer Schützlinge stünden unter hoher Anspannung. Ich glaubte zu spüren, dass es ihr genauso ging, und versuchte, ihr Mut zu machen.

Es ist überraschend, aber, wenn man es recht bedenkt, nicht verwunderlich, antwortete ich ihr, *dass hier, wo die Atombombe einschlug, sämtliche Denkmale – Museen und Parks, Straßen und Plätze – dem Frieden gewidmet sind. Und genauso wenig ist es verwunderlich, wenn man von ihm durchdrungen wird.*

Weiter führte ich es nicht aus, denn es würde mir schwerfallen zu vermitteln, wie mir zumute ist, ohne zu klingen, als wäre ich plötzlich zum Apostel geworden.

Gerður war mit ihren Gedanken jedoch schon bei Wichtigerem, als sie mir antwortete, ich hätte mir gar keine Sorgen machen müssen.

Es gibt hier jetzt ein Verbot privater Zusammenkünfte, also können wir Villis Geburtstag nicht feiern. Logisch, dass er total enttäuscht ist. Er tut mir so leid.

Möglicherweise ist es ein Zeichen meines Wohlbefindens, dass ich bei diesen Worten nicht einmal mit der Wimper zuckte und nicht in einen inneren Monolog über ihre Geburtstagsmanie verfiel.

Genauso wenig lasse ich mich von Hallmundur aus der Fassung bringen, wenn er mir völlig zusammenhanglose Textnachrichten schickt. Soeben habe ich mich rasiert und ziehe mich nun gerade an. Wie immer ist sein Ton ziemlich schroff. Bei ihm ist es schon nach Mitternacht.

Wie oft gehst du pinkeln am Tag?, lautet die Nachricht meines Bruders.

Ich hatte nichts von ihm gehört, seit er mir die Sache mit Bárður geschrieben hat. Ich hatte mich an meinen Beschluss gehalten, ihn für den Rest meiner Reise zu ignorieren, ihn zumindest nicht von mir aus zu kontaktieren.

Es kommt drauf an, wie viel ich trinke, antworte ich.

Mein Arzt, dieser Blödmann, will, dass ich im Sitzen pinkle, wie ein Weib, schreibt er unverzüglich zurück, inklusive der üblichen Tippfehler.

Anstatt mich an seiner Ausdrucksweise zu stören, sage ich mir, dass Hallmundur, dieser herrische Klotz, schon immer Angst vor Ärzten hatte.

Machst du das nicht ohnehin ab und zu?

Ich bezweifle, dass er das komisch findet. Jedenfalls antwortet er nicht sofort. Während ich warte, ziehe ich mir Strümpfe und Hosen an und rufe mir unsere Unterhaltung über die Prostata und das Wasserlassen im letzten Jahr ins Gedächtnis. Er rief mich an, als ich im Restaurant alle Hände voll zu tun hatte, und brauchte so lange, um auf den Punkt zu kommen, dass ich ihm schließlich erklären musste, ich hätte jetzt keine Zeit und wir müssten später weiterreden. Soweit ich mich erinnere, wurde nichts daraus.

Und nachts?, schreibt er endlich.

Einmal, antworte ich und füge, damit er sich besser fühlt, hinzu: *Hin und wieder zweimal.*

Seine Antwort lässt erneut auf sich warten. Doch schließlich schreibt er zurück, und diesmal hat er sich Mühe gegeben, denn seine Nachricht ist fehlerfrei.

Er möchte eine Probe entnehmen.

Ich versuche, ihm gut zuzureden, erwähne, dass der Arzt einfach auf Nummer sicher gehen wolle, dass er eben sorgfältig arbeite.

Der Arzt ist neu, schreibt mein Bruder zurück. *Der alte hat nie Proben gewollt.*

Ich gehe davon aus, dass er nicht seinen alten Arzt infrage stellt, sondern eher, dass der neue keine Ahnung habe. Dennoch bleibt mir seine Besorgnis nicht verborgen, und auf einmal habe ich Mitleid mit meinem Bruder, der allein in seiner Seniorenwohnung hockt, wo die Nachbarn an Langeweile sterben und wo er nichts anderes zu tun hat, als Radio zu hören und Patiencen zu legen, seine Seefahrertage längst Vergangenheit und nichts anderes in Aussicht als Untersuchungen und Reparaturen an einem Leib, der einstmals über ganzen Schiffsbesatzungen aufragte und Bewunderung bei Männern wie bei Frauen erregte, einem Leib, der inzwischen nur noch ein Schatten seiner selbst ist.

Die Blase entleert sich im Sitzen wohl leichter, schreibe ich, um etwas zu erwidern. *Vielleicht versuche ich selbst, es mir anzugewöhnen.*

Unsere Konversation verebbt. Ich ziehe ein Hemd an und öffne das Fenster, um durchzulüften. Ich fühle mich in dieser Wohnung mittlerweile sehr wohl und habe mir vorgenommen, heute den Vermieter zu kontaktieren. Ich glaube, sie ist in der nächsten Zeit noch frei, möchte mich dessen aber trotzdem vergewissern. Auf Nummer sicher gehen, so wie ich es Hallmundur geschrieben habe.

Ich habe außerdem beschlossen, Bárður anzurufen. Zuerst Frissi, um zu hören, was er davon halte, Bárður die Räumlichkeiten zu verpachten, dem ich selbstverständlich die besten Empfehlungen aussprechen würde. Ich fürchte weiterhin, dass Bárður den Belastungen, die es mit sich bringt, ein Restaurant zu betreiben, nicht standhalten könnte. Aber er ist erwachsen, und ich möchte ihm keine Steine in den Weg legen. Die Inneneinrichtung kann er auch haben.

Ich setze eine Maske auf, bevor ich losgehe, schließe das Fenster und ziehe die Gardinen zu, damit die Wohnung sich nicht aufheizt, wenn sich die Sonne zeigt. Als ich die Tür abschließen will, fällt mir auf einmal die Pralinenschachtel ein, die ich Miko noch nicht gegeben habe. Ich mache kehrt und hole die Schachtel, betrachte sie kurz und stecke sie in einen Beutel. Leider bin ich immer noch nicht dahintergekommen, welcher Berg auf dem Bild zu sehen ist, der mir inzwischen sogar vertrauter vorkommt als noch am Flughafen, wo ich die Pralinen gekauft habe.

Stell dir vor, es ist Tag, ich jedenfalls stelle es mir vor, und wir sind zum Beispiel in deinem Zimmer. Oder im Hof hinter dem Nippon. Es spielt im Grunde keine Rolle, ich habe uns an beiden Orten vor mir gesehen. Aber doch häufiger in deinem Zimmer ... Wir sind allein, und du beginnst, mir Fragen über Takahashi-san zu stellen. Und ich antworte dir. Ich gebe dir keine ausweichenden Antworten. Ich weine nicht. Ich ziehe dich nicht mit mir in die Kammer, um dich von weiteren Fragen abzuhalten ... Ich sage dir die Wahrheit.«

Wir sitzen im Wohnzimmer, es ist später Abend. Sie wollte kein Licht einschalten, als es dunkel wurde, erklärte, es falle ihr leichter, im Dunkeln mit mir zu reden.

»Es hat keine Eile«, erwiderte ich.

Doch ihre Kräfte kehren zurück, und sie meint, nicht länger warten zu können. Sie ist wieder mehr sie selbst. Will hier im Dunklen sitzen und mit mir reden, so als wären wir noch immer jung und hätten uns eines Nachmittags in mein Zimmer gestohlen. Als wäre die Zeit stehen geblieben.

»Nie hätte ich mir vorgestellt, dass wir dieses Gespräch hier führen würden ...«

»Wir müssen nicht«, wiederhole ich.

Sie blickt geradeaus.

Ich beschließe, ihrem Beispiel zu folgen. Die Hände im Schoß.

»Hast du mich nicht überwiegend gehasst?«

Ich schrecke zusammen. »Nein«, entgegne ich.

»Nie?«

»Nein, niemals.«

»Ich hätte mich gehasst«, erwidert sie.

Von den Straßenlaternen fällt durch das Fenster ein schwacher Lichtschimmer, aber nicht bis zu uns heran. Ein vorbeifahrendes Auto ist zu hören, es hält an, entfernt sich.

Als sie zu erzählen beginnt, scheint es, als wären die Worte schon immer da gewesen, ein Teil ihres Schweigens, und lösten sich nunmehr aus diesem heraus.

»Ich war zehn, als Papa mir erstmals erzählte, was mit Mama passiert war. Von Hiroshima. Bis dahin hatte er die Vergangenheit kaum erwähnt. Ich wusste nur, dass Mama starb, als ich noch klein war, und dass sie in Kure gelebt hatten. Jetzt seien wir beide Engländer, erklärte er mir, das sei das Wichtigste. Bis zu meinem zehnten Geburtstag. Da hörte ich zum ersten Mal das Wort *Hibakusha.*

Wir saßen am Küchentisch. Er sagte mir, weshalb wir Japan verlassen hatten. Sprach von den Vorurteilen. Allerdings ohne dieses Wort zu gebrauchen, denn er hegte sie selbst. Er befürchtete, dass Defekte in mir schwelten, die noch zutage treten würden. Er sagte zu mir, ich dürfe niemals Kinder bekommen, sie würden nicht gesund zur Welt kommen.

Ich erinnere mich daran, wie verängstigt ich war. Ich glaubte, eine entsetzliche Krankheit in mir zu tragen und dass ich bald sterben müsse. Er tröstete mich, und ich gelobte, seinen Anweisungen aufs Wort zu gehorchen. Ich hatte ihn noch nie zuvor weinen sehen.

Von da an musste ich mein Versprechen an jedem meiner Geburtstage wiederholen. Davon abgesehen erwähnte er den Fluch, der auf mir lastete, nie. Bis ich zum ersten Mal meine Periode bekam. Es war, als packte ihn die schiere Verzweiflung. Ich war dreizehn.

In den ersten Jahren berührten mich seine Regeln und Verbote nur wenig. Doch dann reifte ich heran. Die Jungen begannen, Interesse an mir zu zeigen. Ich begann, mich für sie zu interessieren. Er spürte die Gefahr und erinnerte mich fortan regelmäßig an mein Versprechen, nicht nur, wenn ich Geburtstag hatte, diese Zeiten waren vorbei. Er sprach von den Opfern, die er gebracht hatte, indem er mit mir nach Großbritannien gezogen war, damit ich ein *normales Leben* führen könne. Nichts anderes würde er dafür erwarten, als dass ich zu meinem Wort stehe. Viele alleinstehende Menschen führten ein gutes Leben. Hitomi, zum Beispiel, sie sei zufrieden mit ihrem Los.

Als Studentin las ich dann alles, was ich über die Atombombe und ihre Auswirkungen fand. Es gab nicht so viel wie heutzutage, aber trotzdem genug. Artikel über Menschen, die den Angriff überlebt hatten, aber noch immer litten, die Verbrennungen davongetragen hatten, verstümmelt, verstrahlt oder auf andere Weise versehrt waren. Über Tumore und Erkrankungen, verschiedenste Leiden, Mutationen. Und auch über Frauen, die schwanger waren, als die Bombe fiel, speziell einen Artikel, den ich so viele Male las, dass ich ihn auswendig konnte. Er handelte von vier Frauen, die nach dem Angriff ihr Kind verloren hatten, und von vier anderen, die es geschafft hatten, ihr Baby zu bekommen. Einige zu früh, andere zum errechneten Termin. Die Verfasser des Artikels, zwei Wissenschaftler, versuchten, die Erklärung dafür zu finden, warum einige der Frauen eine Fehlgeburt erlitten hatten, ob es beispielsweise eine Rolle spielte, wie weit fortgeschritten die Schwangerschaft gewesen war, aber auch, warum zwei der geborenen Kinder ihr ganzes Leben lang mit Krankheiten zu kämpfen hatten, die anderen beiden hingegen nicht – beides Jungen, oder vielmehr damals junge Männer. Sie kamen zu keinem Ergebnis, nicht so, dass ich zuversichtlich gewesen wäre. Sie sprachen von Unwägbarkeiten, der Notwendigkeit weiterer Forschung, Langzeitfolgen. Einer der jungen Männer hatte seit Kurzem Symptome, die darauf hinwiesen, dass seine Schilddrüse nicht normal funktioniere.

Und dann kam dieser kurze Abschnitt am Ende, ob Frauen, die der Strahlung ausgesetzt gewesen waren, mit größerer Wahrscheinlichkeit ein behindertes Kind bekamen. Dafür gebe es noch keine Beweise, sagten sie. Jedoch könne gleichfalls nichts ausgeschlossen werden. Es werde sich erst mit der Zeit zeigen. ›So vieles wissen wir noch nicht.‹«

Sie verstummt. Ich habe das Gefühl, dass sie ein bisschen schwächer geworden ist. Sie spricht langsamer, ihre Stimme klingt matter. Ich frage, ob sie sich ausruhen möchte. Sie schüttelt den Kopf, bittet mich aber um ein Glas Wasser.

Ich stehe auf und taste mich in dem Halbdunkel in die Küche, orientiere mich an dem Lichtschimmer von draußen, nehme ein Glas und lasse es voll Wasser laufen.

Sie nimmt es mit beiden Händen entgegen und führt es an die Lippen, trinkt vorsichtig einen Schluck, wie von einem heißen Getränk, schluckt, trinkt erneut. Reicht mir schließlich das Glas.

Ich stelle es vor uns auf dem Tisch ab und setze mich wieder. Sie räuspert sich verhalten, blickt noch immer geradeaus. Ich mache es ihr wieder nach, aber diesmal nehme ich ihre Hand. Und sie nimmt meine. Ihre Hand ist kalt und feucht. Ich versuche, sie zu wärmen.

»In dem Artikel wurde der Begriff *Hibakusha* erwähnt«, erklärt sie dann. »Die Wissenschaftler sprachen von den Vorurteilen, sprachen zum Beispiel darüber, dass die Strahlenkrankheit nicht auf andere Personen übertragen wird, und entkräfteten auch anderen Aberglauben. Doch ich fühlte mich kein Stück besser. Ihre Worte über das Kinderbekommen überdeckten alles andere.

Trotzdem beschloss ich, Takahashi-san zu erzählen, was ich gelesen hatte. ›Die Strahlenkrankheit ist nicht ansteckend‹, sagte ich. ›Und es gibt keine Beweise dafür, dass ich nicht gesunde Kinder bekommen könnte. Keinerlei Beweise …‹

Ich wusste, das war nur die halbe Wahrheit. Und vielleicht sah er es mir an. Er hörte mir schweigend zu, und seine Miene verdüsterte sich zusehends. Ich redete weiter, wiederholte dieselben Aussagen wieder und wieder, jedoch mit schwindendem Mut. Redete immer weiter, bis schließlich er etwas sagte. ›Du hast es versprochen‹, war das Einzige, was er entgegnete. Das war an dem Tag, als wir uns zufällig in dem Buchladen trafen. Erinnerst du dich?«

»Ja«, sage ich.

»Unser Gespräch fand an dem Abend statt. Als ich am nächsten Morgen aufwachte, hatte er die Wohnung schon verlassen, aber auf den Küchentisch einen Zeitungsausschnitt gelegt. Er war aus einer japanischen Tageszeitung, ein Foto von einem Säugling in den Armen seiner Mutter. Dem Kind fehlte ein Arm. Das eine Ohr war winzig klein und entstellt. Wie eine verschrumpelte Frucht. Als ich mithilfe des Wörterbuches die Bildunterschrift entzifferte, las ich, das Kind sei außerdem geistig behindert. Weißt du noch, wie er Naruki zu einem Gespräch gebeten hatte?«

Ich erwidere, dass ich mich an dessen Besuch im Nippon erinnerte, wie es dazu gekommen war.

»Takahashi-san hatte ihn ausfindig gemacht«, antwortet sie. »An diesem Tag hat er ihm gesagt, dass ich eine Hibakusha bin. Das reichte.«

»Hat er dir gefehlt?«

»Nein. Da war ich schon dir begegnet.«

Ich drücke ihre Hand.

»Vergib mir«, sagt sie und fährt fort, bevor ich ihr antworten kann: »Das ging alles so schnell. In meiner Erinnerung zumindest. Ich entsinne mich, dass ich in der Bahn auf dem Nachhauseweg saß. Da kam mir die Idee … Ich weiß noch, dass die Bahn halb leer war, es war am Abend. Ich war so aufgeregt, dass ich nicht still sitzen konnte. Ich sprang auf. Ich hatte die perfekte Lösung gefunden.

Es war nicht leicht, Takahashi-san zu überzeugen. Aber schließlich gab er nach. Die Sterilisation das kleinere Übel, als darauf zu vertrauen, dass ich mein Wort hielte. Doch er hatte Angst. Und ich auch.

Erinnerst du dich an Tokunaka-san? Er war einer unserer Stammgäste. Er hat seinen Geburtstag im Nippon gefeiert, als du dort gearbeitet hast ...«

Ich antworte, dass ich mich an ihn erinnerte.

»Er hat es organisiert. Kannte einen Arzt, der sich bereit erklärte, die Operation durchzuführen.«

»War das in Brighton?«

»Ja, es war dort.«

»Deshalb seid ihr an dem Wochenende dorthin gefahren ...«

Sie nickt.

»Und vorher hast du mir den Teebecher geschenkt ...«

»Ich wollte, dass du etwas hast, das dich an mich erinnert. Falls etwas schiefginge ...«

»Aber es ging nichts schief«, sage ich, als sie nicht fortfährt. »Ich habe Takahashi-san am Montag darauf gesehen.«

Sie antwortet nicht.

»Er sagte, du seist noch in Brighton ... Was war denn passiert?«

Kurz bevor wir aufbrachen, verdunkelte sich plötzlich der Himmel. Wir hatten soeben den Bahnhof erreicht, blieben jedoch stehen und sahen durch die Windböen zu, wie sie den Regen die Straße entlangtrieben.

Doch dann schaute sie auf die Uhr, und wir setzten unseren Weg in das Gebäude fort, schweigend, bis sie sich mir unvermittelt zuwandte und fragte: »Bist du sicher, dass du fahren möchtest?«

Sie hatte mich auch heute Morgen gefragt, als ich bei ihr eintraf, und ich antwortete genauso, dass ich es mir nicht anders überlegt hätte. Sie wirkte erleichtert, obwohl ihre Vorfreude zweifelsfrei gemischt ist mit Beklommenheit, nicht minder als meine eigene.

Die Zugfahrt nach Kure dauert nur eine knappe Stunde. Miko hatte mich vorgewarnt, dass die Landschaft fast die ganze Strecke über ziemlich trostlos sei; die Vororte beider Städte, Kure und Hiroshima, gingen mehr oder weniger ineinander über, vereinzelt gebe es ein paar Felder in der Ferne zu sehen, doch hauptsächlich Industrieflächen und alle möglichen Gebäude. »Aber man sieht auch das Meer«, sagte sie, und obwohl es vielleicht merkwürdig sei, überrasche es sie jedes Mal wieder.

Während der letzten Tage hat sie beachtliche Fortschritte gemacht, und sie versichert, keine schweren Folgen mehr zu verspüren. Sie hat mehr Appetit, ihre Bewegungen sind schneller, ihre Erwiderungen schelmischer. Der alte Glanz blitzt gelegentlich in ihren Augen auf, und ihre Mundwinkel zucken spitzbübisch.

Ist sie jetzt wieder mehr *sie selbst*? Ich weiß es nicht, denn das Bild, das ich von ihr im Kopf habe, hat sich gewandelt. Es fiel mir gestern Abend auf, als ich mich an etwas aus unserer Vergangenheit erinnern wollte, da sah ich sie nicht mehr so vor mir, wie sie damals war, sondern so, wie sie jetzt ist. Wie sie durch die Straßen von London spaziert, in Sachen, die sie Anfang der Woche trug, und dann nochmals gestern, nachdem ich erwähnt hatte, wie gut sie ihr stünden, Jeans und blauer Pullover, das Haar zum Knoten gewunden und um diesen eine Haarspange, über der Schulter eine rote Tasche. Es traf mich unerwartet, und im ersten Moment erschrak ich gehörig, denn ich befürchtete, dass etwas Wichtiges meinem Zugriff entglitt, dass meinen grauen Zellen Erinnerungen verloren gingen, weil sie nicht in der Lage wären, sie weiterhin zu behalten. Doch dann beruhigte ich mich allmählich wieder, denn ich hatte nichts vergessen von damals, weder Begebenheiten noch Wortwechsel, sie allein war es, die sich verändert hatte.

Ich habe es ihr heute Morgen erzählt. Sie war dabei, sich für den Ausflug fertig zu machen, ich saß am Küchentisch und ging in Gedanken meine Ausweis- und meine Kontonummer durch, die Geburts- und Sterbedaten meiner Eltern, die Namen der isländischen Präsidenten, die Vorspeisen auf der Karte des Torgið. Mein Haiku, das ich ihr bei Gelegenheit vortragen werde. Ich muss unwillkürlich die Lippen bewegt haben, denn sie fragte, was ich da machte. Ich hatte nicht gemerkt, dass sie mich beobachtete, und ich beschloss, ihr alles geradeheraus zu erzählen, von dem Spezialisten und seiner Diagnose, der zufolge es wohl Anzeichen gibt, dass meine geistigen Fähigkeiten nachlassen. Ich fügte hinzu, dass ich sie nun nicht länger so vor mir sähe, wie sie ausgesehen habe, als wir jung gewesen seien, dass ich das gestern Abend gemerkt hätte. »Ich bekam einen Schreck«, sagte ich.

»Wie siehst du dich selbst vor deinem geistigen Auge?«, fragte sie. »Wenn du an damals denkst ...«

Darüber hatte ich noch gar nicht nachgedacht, und als ich nun in Gedanken versuchte, in die Vergangenheit zu gehen, merkte ich, dass ich nirgends zu finden war.

»Ich kann mich nicht sehen«, antwortete ich. »Vielleicht konnte ich das noch nie.«

Sie lehnte sich zu mir herüber und gab mir einen Kuss auf die Stirn. »Mit deinem Kopf ist alles in Ordnung«, sagte sie. »Du bist derselbe Mann wie vor fünfzig Jahren. Derselbe ...«

Sie vollendete ihren Satz nicht.

»Derselbe was?«, fragte ich.

»Bloß der Bart ist weg«, erklärte sie lächelnd.

Wie zu erwarten, ist der Zug auf die Minute pünktlich. Wir nehmen im hinteren Teil des Wagens, der gerade einmal halb voll ist, Platz. Es ist kurz nach elf Uhr. Es regnet noch immer in Strömen, aber der Wind hat nachgelassen.

Die Arztpraxis in Brighton lag im ersten Stock eines neueren Gebäudes in der Innenstadt. Es gab mehrere Praxen in dem Haus, aber keine der anderen war sonnabends geöffnet. Takahashi-san übergab dem Arzt einen Umschlag mit Geld und wartete dann draußen, während der Arzt Miko untersuchte. Sie erzählte, dass der Arzt wortkarg gewesen sei und dass sie sich vor allem an seine auf Hochglanz polierten Schuhe erinnere. Und daran, wie er zusammenfuhr, als ihr übel wurde. Sie hatte sich soeben auf die Untersuchungsliege begeben und schaffte es gerade noch zum Waschbecken.

Der Arzt befragte sie zu ihrer Übelkeit. Sie erklärte ihm, dass es die Nerven seien, in letzter Zeit habe sie sich manchmal morgens übergeben müssen. Nachdem er sie untersucht hatte, bat er sie, draußen zu warten, und winkte Takahashi-san herein, um mit ihm zu sprechen. Er schloss die Tür.

Keiner der beiden sagte etwas, nachdem sie das Gespräch beendet hatten. Miko und Takahashi-san verabschiedeten sich. Sie zitterte auf dem gesamten Weg nach Hause. Als sie dort ankamen, bestätigte Takahashi-san, was sie bereits vermutet hatte. Er war außer sich.

Er fragte sie nicht, wer der Vater sei. Doch sie sagte es ihm, in der schwachen Hoffnung, dass er seine Meinung dann ändern werde.

»Weil er dich so mochte«, sagte sie. »Aber es half nichts. Ich glaube, er hatte es schon vorher gewusst, obwohl er nichts sagte und später auch nie mehr darauf zurückkam.

Er gab dir keine Schuld«, erklärte sie. »Er gab sie allein sich selbst und mir.«

Er befahl ihr, zu Hause zu bleiben, ansonsten sprach er in den folgenden Tagen kaum ein Wort mit ihr. Sie war überzeugt davon, ein behindertes Kind in sich zu tragen. Sie lag im Bett oder wanderte herum wie ein Geist. Unterdessen traf er Vorbereitungen.

Als ich ihm ankündigte, dass ich nach Island fliegen wolle, um meine Großmutter zu beerdigen, machte er Nägel mit Köpfen. Sie hatte keinerlei Mitspracherecht und hätte auch nicht die Kraft gehabt, ihm zu widersprechen. Er schloss das Nippon, buchte für sie beide einen Flug nach Japan. Dort lagen seine Wurzeln, trotz allem.

Ich fragte sie, was sie gemacht hätten, wenn ich nicht nach Island geflogen wäre. Sie antwortete, dass es nichts geändert hätte. Damit hatte ich für ihn höchstens die Abreise vereinfacht. Sie war derweil vom Sofa aufgestanden, hatte meine Hand losgelassen und sah aus dem Fenster auf die stille Straße und den Platz gegenüber.

Sie hatte ihren Vater betrogen, jenes Verbrechen begangen, das er am meisten fürchtete. In den folgenden Monaten behandelte er sie dementsprechend.

Er mietete eine kleine Wohnung in Takehara, einem Städtchen nordöstlich von Kure. Sie waren dort fremd, und so liefen sie nicht Gefahr, dass Miko erkannt wurde. Dennoch blieb sie zumeist im Haus, gelegentlich erlaubten sie sich abends einen Spaziergang an den alten Tempeln entlang bis zum Hafen.

Als sie einen Jungen zur Welt brachte, hatte Takahashi-san alles perfekt vorbereitet, der Kleine sollte direkt nach Hiroshima in eine Einrichtung für behinderte Kinder gebracht werden. Er war sprachlos, als der Junge völlig gesund geboren wurde – mit zwei Beinen und zwei

Armen, zehn Fingern und zehn Zehen, Ohren, die hübscher nicht hätten geformt sein können, Augen, in die alle sofort vernarrt waren. Und sein Weinen klang wie der lieblichste Gesang in dem kleinen Krankenzimmer.

Es war, als wäre Takahashi-san der Boden unter den Füßen weggezogen worden. Alles stand Kopf. Er konnte seinen Fehler nicht zugeben, weil er zu viel Angst hatte. »Sie werden sich später zeigen«, sagte er ein ums andere Mal zu ihr. »Die Defekte, sie werden alle später zutage treten.«

Die Ärzte wussten von einem Ehepaar in Kure, gute Menschen, die ein Kind adoptieren wollten. Takahashi-san erledigte die Formalitäten am Tag nach der Geburt des Jungen. Sie konnte sich nicht wehren, nicht protestieren, nicht darum bitten, den Jungen noch einmal sehen zu dürfen, er war fort. Sie hatte das Dokument unterschrieben. Obgleich es ihr schwerfiel, die Ereignisse dieses Tages Revue passieren zu lassen, so erinnerte sie sich doch daran. Sie hatte das Dokument unterschrieben.

Auf halber Strecke zwischen Hiroshima und Kure klart es auf. Die Sonne lässt sich hin und wieder blicken, und die Wolken treiben rasch auseinander. Ich sehe auf die vorbeischießenden Häuser, alte wie neue, Fabrikanlagen und Wohngebäude, Geschäfte, Bürokomplexe.

Ehe ich mich besinne, neige ich mich zu ihr hin und frage: »Erinnerst du dich an Chicken Shack?«

Sie sieht mich fragend an.

»Die Band ... auf dem Bluesfestival in Bath ...«

Ich meine, sie lächelt hinter ihrer Maske.

»Ja, wie kommst du darauf?«

»Ich weiß nicht«, erwidere ich. »Der Name blieb mir immer im Gedächtnis.«

Wir schauen einander in die Augen, die Sonne scheint durchs Fenster herein, und sie sagt: »Ich konnte nichts tun.«

Sie hatte das zuvor schon gesagt. Als sie am Fenster stand und in die Abenddämmerung hinausblickte und auch gestern, als wir beschlossen, diesen Ausflug zu machen. Und ich bin mir sicher, dass sie es sich oft gesagt hat. Unzählige Male. Jahrzehntelang.

Gestern sagte sie außerdem: »Ich war danach lange in sehr schlechter Verfassung.«

Sie hat es nicht näher erläutert, und ich frage nicht nach. Dann vergingen ein paar Jahre, zwei oder drei, wenn ich richtig rechne, bis sie ihr Studium an der pädagogischen Hochschule aufnahm. Und fünf weitere, bis sie Nakamura-san heiratete, den Mathematiklehrer.

Erst nach Takahashi-sans Ableben und nach ihrer Scheidung machte sie sich auf die Suche nach unserem Sohn. Sie hatte immer gewusst, dass die Leute, die ihn adoptiert hatten, in Kure lebten, die Frau war Japanerin, der Mann ein australischer Arzt, der nach dem Krieg nach Japan gekommen und geblieben war.

»Sie trauten es sich zu, einen Hafu großzuziehen«, erzählte sie. »Ein Kind gemischter Herkunft. Sie begegnen häufig Vorurteilen.

Hafu bedeutet ›halb‹«, fügte sie hinzu. »Halbjapaner.«

Unser Sohn heißt Akira. Morgen wird er fünfzig.

»Er ähnelt dir«, sagte sie. »Nicht nur äußerlich.«

Vor einigen Jahren hatte sie es sich angewöhnt, regelmäßig zu ihm zu fahren.

»Was glaubst du, was er arbeitet?«, fragte sie mich und lächelte.

»Keine Ahnung.«

»Rate mal.«

»Ist er Arzt?«

»Er führt ein Restaurant. Ramen und Okonomiyaki. Er kocht selbst. Am Tresen, von dem man in die Küche blickt, gibt es acht Stühle. Im Saal noch einmal ebenso viele Tische. An dem größten finden sechs Personen Platz, an den anderen zwei beziehungsweise vier. Er ist ein sehr guter Koch.«

Sie fährt jede Woche zu ihm. Sie hat ihm nicht gesagt, dass sie seine Mutter ist, und das wird sich auch nicht ändern. Er unterhält sich mit ihr wie mit anderen Stammgästen, über dieses und jenes, das Essen, das Wetter; er interessiert sich für Jazz und für Fußball.

»Er ist freundlich«, sagt sie. »Und sehr gewissenhaft. Nie aufbrausend. Er behandelt sein Personal gut. Er hat ein hübsches Lächeln ... Und Angst vor Mäusen.«

Er hat zwei Töchter, eine ist Ingenieurin, die andere studiert an der Universität Geschichte. Miko ist ihnen beiden begegnet.

»Die ältere sieht mir unglaublich ähnlich, sie sieht genauso aus, wie ich aussah, als ich in ihrem Alter war. Ich bekam einen richtigen Schreck, ich dachte, sie würde sich selbst in mir sehen. Aber ich hätte mir keine Sorgen machen müssen.«

Wir wollen zeitig da sein, damit wir auf jeden Fall Plätze am Tresen bekommen. Sie sagt, er werde sicherlich nach mir fragen, denn es sei das erste Mal, dass sie nicht allein komme. Es beunruhigt sie jedoch nicht, und mich genauso wenig, obwohl sie nicht erzählt hat, was sie ihm zu antworten beabsichtigt.

Als der Zug eine kleine Lichtung umrundet, erscheint mit einem Mal das Meer. Der Anblick kommt überraschend, glänzend und so spiegelglatt liegt es da, dass es schwerfällt, sich vorzustellen, es sei jemals grau und aufgewühlt. Die Sonne scheint inzwischen, und ihre Reflexionen tanzen auf den Wänden unseres Abteils.

Sie blickt hinaus aufs Wasser. Ich betrachte den Lichtschimmer auf ihrer Wange und ihrem Haar, auf ihrem Hals und ihren zierlichen Schultern. Als wir das letzte Mal zusammen mit der Eisenbahn fuhren, waren wir auf dem Weg von Bath nach Hause. Im Abteil wurde gesungen. Sie war schwanger mit unserem Sohn.

Jetzt sitzt sie neben mir und lächelt über etwas, woran sie gerade denkt. Der Zug wird langsamer, ändert seine Fahrtrichtung in Richtung Küste.

Die Zeit, die Entfernungen ... Das Leben, wie es hätte verlaufen können. Sie streicht sich ein Haar aus der Stirn und legt die Hand wieder auf das Polster zwischen uns. Ich muss nur die Finger ausstrecken, um sie zu berühren.